D1211502

LES ALPES VALAISANNES A SKIS

LES 100 PLUS BELLES DESCENTES ET RANDONNEES

Denis Bertholet

LES ALPES VALAISANNES A SKIS

LES 100 PLUS BELLES DESCENTES ET RANDONNEES

Collection créée par Gaston Rébuffat

DENOËL

REMERCIEMENTS

En tout premier lieu à Gaston Rébuffat et Albert Blanchard qui m'ont demandé d'écrire cet ouvrage. Ensuite aux gardiens de cabane et à mes collègues guides de montagne qui ont bien voulu me faire part de leurs expériences.

Un merci tout spécial à Christine de Colombel, Alex Lucchési, Gilles Alkan et à toute l'équipe technique des Éditions Denoël pour leur soutien et leur aide efficace.

A la fin du livre figure la liste de tous les amis qui ont bien voulu mettre à ma disposition leurs photos, je les en remercie chaudement, de même que tous les auteurs des documents en définitive non retenus.

Enfin, je tiens à remercier aussi tous mes clients et amis, qui figurent pour la plupart sur mes photographies, pour la patience et le bon vouloir dont ils font preuve lorsque j'interromps la course pour prendre quelques vues.

© 1987, by Denis Bertholet et Éditions Denoël, Paris 7e.
ISBN 2-207-23347-2

SOMMAIRE

L'ÉPOPÉE DU SKI EN VALAIS

La chaîne de montagnes, qui s'élève du col du Grand Saint Bernard à l'ouest au col du Simplon à l'est, porte le nom d'Alpes Pennines. L'expression « Alpes valaisannes », utilisée dans les langues française et allemande au nord de la chaîne, n'est pas employée, au sud, dans la langue italienne ni même dans le patois du val d'Aoste. Les Anglais se servent également de l'appellation correcte « Pennine Alps ». En fait, on devrait écrire « Alpes poenines » car, d'après le chanoine Jules Gross, « ... le col du Grand Saint Bernard se nommait autrefois le col poenin... L'orthographe nouvelle : pennine, vient de Tite-Live qui ne voulait pas admettre qu'Annibal et les Carthaginois (Poeni) aient franchi ce col, en 218 avant J.-C. ». Une autre source montre que cette orthographe viendrait du dieu gaulois Poenin (Poenino) ou de son substitut romain, Jupiter Poenin (Jovi Poenino), adorés l'un après l'autre sur ce col. Les Romains appelaient du reste le Valais : la Vallée poenine (Vallis poenina).

Pour une bonne compréhension, nous en resterons cependant à l'expression moderne et courante en parlant des « Alpes valaisannes ». Celles-ci sont limitées au nord par le Rhône et au sud par la Doire Baltée, principale rivière du val d'Aoste. Les eaux du massif du Mont Rose s'écoulent, au sud, dans le Sesia et, à l'est, dans le Toce. Ces deux fleuves rejoignent également la grande vallée du Pô, puis la mer Adriatique. Entre ces profonds sillons, l'épine dorsale des

Vue du Balfrin sur le massif des Mischabel.
De gauche à droite : Lenzspitze, Nadelhorn, Hohberghorn, Dürrenhorn (ci-contre).

Alpes valaisannes projette les côtes de ses nombreux chaînons latéraux, formant ainsi tout autant de vallées secondaires. Ces dernières, profondes, souvent sinueuses et accidentées, ne donnent accès chacune qu'à de faibles portions de la chaîne principale. L'approche des grands sommets est longue, souvent compliquée, et seules quelques vallées sont équipées de téléphériques ou d'autres moyens de remontées mécaniques. A l'exception des grands centres touristiques, ces caractéristiques conservent à la plus grande partie de la chaîne une atmosphère d'isolement, de sauvage beauté non encore exploitée. En hiver, le froid et la neige ajoutent encore à cette impression de pureté géologique des premiers âges. Seules les déposes sauvages en hélicoptère, malheureusement pas encore réglementées en Italie, viennent troubler cette sérénité.

Après le magnifique livre paru dans la même collection sur les Alpes valaisannes[1] en été, il est logique de les retrouver maintenant sous leur parure hivernale. Très tôt les alpinistes ont été attirés par la beauté des montagnes en hiver et, dès qu'ils en ont maîtrisé l'usage, ils ont utilisé les skis de préférence aux raquettes.

L'histoire du développement du ski en Valais et au val d'Aoste est assez confuse dans ses débuts et il est difficile

1. *Les Alpes valaisannes* de Michel Vaucher, Denoël, 1979.

de savoir si les premières descriptions se rapportent vraiment à des skis ou plutôt à des raquettes améliorées. Dans son ouvrage *Les Vues classiques de la Suisse,* paru en 1838, H. Zschokke signale que « les habitants d'un hameau au bord du petit lac du Görner descendent à l'église de Zermatt, même pendant leurs neuf mois d'hiver, mais avec prudence, équipés de larges chaussures de neige en bois et munis d'un long bâton ». Il s'agit certainement du petit hameau de Zum See (1 763 m) situé au débouché du glacier du Gorner, entre Furi et Zermatt; mais avait-on affaire à des skis ou à de simples planches faisant office de raquettes? La description manque de précision pour que l'on puisse s'en faire une certitude. Le 20 décembre 1849, le curé de Saas Fee, Johann-Josef Imseng, est appelé au chevet d'un mourant à Saas Grund. Il se munit de deux planches pour entreprendre cette descente, impossible autrement, à cause des deux mètres de neige fraîche qui recouvrent le chemin. Là encore, la description n'est pas assez précise pour savoir si ce sont des skis ou des sortes de raquettes. De même pour Hironymus Inderbinnen, qui en 1880 monte de Zermatt à Zmutt pour voir ses moutons en utilisant deux planches pour brasser la grosse neige.

En revanche, il semble bien que les premiers skieurs des Alpes valaisannes et peut-être de toutes les Alpes furent les chanoines du Grand Saint Bernard. La chronique rapporte

que cinq paires de skis norvégiens arrivèrent à l'hospice en 1877 déjà; malheureusement, sans mode d'emploi. Le chanoine Borter et le frère Massy, leurs premiers utilisateurs, eurent beaucoup de peine à s'en servir correctement et se découragèrent vite. Au contraire, leurs successeurs, les chanoines Terrettaz et Lugon, furent, paraît-il, beaucoup plus doués et efficaces dans ce genre de « sport ». En 1888, le novice Jules Gross tente à son tour l'expérience et écrit : « Je tentai une descente vers la Grand'Combe. Ô merveille! Comment dire la joie de courir dans cette neige fraîche… Hourra! en quelques minutes j'arrivai à l'extrémité de la grand'combe. Je serais allé d'un trait à L'Hospitalet, mais je n'avais pas une minute à perdre pour être de retour avant la fin de la récréation. Que de belles randonnées depuis ce jour. Il y avait bien quelques culbutes, mais qu'importe?… »

Plus loin, dans son ouvrage *L'Hospice du Grand Saint Bernard*, Jules Gross, devenu chanoine, parle encore des skis que ses collègues se mirent à fabriquer eux-mêmes et de leurs fixations : « Ce ne fut pas sans peine, on le devine, mais ils réussirent pourtant à faire des skis qui n'avaient qu'un défaut : le pied était solidement fixé et le ski ne pouvait s'en détacher en cas de chute. Ce n'était pas sans danger de luxation… » On voit par là que les chanoines avaient inventé « la longue lanière » avant 1900 déjà. Ils perfectionnèrent petit à petit leur matériel, au contact des touristes à skis. Le premier de ceux-ci s'est inscrit dans le « livre des voya-

geurs » de l'hospice, le 24-25 décembre 1893. Il s'agit d'un Autrichien, Johan F., de Murzzuschlag en Stirie, lieu où fut fondé en 1890 le premier ski-club autrichien. Sûrement qu'en cette soirée de Noël 1893 on discuta ferme de technique de ski et de fixations, autant que de religion. Dès 1900, tous les chanoines étaient équipés de skis, mais ce n'est que pendant l'hiver 1906-1907 qu'ils adoptèrent les premières « attaches Huitfeld » avec lanière mobile pour le talon. Ce modèle de fixation offrait un grand avantage pour la marche, mais forcément une beaucoup moins bonne conduite du ski pour la descente.

Dans le domaine de la haute montagne et de l'alpinisme à skis, le précurseur fut W. Paulke qui, du 18 au 22 janvier 1897, réussit en compagnie de quatre amis la première grande traversée alpine, de Meiringen à Brigue, par le Grimsel, l'Oberaar Joch, la Grünhornlücke et Belalp. En janvier 1898, il tente avec R. Helbling le Mont Rose et échoue vers 4 100 m, peu au-dessous du Sattel, mais il publie un manuel de ski *Der Skilauf* qui deviendra une sorte de bible du skieur. L'un de ses premiers compagnons, de Beauclair, domicilié à Zürich, enseigne le ski aux habitants de Zermatt dès 1899, avec l'aide d'un certain Weber de Berne. C'est à eux, « les meilleurs skieurs de l'heure », que le Dr Seiler

Findeln au-dessus de Zermatt, avec le Rimpfischhorn dans le fond (page ci-contre). Le "style" des années 30 sous l'œil de l'immuable Cervin (ci-dessus).

La première de Chamonix - Zermatt janvier 1903

Ce sont trois Chamoniards, le Dr Payot, Joseph Couttet et Joseph Ravanel, qui réussirent à relier, pour la première fois, Chamonix à Zermatt, skis aux pieds. Depuis cette "haute route" est devenue l'une des plus célèbres des Alpes.
Ci-contre : l'Aiguille d'Argentière et nos trois pionniers.
Page ci-contre : en haut, traversée de la Fenêtre de Saleina ; en bas, à gauche, la Dent d'Hérens ; en bas à droite, le Cervin. ·
Tous ces documents sont extraits d'un album appartenant à Roger Simond du Lavancher.

va confier la direction du premier cours de ski pour guides, du 9 au 14 janvier 1902. Il y aura douze patentés « guides-skieurs ». Cette appellation est restée en usage jusqu'après la Seconde Guerre mondiale, le ski n'étant pas encore obligatoire pour tous les futurs guides.

En janvier 1903, quatre Chamoniards réussissent à relier Chamonix - Zermatt avec leurs skis. Le Dr Payot, précurseur du ski dans la vallée de Chamonix, Alfred Simond, Joseph Couttet et le célèbre guide Joseph Ravanel dit « le Rouge » traversèrent le Col du Chardonnet et la Fenêtre de Saleina pour gagner Orsières puis Le Châble. Le deuxième jour ils atteignirent la cabane de Chanrion, mais le troisième jour ils durent rebrousser chemin au Col de l'Évêque à cause du mauvais temps. Ils redescendirent tout le val de Bagnes jusqu'à Martigny pour remonter de Sion à Evolène. Enfin, ils gagnèrent Zermatt par le Col d'Hérens en une très, très longue étape. Cette randonnée fantastique, avec les moyens de l'époque, est considérée comme la première « haute route » à skis, mais le premier parcours par les montagnes entre Le Châble et Zermatt revient à R. Helbling, un mois plus tard. En février 1903, ce pionnier qui a tenté l'ascension du Mont Rose en 1898 avec Paulke, réalise avec F. Reichert un itinéraire compliqué par la cabane de Panossière, l'alpe de Chermotane, Arolla, la cabane de Bertol et le Col d'Hérens.

Dès 1907, l'écrivain et topographe Marcel Kurz, souvent accompagné du guide bien connu Maurice Crettex de Champex, parcourt chaque hiver les Alpes valaisannes à skis. En 1911, lui, F.-F. Roget et trois autres guides, ouvrent le passage de Bourg Saint Pierre à la cabane de Chanrion par Valsorey et le Col de Sonadon, au sud du Grand Combin. Le ski devient très rapidement populaire parmi les alpinistes et bientôt tous les cols et les sommets considérés comme « skiables » seront gravis ou traversés. Il faudra attendre cependant la fin des années 50 pour voir débuter une nouvelle évolution, les descentes de plus en plus audacieuses de couloirs et de pentes très raides. Enfin vient l'ère du ski extrême, praticable surtout grâce au développement inouï du matériel et de la technique.

Au début de ce siècle, les alpinistes considéraient le ski comme un simple instrument destiné à faciliter la marche, et Marcel Kurz s'adressant d'une manière condescendante aux « sportsmen » disait : « En haute montagne, le ski cesse d'être un jouet. » Les chanoines du Grand Saint Bernard avaient par contre senti et accepté sans gêne aucune toute la joie que procurait la descente. Jules Gross écrivait par exemple : « ... on volait comme la flèche sur le tapis moelleux qui semblait tout semé de topazes, de rubis, de diamants. » Le chanoine Lucien Quaglia signalait quant à lui : « Il (le ski) a transformé en grisantes glissades les pénibles déplacements d'autrefois. » En 1906, *La Gazette du Valais* décrivait le ski comme un « sport qui connaît un succès sans précédent et que l'on pratique par plaisir et hygiène ». Par-

Les moines du Grand Saint Bernard à la fin du siècle (ci-contre en haut).
A Verbier, dans les années 20, avec deux bâtons déjà (ci-contre en bas).
Peut-être les premiers fabricants de skis de Suisse :
les chanoines du Grand Saint Bernard avant 1900 (page ci-contre).

lant de la technique, ce même journal expliquait : « ... on utilise une technique parallèle, les deux skis pressés l'un contre l'autre. Du reste tomber n'est rien car on tombe dans un véritable duvet... »

Ainsi ce moyen de locomotion était bel et bien reconnu également comme un jeu. Jeu d'autant plus grisant que l'on découvrait cette sensation de liberté que procure la vitesse, sensation inconnue jusqu'alors.

De plus en plus d'alpinistes se mirent à apprécier aussi la descente et les courses offrant de longues dénivellations. Le ski « instrument » facilitait la montée et le ski « jouet » récompensait des efforts de celle-ci. Cette alternance est toujours valable aujourd'hui et, dans les pages qui suivent, le lecteur trouvera quelques idées pour ses futures randonnées.

AVERTISSEMENTS

Altitudes
Les quotations d'altitudes avec une virgule, parfois même virgule zéro, indiquent les points où le Service topographique fédéral suisse a gravé la roche ou implanté un plomb pour situer très exactement le point trigonométrique. Voir également la *Remarque* p. 117.

Orientation
Les indications <u>à droite</u>, <u>à gauche</u>, supposent l'alpiniste marchant dans le sens où l'itinéraire est décrit. Par contre <u>rive droite</u>, <u>rive gauche</u>, sont à prendre au sens orographique, c'est-à-dire suivant le cours d'un ruisseau, d'un torrent, d'un ravin, d'un couloir.

Croquis
———— itinéraire décrit
· · · · · · parties cachées de l'itinéraire décrit
—·—·—· variante (descente ou montée)
de l'itinéraire décrit.

La poudreuse peut être divine... (page ci-contre)... Mais elle peut devenir un piège mortel (ci-dessus en haut). Sur le glacier du Weisshorn (ci-contre).

LES 100 PLUS BELLES DESCENTES

LES ALPES VALAISANNES

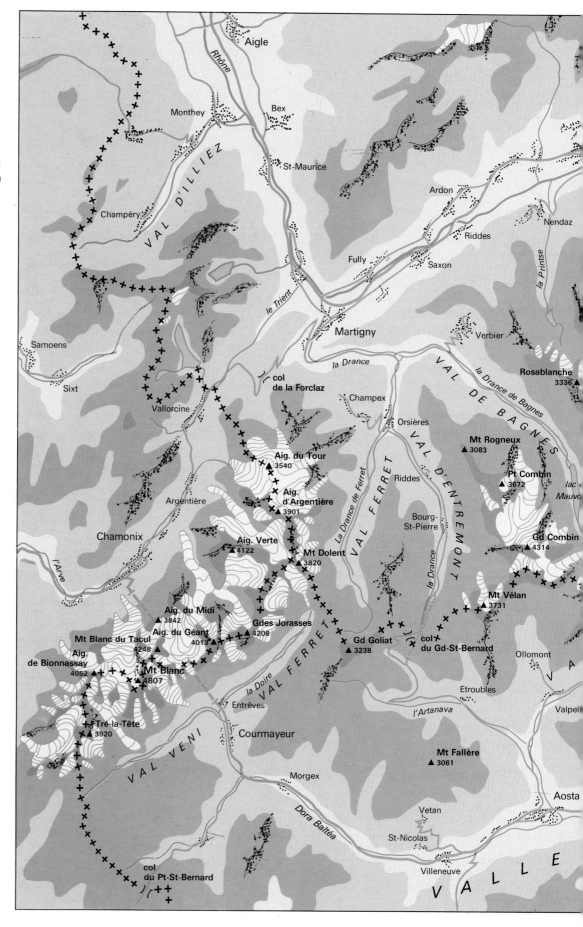

Aigle

Monthey

Bex

St-Maurice

Ardon

Nendaz

Champéry

Riddes

Fully

Saxon

VAL DILLIEZ

Rhône

Samoens

le Trient

Martigny

la Drance

Verbier

Rosablanche
▲ 3336

Sixt

col
de la Forclaz

Champex

VAL DE BAGNES

la Drance de Bagnes

Vallorcine

Orsières

Mt Rogneux
▲ 3083

Aig. du Tour
▲ 3540

La Drance de Ferret

Riddes

Pt Combin
▲ 3672

lac
Mauvo

Argentière

Aig.
d'Argentière
▲ 3901

VAL FERRET

VAL D'ENTREMONT

Chamonix

Aig. Verte
▲ 4122

Mt Dolent
▲ 3820

Bourg-
St-Pierre

Gd Combin
▲ 4314

l'Arve

la Drance

Mt Vélan
▲ 3731

Aig. du Midi
▲ 3842

Aig. du Géant
4013 ▲

Gdes Jorasses
▲ 4208

Gd Goliat
▲ 3238

col
du Gd-St-Bernard

Ollomont

Mt Blanc du Tacul
4248 ▲

Aig.
de Bionnassay
4052 ▲

Mt Blanc
▲ 4807

la Doire

VAL FERRET

Entrêves

l'Artanava

Etroubles

VA

Valpel

Tré-la-Tête
▲ 3920

Courmayeur

Mt Fallère
▲ 3061

VAL VENI

Morgex

Aosta

Dora Baltéa

Vetan

St-Nicolas

col
du Pt-St-Bernard

Villeneuve

VALLE

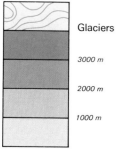

Glaciers

3000 m

2000 m

1000 m

+ + + + + + + + Frontières

———— Routes

COURSES PAR SOMMETS

1. HAUTE ROUTE
Chamonix – Zermatt – Saas Fee

Dans l'esprit de la plupart des skieurs, l'expression « haute route », entendue distraitement dans une benne de téléphérique ou lors d'un cocktail, évoque le trajet qui de Chamonix conduit à Zermatt par un itinéraire de haute montagne. Pour les alpinistes, l'appellation de « haute route » n'est pas complète car l'usage veut que l'on baptise maintenant « haute route » toutes les grandes randonnées d'au moins trois jours. Il existe ainsi des « hautes routes » corses, bernoises, autrichiennes, etc. On en trouve dans tous les coins du monde où l'on rencontre des chaînes de montagnes.

Les termes « haute route » ou plus exactement High Level Route furent utilisés dès 1861 par les alpinistes anglais, exclusivement pour désigner une traversée des Alpes Pennines. Cet itinéraire, estival et pédestre, reliait les deux métropoles de l'alpinisme de l'heure et faisait étape dans les hauts pâturages car il n'existait pas de cabane. Cette excursion de trois-quatre jours connut une grande vogue pendant une vingtaine d'années puis elle tomba dans l'oubli deux autres décennies. L'apparition du ski en Europe centrale devait inciter les plus entreprenants des alpinistes à tenter quelques ascensions avec ce nouveau moyen de déplacement hivernal. En janvier 1897, Wilhelm Paulcke et quelques amis réalisaient la première traversée à skis de l'Oberland bernois et, en janvier 1903, une équipe de Chamoniards tentait la première « haute route » Chamonix - Zermatt. Conduite par le célèbre guide Joseph Ravannel le Rouge, elle réussit partiellement dans son entreprise.

Surpris par le mauvais temps, ces pionniers durent rebrousser chemin au Col de l'Évêque, à 4 h seulement du Col de Valpelline et de la dernière descente sur Zermatt. Courageusement ils terminèrent tout de même le trajet, en revenant à Martigny, puis en traversant le Col d'Hérens par Evolène et Ferpècle. Cette expédition est considérée comme la « première » de la « haute route » dite classique.

A l'heure actuelle, celle-là est très fréquentée, spécialement pendant les mois d'avril et de mai, lorsque les conditions d'enneigement sont les meilleures. A mon avis, les mois de mars et de juin se prêtent également très bien à cette traversée. En mars, les glaciers sont moins bien couverts et la neige y est souvent soufflée. Au contraire, dans les parties les moins élevées du parcours, la neige sera plus froide, donc plus poudreuse, et les cabanes ne seront en aucun cas bondées, sauf peut-être à l'approche des fêtes de Pâques. En juin, la montagne est pratiquement désertée par les skieurs, les crevasses sont mieux cachées et les jours plus longs. Le manque de neige dans le fond des vallées oblige cependant à de plus longues marches avec ses skis sur l'épaule. En étudiant bien son parcours on arrive tout de même à trouver, presque toujours, des névés qui descendent encore très bas.

Au départ de Chamonix, l'itinéraire le plus usité passe par le Col du Chardonnet et la Fenêtre de Saleina pour gagner le plateau du Trient. Le passage par la cabane Albert-Ier et le Col du Tour est moins courant car la montée, depuis le village du Tour jusqu'à la cabane, est longue et raide. Depuis Champex, on peut emprunter un trajet relativement facile par Verbier, la cabane des Dix puis celle des Vignettes ou choisir un parcours plus alpin en passant par les cabanes de Valsorey et de Chanrion au sud du Grand Combin. Toutes ces routes se rejoignent au Col de Valpelline, y compris celle qui descend de la cabane des Dix sur Arolla pour remonter à la cabane de Bertol. Pour descendre vers Zermatt, elles empruntent toutes le superbe glacier du Stockji avec ses coups d'œil impressionnants sur le Cervin et la Dent d'Hérens.

En général, la « haute route » se termine à Zermatt, soit par manque de temps, soit très souvent par fatigue ou par mauvaises conditions météorologiques. Pourtant, le trajet jusqu'à Saas Fee complète harmonieusement cette randonnée et l'on a le choix entre différents parcours. On peut, par exemple, descendre direc-

Le glacier du Tour et le Chardonnet (ci-contre).
Le glacier de la Jonction
sur la voie normale du Mont Blanc (page ci-contre).

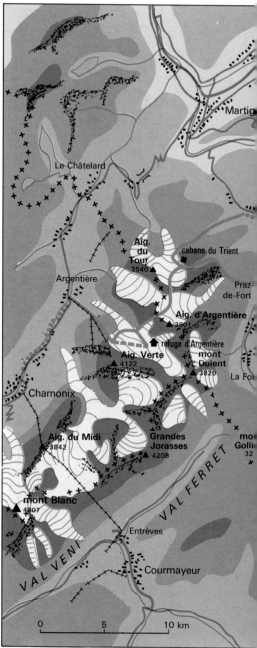

tement à Zermatt par Furi, pour gagner la cabane Bétemps le lendemain depuis la station de Rotenboden du chemin de fer du Gorner-grat. On peut aussi atteindre cette même cabane par le téléphérique du Petit Cervin et la traversée du Col du Schwarztor, après une nuit passée soit à la cabane Schönbiel, soit à celle du Théodule, soit encore dans les « Délices de Zermatt ». De la cabane Bétemps, on rejoint Saas Fee par le Col de l'Adler ou Saas Alma-gell par le Schwarzberg-Weisstor, moins sou-vent pratiqué.

Une grande partie du plaisir que l'on retire de ces longues randonnées résulte de la prépara-tion des itinéraires avec leurs différentes varian-

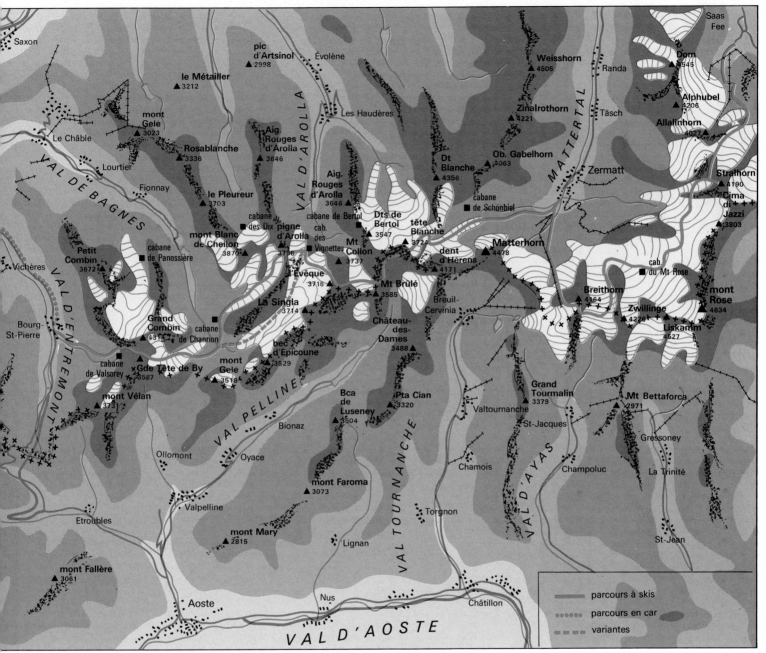

tes, suivant le temps, les conditions, la forme physique du moment. Les noms de montagnes, de cols, de glaciers ou simplement de lieux-dits éveillent en chacun de nous des résonances différentes et l'on établira son programme en fonction de ses goûts, de son entraînement et du temps disponible. Rêver d'un futur pas trop lointain en l'organisant déjà, n'est-il pas une des occupations les plus vivifiantes qui soient ?

● **Difficulté** : PD + .

● **Période favorable** : mars à juin.

● **Point de départ** : Chamonix − Argentière (1 250 m).

● **Point d'arrivée** : Saas Fee (1 800 m).

● **Cartographie** : Carte nationale suisse 1/50 000, feuilles nos 282 Martigny, 283 Arolla, 284 Mischabel et 293 Valpelline. La C.N.S. 1/25 000 est à déconseiller car il faut en emporter de trop nombreuses feuilles, de 8 à 10 suivant les itinéraires choisis.

● **Matériel** : couteaux, piolet, corde. Crampons indispensables pour l'itinéraire passant par Valsorey et pour la traversée de l'Adlerpass.

● **Itinéraire** : *1er jour :* départ de Chamonix (1 030 m) - Argentière (1 250 m) par les premières bennes du téléphérique de Lognan - Aiguille des Grands Montets (3 297 m). Descendre sur le glacier d'Argentière (E-NE) que l'on traverse à l'altitude 2 600 environ puis monter au Col du Chardonnet (3 323 m). Si l'on arrive l'après-midi

à Chamonix, on peut rejoindre le refuge d'Argentière (2 771 m) et traverser le Col du Chardonnet le jour suivant. Cette combinaison a le désavantage d'offrir de moins bonnes conditions de neige pour la descente du Val d'Arpette sur Champex. Du Col du Chardonnet, descendre, au besoin avec une corde fixe, jusque sur le glacier de Saleina, puis en oblique (NE) vers le pied de la Fenêtre de Saleina (3 261 m). Escalader celle-ci, en portant les skis pour les derniers 100 m, et prendre pied sur le plateau du Trient. Longer les Aiguilles

Le Plateau du Couloir au Grand Combin (page ci-contre).

25

Dorées, à droite, pour atteindre le Col d'Orny (3 098 m) par une glissade facile, puis remonter en quelques minutes à la cabane du Trient (3 170 m).

Horaire : Aiguille des Grands Montets - glacier d'Argentière : 30 mn. Montée au Col du Chardonnet : 2 h 30-3 h. Descente sur le glacier de Saleina : 30 mn. Escalade de la Fenêtre de Saleina : 1 h. Traversée à la cabane du Trient : 30 mn. Au total une journée de 5-6 h.

2ᵉ jour : descente par la rive droite du glacier du Trient jusqu'à la hauteur du Col des Écandies (2 796 m) que l'on franchit par une très courte remontée (10 mn), puis superbe glissade dans le Val d'Arpette jusqu'à Champex (1 470 m). Une très belle variante consiste à descendre par le glacier d'Orny puis par les pentes raides, orientées à l'est et au sud-est du vallon de Saleina jusqu'à Praz de Fort (1 151 m). Dans les deux villages on trouve à se ravitailler et l'on prend le car postal ou un taxi pour rejoindre Bourg Saint Pierre (1 632 m) sur la route du Grand Saint Bernard. Montée à la cabane de Valsorey (3 030 m) par le vallon homonyme en suivant, au-dessus du Chalet d'Amont (2 197 m), le fond de la gorge du torrent. En appuyant à gauche (E-NE) monter sur le replat des Grands Plans (2 501,8 m) où l'on retrouve le tracé du chemin d'été. La cabane est visible et l'on y grimpe par la combe, à gauche (W-SW).

Horaire : descente de la cabane du Trient -

Champex : 1 h 30-2 h (même temps pour Praz de Fort). Bourg Saint Pierre - cabane de Valsorey : 5 h 30-6 h 30. Au total une journée de 7-8 h, à laquelle il faut ajouter le trajet Champex-Bourg Saint Pierre.

3ᵉ jour : partir de la cabane de Valsorey en direction NE pour prendre pied sur le glacier du Meitin et le remonter le plus haut possible à skis. Continuer en crampons en direction du Col du Meitin (3 611 m), et appuyer à droite (SE) dès 3 500 m environ pour gagner le Plateau du Couloir à 150 m au nord du bivouac fixe coté 3664. On peut déposer les skis et escalader le Grand Combin (4 314 m) en 2 h 30-3 h si les conditions sont bonnes. Au Plateau du Couloir, rechausser les skis pour plonger par une pente raide sur le glacier de Sonadon et franchir le col du même nom (3 504 m). Le glacier du Mont Durand se descend par un crochet à droite (S) sous le Col d'Amiante (3 308 m), puis très facilement jusqu'à l'altitude 2700. Suivre cette courbe de niveau vers la droite (E) et remonter quelques minutes pour enjamber la crête NE du Mont Avril près du point 2735,7. Rejoindre le fond de la vallée par le sud-est puis le nord pour traverser la Drance de Bagnes vers 2 250 m et remonter à la cabane de Chanrion (2 462 m) au nord.

Horaire : cabane de Valsorey - Plateau du Couloir : 2 h 30. Descente jusqu'à la Drance : 1 h 30-2 h. Montée à la cabane de Chanrion : 45 mn. Au total : 5-6 h.

4ᵉ jour : de la cabane de Chanrion se diriger au nord puis au nord-est pour gagner le glacier du Brenay et le remonter jusqu'au pied de la Serpentine (3 795 m). Escalader la rive droite du glacier, le long des rochers, pour atteindre le replat supérieur vers 3 240 m. Appuyer à droite (E) pour rejoindre le milieu du glacier et monter, par le Col du Brenay (3 639 m), au Pigne d'Arolla (3 796 m). La descente à la cabane des Vignettes (3 158 m) s'effectue par le facile versant SE.

Horaire : cabane de Chanrion - Pigne d'Arolla : 6 h 30-7 h. Descente : 30 mn. Au total : 7-8 h.

5ᵉ jour : partir très tôt de la cabane des Vignettes pour jouir de conditions de neige acceptables pour l'arrivée à Zermatt. Descendre tout d'abord sur le Col de Chermotane (3 053 m), au sud, puis grimper au Col de l'Évêque (3 392 m) en direction SE. Nouvelle descente pour rejoindre le pied de l'arête N de la Vierge (3 232,2 m) où l'on s'arrête à 2 920 m sur le Haut Glacier d'Arolla. Gravir à l'est le Col du Mont Brûlé (3 213 m), assez raide dans sa partie supérieure pour demander, souvent, une escalade à pied. Une très brève descente à gauche (N-NE) conduit sur le Haut Glacier de Tsa de Tsan et l'on monte ensuite vers le Col de Valpelline (3 568 m) au nord-est. Du col, superbe descente par les glaciers de Stockji et de Zmutt, en longeant la face N du Cervin jusqu'à Stafelalp (2 199 m), où l'on trouve une auberge bienvenue. De celle-ci, on rejoint Zermatt (1 615 m) par la piste de Furi (1 864 m) et la télécabine s'il n'y a pas assez de neige jusqu'à la station.

Horaire : depuis la cabane des Vignettes on compte 3 fois 2 h pour traverser les 3 cols, soit 6 h jusqu'au Col de Valpelline. Descente à Zermatt : 2 h-2 h 30 suivant les conditions d'enneigement. Au total : 8-9 h.

6e jour : monter par une des premières bennes du téléphérique du Petit Cervin (3 820 m). Le trajet le plus court pour rejoindre la cabane Bétemps (2 795 m) passe par la piste normale de descente jusqu'au plateau Rosa puis, quittant celle-ci, file sur l'Unt. Theodulgletscher jusqu'au bord du glacier du Gorner. On remonte la rive gauche de ce glacier et, juste en face de la cabane, on traverse le pied du Grenzgletscher pour se faufiler entre quelques crevasses, atteindre la moraine puis le refuge. Le plus bel itinéraire traverse le Breithornpass (3 824 m) et le Schwarztor (3 731 m), pour plonger sur le glacier du Gorner et le parcours précédent par le Schwärzegletscher, ses séracs féeriques et dangereux, ses coups d'œil merveilleux. Du Breithornpass on peut grimper en 1 h sur le Breithorn (4 164 m) et du Schwarztor en 1 h 30 sur le Pollux (4 092 m) (voir course n° 4).

Horaire : Petit Cervin - Schwarztor : 1 h 30. Descente du Schwärzegletscher : 30 mn-1 h (1 100 m de dénivellation). Montée à la cabane : 1 h-1 h 30. Au total : 3 h 30-4 h.

7e jour : partir tôt de la cabane Bétemps, et monter au sud-est jusqu'à Ob. Plattje (3 000 m environ). Traverser le Monte Rosagletscher horizontalement, en direction NE, pour franchir la crête rocheuse vers 3100 (balise). Poursuivre vers le nord-est jusqu'au Stockhornpass (3 394 m) et descendre, toujours dans la même direction, sur le Findelgletscher. Au pied de l'arête W de l'Adlerhorn (3 988 m), à l'altitude 3140 environ, remettre les peaux pour grimper sur l'Adlergletscher au nord puis par la rive droite de ce glacier jusqu'à l'Adlerpass (3 789 m). La dernière partie de la grimpée s'effectue presque toujours en crampons. On peut escalader au passage le Strahlhorn (4 190,1 m) en 1 h 30 avant de descendre à Saas Fee (1 800 m), par l'Allalingletscher, la cabane Britannia (3 030 m) et l'Egginerjoch (2 989 m).

Horaire : cabane Bétemps - Stockhornpass : 3 h. Descente : 15 mn. Escalade de l'Adlerpass : 2 h 30-3 h. Longue descente jusqu'à Saas Fee avec contrepente de 20 mn à la cabane Britannia : 3 h-3 h 30. Au total : 9-10 h.

Saut de corniche au Pigne d'Arolla (page ci-contre).
La cabane des Vignettes et les Bouquetins d'Arolla (ci-contre).

2. HAUTE ROUTE
Bourg Saint Bernard – Breuil-Cervinia

L'hospice du Grand Saint Bernard
et la Pointe de Barasson (ci-contre).

Parmi les variantes de la « haute route », je voudrais signaler un itinéraire assez particulier mais de toute beauté et se déroulant dans une région peu fréquentée. La différence essentielle avec la « haute route » réside dans le fait qu'il est nécessaire d'emporter avec soi un réchaud, des vivres et même un « pied d'éléphant », ce demi-sac de couchage que l'on utilise en complément d'une veste duvet. Vers la fin mai, lorsque les nuits sont courtes, on peut très bien se passer de ce dernier bagage car, en fait, on ne l'utilisera qu'une seule fois et l'on supporte sans problème quelques heures dans une grange ou une étable de Prarayer, à 2 000 m.

La première étape conduit à la cabane du Mont Vélan (2 569 m), par l'itinéraire décrit dans la course n° 87, et je n'y reviendrai donc pas.

La deuxième passe par le Col de la Gouille (3 150 m), sur l'itinéraire habituel du Mont Vélan (n° 30). On peut grimper sur celui-ci au passage ou traverser directement le glacier de Valsorey pour gagner le point 3221 à l'ouest du Col de Valsorey (3 106 m). Du point précité, on suit l'arête qui s'abaisse jusqu'au Col de Valsorey, généralement en portant les skis. La descente du versant SE de ce dernier présente une combe superbe de 1 100 m de dénivelée. Sur l'arête S-SE des Trois Frères (3 259 m), à gauche, le bivouac fixe de Savoie offre un petit gîte à l'altitude de 2 668 m si la neige est déjà trop ramollie. Dans le cas contraire, il vaut mieux continuer jusqu'à l'alpage de By (2 048 m), où l'on peut bivouaquer aussi en cas de nécessité. Il est tout de même préférable de traverser en direction de la Conque de l'Eau Blanche (Conca dell'Acqua Bianca) et de grimper jusqu'au petit refuge Regondi (2 580 m) au bord du lac du Leitou (2 538 m).

La troisième étape permet de gravir le Mont Gelé (3 518,2 m), excellent belvédère, puis, par le Col du Mont Gelé (3 144 m), de rejoindre le bivouac Spataro (2 615 m) ou la cabane de Crête Sèche (2 380 m), située un peu plus bas mais plus confortable.

La quatrième étape donne l'occasion, si l'on n'est pas trop fatigué, d'escalader la belle pyramide du Bec d'Épicoune (3 528,8 m) (course n° 89) par le Col du Chardoney (3 185 m) avant de gagner l'agréable refuge-bivouac de l'Aiguillette à la Singla (3 175 m), par le glacier d'Otemma. On peut rejoindre plus facilement ce dernier glacier en traversant le Col de Crête Sèche (2 899,1 m), mais le gain de temps n'est même pas d'une demi-heure sur le passage du col du Chardoney. La descente du glacier d'Épicoune, plus raide et plus intéressante que celle du glacier de Crête Sèche, permet en effet de conserver 150 à 200 m d'altitude de plus sur le grand replat d'Otemma.

La cinquième étape peut se combiner avec l'ascension du Petit Blanchen (3 592 m) et la descente de la combe de Sassa jusqu'à Chamen (1 715 m), mais cet itinéraire (course n° 47) oblige par la suite à une marche de 8 km sur la route pour rejoindre Prarayer (2 005 m). On préfère donc souvent grimper au Col d'Oren (3 262 m) et même aux Pointes d'Oren (3 487 m et 3 525 m), avant de plonger directement sur Prarayer où l'on bivouaque dans un chalet d'alpage.

La sixième étape représente certainement l'effort le plus dur et le plus soutenu de toute la traversée, si l'on désire escalader au passage le Château des Dames (3 488 m) avant de dévaler le magnifique glacier de Vaufrède sur Breuil-Cervinia (2 006 m). La traversée des cols de Bella Tza (3 047 m) et de Vaufrède (3 130 m) est

un peu moins longue et moins difficile aussi mais l'on se prive ainsi d'une visite à un très beau belvédère (course n° 80).

● **Difficulté** : PD + avec quelques passages AD et AD +.
● **Période favorable** : avril-juin.
● **Point de départ** : Bourg Saint Bernard (1 925 m).
● **Point d'arrivée** : Breuil-Cervinia (2 006 m).
● **Cartographie** : Carte nationale suisse 1/50 000, feuilles nos 283 Arolla, 292 Courmayeur, 293 Valpelline, ou C.N.S. 1/25 000, feuilles nos 1346 Chanrion, 1347 Matterhorn, 1365 Grand Saint Bernard, 1366 Mont Vélan. Avec les C.N.S. 1/25 000, il manque un petit morceau facile vers Prarayer (2 005 m).
● **Matériel** : couteaux, piolet, corde, crampons, réchaud.
● **Itinéraire** : *1er jour :* quitter Bourg Saint Bernard (1 925 m), par le téléski du plan du Jeu ou le long de son tracé, puis remonter la combe

raide qui suit pour traverser le Col de Proz (2 779 m) et gagner, 100 m plus haut sur la gauche, le Mont Orge (2 881 m). Excellente descente de 550 m jusqu'à la trace qui monte de Bourg Saint Pierre et que l'on rejoint au-dessous de la Lui des Bôres, vers 2 330 m. Montée à la cabane du Vélan (2 569 m) par le chemin d'été. Par neige très sûre, on peut traverser du Mont Orge (2 881 m) en oblique au pied des rochers de la face N du Petit Vélan et gagner une brèche de son arête NE (point 2807) pour rejoindre la cabane par la rive gauche du glacier de Tseudet.

Horaire : de Bourg Saint Bernard à la cabane : 4-5 h.

2e jour : de la cabane du Vélan (2 569 m), gagner le glacier de Tseudet en suivant tout d'abord sa moraine W. Remonter ce glacier et le traverser vers l'est, à 2 800 m environ, jusque sous le Mont de la Gouille puis s'élever en direction du col homonyme (3 150 m). Franchir ce col à

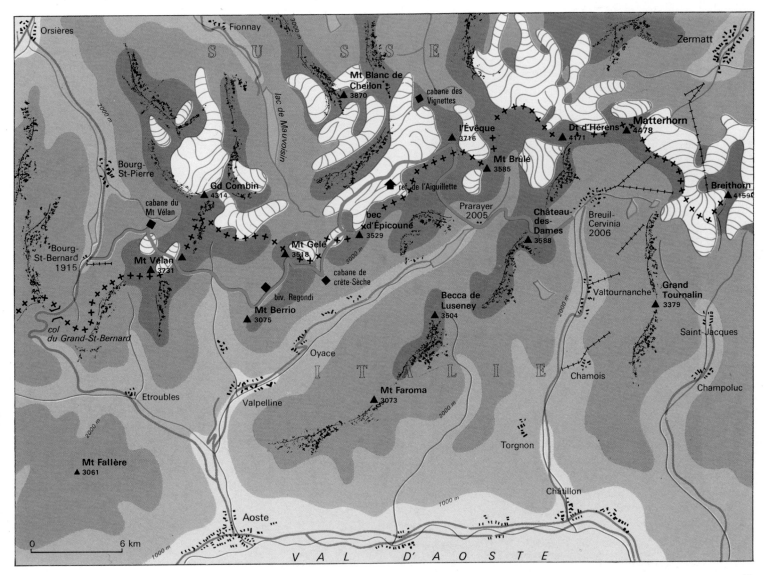

pied et rejoindre le glacier de Valsorey à l'altitude de 3 060 m environ. Traverser ce dernier vers le sud-est pour atteindre le point 3221 et descendre à pied le long de sa crête E jusqu'au Col de Valsorey (3 106 m).

Magnifique descente jusqu'aux chalets de l'alpage de By (2 048 m) puis, par le tracé de la route, gagner l'alpe de Balme (2 128 m) à l'est - sud-est et monter à la Conque de l'Eau Blanche, grand replat vers 2 210 m à l'est. Tourner à droite (S-SE) pour grimper au lac de l'Incliousa (2 420 m), puis, par une petite combe, à celui de Leitou (2 538 m). Le bivouac Regondi (2 580 m) est situé sur la crête au nord de ce dernier lac.

Horaire : de la cabane du Vélan au Col de Valsorey : 4 h-4 h 30. Descente jusqu'à By : 1 h. De là au refuge-bivouac Regondi : 3 h.

3e jour : partir en direction NE jusqu'au lac Beuseya (2 513 m), puis escalader une pente raide vers l'est pour gagner le glacier du Mont Gelé à l'aplomb du Mont Morion (3 487 m). Remonter ce glacier jusqu'au Col du Mont Gelé (3 144 m), où l'on peut déposer les sacs pour grimper au sommet du Mont Gelé (3 518,2 m). Descente par le petit glacier de l'Arolette et la combe de Crête Sèche au refuge de Crête Sèche (2 380 m).

Horaire : du bivouac Regondi au Col du Mont Gelé : 3 h. Du col au sommet : 1 h 30. Descente : 1 h.

4e jour : remonter la combe de Crête Sèche jusqu'au col homonyme (2 899,1 m), puis continuer à droite (NE) vers le Col du Chardoney (3 185 m). Prendre pied sur le glacier d'Épicoune et traverser tout le bassin supérieur vers l'est - nord-est. A l'altitude de 3 040 m on rejoint l'itinéraire n° 89 du Bec d'Épicoune (3 529 m) que l'on peut escalader par son arête N. La partie raide du glacier d'Épicoune se descend par sa rive droite jusqu'à la cote 2660. Prendre alors à droite sur la moraine et longer, toujours vers la droite, le pied des rochers du Jardin des Chamois pour rejoindre le bord du glacier d'Otemma vers 2 580 m. Suivre la rive gauche de ce glacier pendant 4 km puis tourner à droite (SE) pour grimper le glacier de Blanchen jusqu'à 3 060 m et gagner le refuge-bivouac de l'Aiguillette à la Singla (3 175 m) en revenant vers le sud-ouest.

Horaire : du refuge de Crête Sèche au Col du Chardoney : 3 h 30-4 h. Du col au sommet du Bec d'Épicoune : 2 h. Descente : 1 h. Remontée pour le refuge de l'Aiguillette : 3 h.

5e jour : descendre par les traces de la veille

*Le village d'Ollomont
et la Pyramide des Trois Frères (ci-contre).
En remontant la belle Combe de Crête Sèche
(page ci-contre).*

jusqu'au glacier d'Otemma et tourner autour de la base de l'éperon NW de la Singla (3 714,1 m) pour remonter le glacier du Petit Mont Collon. Franchir, à droite (SE), le Col d'Oren (3 262 m) et prendre pied sur le glacier d'Oren N. On peut déposer les sacs pour grimper à gauche (E-NE) vers les pointes d'Oren (3 487 m et 3 525 m). Magnifique descente raide par le glacier d'Oren N dans la Comba d'Oren. Suivre cette combe et en sortir à gauche pour gagner Prarayer (2 005 m).

Horaire : refuge - Col d'Oren: 3-4 h. Col - Prarayer : 1h - 1 h 30.

6e jour : remonter la vallée principale de Valpelline pendant 1 km, puis traverser le torrent Buthier pour prendre, à droite, celui qui descend de l'alpe de Deré la Vieille. Suivre la rive gauche de ce torrent jusqu'au chalet puis grimper à droite vers Bellatza. A la cote 2500, revenir à droite (S-SW) pour prendre pied sur le glacier des Dames et remonter celui-ci. Entre 3 000 et 3 200 m, il présente un ressaut bien

raide que l'on escalade en général à pied sur la gauche. On rejoint le Col des Dames (3 321 m), où l'on tourne à droite pour grimper au sommet du Château des Dames (3 488 m) par son versant NE. A la descente, ne pas aller jusqu'au Col des Dames, mais prendre un couloir raide à droite (SE) avant celui-ci. Rejoindre le Col Vaufrède (3 130 m), et par le glacier et le vallon homonymes gagner Breuil-Cervinia (2 006 m).
Horaire : de Prarayer au sommet : 6-7 h. Descente : 1 h-1 h 30.

3. HAUTE ROUTE
Verbier – Saint Nicolas (St Niklaus)

Pour les skieurs-alpinistes amoureux de solitude et d'itinéraires peu parcourus, la traversée de Verbier à Saint Nicolas (St Niklaus) présente un intérêt certain. Le départ, dans la foule de Verbier-Nendaz, contraste énormément avec les sites parcourus par la suite et, si l'on rencontre quelquefois d'autres humains, ce n'est qu'occasionnellement. La cabane de Prafleuri (2 650 m) attire bien sûr de plus en plus de skieurs, et la première partie de la traversée suit la haute route classique de Verbier à Zermatt. Dès le Pas du Chat on quitte la « grand-route » et l'on pénètre dans des régions plus silencieu-

ses, peu fréquentées, plus difficiles aussi. Pour cette « haute route » particulière, il faut être bien entraîné et s'assurer que les conditions de neige soient absolument sûres. L'itinéraire décrit plus loin ne passe que par des cols pour l'abréger et en montrer le parcours le moins difficile. Cependant, on peut très bien le combiner avec l'ascension de quelques sommets et ces variantes sont chaque fois indiquées. Les refuges ne sont pas gardés et il est nécessaire d'emporter avec soi sa nourriture, mais on peut se ravitailler en route, lors du passage aux Haudères. Si le temps change brusquement en cours de

route, il peut devenir impératif d'interrompre sa randonnée et même de retourner sur ses pas ou, pis encore, de rester sagement dans la cabane, à l'abri. Avant la fin du mois de mars, de nombreuses pentes raides sont peu sûres, mal consolidées, et il est indispensable de bien se renseigner sur l'état de la neige et sur le danger d'avalanches. Seule une étude des conditions climatiques durant tout l'hiver permet aux spécialistes de donner des avis autorisés mais, en plus, il faut tenir compte des conditions locales, différentes d'une vallée à l'autre. Parmi les endroits les plus délicats je mentionnerai spécialement : la montée du Col des Ignes (3 181 m), les descentes du Col du Pigne (3 141 m) sur l'alpe de la Lé, du Col de Tracuit (3 250 m) sur le glacier de Tourtemagne, et celle du vallon du Jungtal. A mon avis, la période la plus favorable pour cette traversée ne débute guère avant le mois d'avril. Cependant, lorsque les hivers sont bien enneigés dès le début de saison, elle peut être excellente, après une longue période

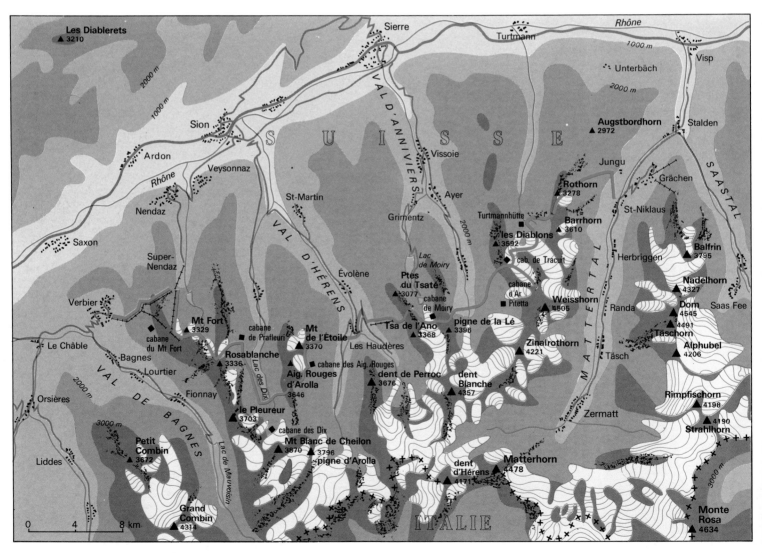

de beau temps, dès les mois de février ou mars.

- **Difficulté** : AD−.
- **Période favorable** : avril-mai.
- **Point de départ** : Verbier (1 500 m), téléphérique du Mont Fort (3 300 m).
- **Point d'arrivée** : St Niklaus (Saint Nicolas) (1 127 m).
- **Cartographie** : Carte nationale suisse 1/50 000, feuilles nᵒˢ 283 Arolla, 284 Mischabel, et 274 Visp, ou C.N.S. 1/25 000, feuilles nᵒˢ 1326 Rosablanche, 1327 Evolène, 1328

Randa, 1307 Vissoie et 1308 Sankt Niklaus.
- **Matériel** : couteaux, piolet, crampons, corde.
- **Itinéraire** : *1ᵉʳ jour :* quitter Verbier par les toutes premières cabines pour les Attelas nᵒ II (2 726 m), puis traverser à pied jusqu'au Col de Chassoure (2 739 m) (15 mn). Descendre à Tortin (2 045 m), pour prendre les téléphériques du Mont Fort (3 329 m). Partir dans le versant SE pour franchir l'arête E-SE par une traversée et plonger dans le premier ou le deuxième cou-

loir NE jusqu'au glacier du Petit Mont Fort. Peu avant le pied du glacier, traverser à droite (E) une sorte de col et, toujours à droite (S-SE), descendre sur le glacier du Grand Désert (altitude 2760). De là, on peut franchir le Col de Prafleuri (2 965 m), au nord-est du Grand Mont Calme (3 205,2 m), ou grimper en 2 h à la Rosablanche (3 336,3 m). Le premier itinéraire est utile si l'on est parti tard du sommet du Mont Fort

Traversée d'un pont dans le Valpelline (ci-dessus).

car il est plus court d'une heure. Descendre par la rive gauche du glacier de Prafleuri et rejoindre la cabane homonyme (2 650 m) à l'est.

Horaire : Mont Fort - cabane de Prafleuri : 2 h 30-3 h 30 suivant la route choisie.

2e jour : escalader le Col des Roux (2 804 m) au sud - sud-est puis, par une longue traversée, descendre jusqu'à l'extrémité S du lac des Dix (2 386 m). Si l'on est tôt le matin, la neige dure permet de glisser pratiquement tout le long de cette traversée. Longer le bord du lac sous le Pas du Chat et franchir la passerelle (2 372 m) pour grimper par le tracé du chemin d'été vers Le Giétret (2 570 m), puis le Col des Ignes (3 181 m). Descendre sur le glacier du même nom puis obliquer à gauche (N) pour glisser jusqu'au Glacier Inférieur des Aiguilles Rouges. Remettre les peaux et monter sur la moraine, près du point 2894. A l'extrémité N de cette moraine, escalader une pente raide, à droite du rognon rocheux, jusqu'au replat (2 960 m environ). De là on peut glisser, en passant au pied du Glacier Supérieur des Aiguilles Rouges, à l'ouest du point 2926, jusqu'à la cabane homonyme (2 810 m).

Horaire : cabane de Prafleuri - Col des Roux : 30 mn. Col - Pas du Chat : 1 h. Point 2372 - Col des Ignes : 2 h 30-3 h. Col - cabane des Aiguilles Rouges : 1 h 30. Au total : 5 h 30-6 h.

3e jour : montée en 1 h au point 3029, au nord, en direction du Mont de l'Étoile (3 370 m), sommet que l'on peut gravir, en une heure supplémentaire, par son versant SE. Descente fantastique par l'alpage de La Coûta jusqu'à la route d'Arolla (1 800 m). On peut prendre le bus postal depuis l'arrêt des Mayens de La Coûta, mais, s'il y a suffisamment de neige, on préfère descendre à skis jusqu'au pont (1 447 m), à l'entrée SW des Haudères (1 436 m). On peut profiter du passage dans ce joli village pour se réapprovisionner. Monter 2,500 km, éventuellement en bus, par la route de La Forclaz (1 727 m). Emprunter le ski-lift du Tsaté jusqu'à l'alpage du même nom (2 200 m), puis franchir le col homonyme (2 868 m), pour gagner le cirque de Moiry. En fin de saison, lorsque le téléski ne fonctionne plus, on peut utiliser le bus jusqu'à La Forclaz, puis continuer à pied. On peut aussi monter par les Mayens, l'alpe et le Col de Bréona (2 915 m). Cet itinéraire n'est guère plus long car on rejoint la rive gauche du glacier de Moiry 100 m plus haut. Traverser ce glacier en face de la cabane de Moiry et atteindre celle-ci (2 825 m) soit tout droit par une pente très raide, soit par un mouvement tournant, à droite, pour éviter la barre de rochers située au sud.

Horaire : cabane des Aiguilles Rouges - Mont de l'Étoile : 2 h. Descente aux Haudères : 1 h-

Le Col du Pigne et les Petites Aiguilles de la Lé (ci-dessus).
Ski en liberté dans la région du val de Tourtemagne (page ci-contre).

1 h 30. Traversée La Forclaz - cabane de Moiry : 5-6 h. Au total : 8-9 h.

4e jour : partir en direction E-SE pour atteindre le bord du glacier de Moiry vers 3 000 m puis le Col du Pigne (3 141 m), à l'est. On peut bien sûr profiter de gravir le Pigne de la Lé (3 396,2 m), en passant par son versant SW et en redescendre vers le Col du Pigne (3 141 m), directement par le petit glacier suspendu à l'ouest et au nord-ouest. Le détour par ce merveilleux belvédère du Pigne de la Lé allonge l'itinéraire de 2 h mais il en vaut la peine si l'on est bien entraîné. Descendre du Col du Pigne aux ponts (1 907 m), sur les torrents de Mountet et d'Ar Pitetta (voir course n° 67). Longue montée, par le Roc de la Vache (2 581,4 m) pour atteindre la cabane de Tracuit (3 256 m). Si l'on ne tient pas à escalader le Bishorn (4 153 m) ou le Brunegghorn (3 833 m), le jour suivant, on peut rejoindre la cabane d'Ar Pitetta (2 786 m), ce qui raccourcit la journée de 2 h. Le lendemain on traverse la Crête de Milon et le Col de Tracuit (3 250 m) pour gagner directement la cabane de Tourtemagne (2 520 m).

Horaire : cabane de Moiry - Col du Pigne :

1 h 30 (3 h 30-4 h si l'on fait l'ascension du Pigne de la Lé). Descente Col du Pigne - ponts cotés 1907 : 1 h-1 h 30. Point 1907 - cabane de Tracuit : 5 h 30-6 h. Au total : 8-9 h ; 10-12 h avec l'ascension du Pigne de la Lé.

5e jour : ascension du Bishorn (4 153 m) (course n° 27) puis descente par le col de Tracuit (3 250 m) et la rive gauche du glacier de Tourtemagne jusqu'à l'altitude de 2 800 m. Courte montée pour passer au sud-est du point 2913, suivre la courbe de niveau 2940 pour franchir l'énorme dos d'âne du Brunegggletscher. Par le raide couloir de Gässi, rejoindre la cabane de Tourtemagne (2 520 m).

Horaire : cabane de Tracuit - Bishorn : 3 h-3 h 30. Descente jusqu'à la cote 2800 : 1 h-1 h 30. Traversée à la cabane Tourtemagne : 2 h. Au total : 6 h 30-7 h.

6e jour : remonter une petite combe à l'est de la cabane de Tourtemagne et pénétrer dans le Pipjitälli au nord-est. Traverser à gauche (N) pour franchir la brèche de la Pipjilicke (3 050 m), très peu à l'est du point 3077. Un tout petit glacier, Holesteigletscher, puis une pente raide permettent de gagner, vers 3 140 m, le Brändjiglets-

cher. On le traverse horizontalement puis l'on grimpe au Jungtaljoch (3 220 m). Avant de s'enfoncer dans le vallon du Jungtal, on peut escalader en 45 mn le Wasuhorn (3 343 m) à l'est - sud-est. La descente du Junggletscher s'entreprend par sa rive gauche. Un passage très raide, le long des rochers entre 3 100 et 3 000 m, demande un supplément d'attention, mais bientôt la combe s'ouvre et devient plus facile jusqu'aux chalets de Jungtal (2 387 m). Prendre alors à gauche du torrent et, par le tracé du chemin d'été, descendre jusqu'au hameau de Jungu (1 955 m). De là, un petit téléphérique plonge littéralement sur la gare de St Niklaus (1 127 m) ; pour le faire fonctionner il faut appeler par le téléphone de service et l'on paye à l'arrivée. Il faut insister parfois car le conducteur n'est pas toujours proche de son appareil. Si le téléphérique était en panne, on devrait alors descendre à St Niklaus en 1 h 30 par le chemin d'été.

Horaire : cabane de Tourtemagne - Jungtaljoch : 3 h 30. Col - Jungu : 1 h-1 h 30. Jungu - St Niklaus : 15 mn en téléphérique ; 1 h 30 à pied. Au total : 5-6 h.

4. HAUTE ROUTE
Breuil-Cervinia – Mont Rose – Zermatt

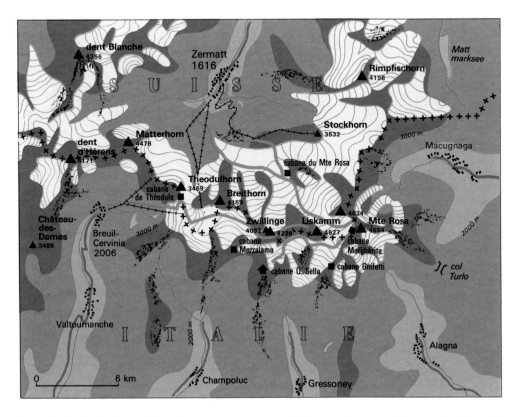

La suite la plus logique de la « haute route » Bourg Saint Bernard - Breuil-Cervinia consiste à grimper sur de plus hauts sommets, à traverser le massif du Mont Rose et à terminer son périple à Zermatt ou dans la vallée de Saas. Cette extraordinaire chevauchée, loin au-dessus des vallées vaporeuses et bleues de l'Italie du Nord, est le complément idéal d'une randonnée à travers les Alpes. C'est un parcours féerique, dans une ambiance de rêve, dans un monde presque lunaire tant il est immobile, minéral et glaciaire, éloigné, planant, éblouissant et immaculé plus haut que les nuages. Pourtant, cet univers fantastique est dur. Il est donc indispensable d'être bien entraîné avant d'y pénétrer. Sans acclimatation, l'alpiniste-skieur s'épuise vite ; il ne peut respecter les horaires qu'il s'est fixés et n'arrive pas à récupérer, la nuit, dans des cabanes trop élevées. La haute altitude, si l'on y séjourne sans entraînement préalable, amène tout un cortège d'embarras très désagréables. Citons les maux de tête, la somnolence, l'inappétence, l'épuisement rapide, les vomissements. Ces ennuis, même s'ils n'arrivent pas tous à la fois, gâtent le plaisir, la satisfaction, que l'on peut retirer de ces merveilleuses balades hors du monde et du temps. La traversée Breuil-Cervinia - Mont Rose peut se combiner de différentes manières. Le trophée Mezzalama entraîne les coureurs sur une grande partie de ce parcours dans des temps records mais le skieur-alpiniste aime à prendre son temps, admirer la nature, faire quelques photos. On peut très bien passer de la cabane du Théodule (3 317 m) à celle de Gnifetti (3 611 m) en une longue journée de 10-12 h mais on n'escaladera ainsi qu'un seul sommet, le Castor (4 228 m). Il vaut beaucoup mieux fractionner l'itinéraire et grimper sur quelques sommets intéressants. En cours de route on trouve quelques refuges, pas tous pratiques, car certains sont situés trop bas dans les vallées, par exemple, les cabanes Mezzalama (3 004 m) ou Bétemps (2 795 m). Les descentes vers ces refuges sont intéressantes mais les montées le jour suivant sont longues. De plus, l'ambiance change complètement car une grande partie du charme de cette chevauchée de sommets et d'arêtes provient justement de ce sentiment d'éloignement du monde, d'isolement de la civilisation. Il est assez choquant d'interrompre cette sorte de recueillement en pénétrant dans une cabane bondée, pleine de cris et de vapeurs écœurantes. Le bivouac fixe César et Giorgio (3 800 m), accroché à son éperon rocheux près du Schwarztor (3 731 m), est situé bien près du départ et sa capacité de logement est très restreinte (6 personnes). On risque de passer la nuit à la belle étoile car il est très populaire. Un deuxième bivouac fixe de 12-15 places, adossé aux premiers rochers de l'arête W-SW du Pollux, vers 3 820 m, serait le bienvenu. En attendant sa très problématique construction, il faut souhaiter que la Société des téléphériques du Petit Cervin mette un jour à la disposition des alpinistes sa petite hutte-refuge du sommet. La cabane Quintino Sella (3 585 m) est la seule vraiment bien située le long de cet itinéraire ; haut perchée sur son promontoire, elle est très peu décentrée de la ligne générale du parcours. De plus, peu fréquentée en hiver, elle conserve à la course son atmosphère éthérée, son cadre aérien et solitaire. Le jour suivant, à la cabane Margherita (4 554 m), cette ambiance extraordinaire qui devrait connaître là son apothéose, sera malheureusement altérée par la promiscuité des groupes montés d'Italie ou de Suisse. Seuls les mois d'hiver permettent de jouir pleinement de la solitude complète de cet environnement très particulier mais les jours y sont courts et les glaciers beaucoup moins praticables. Il faut donc choisir.

- **Difficulté** : AD.
- **Période favorable** : avril-juin.
- **Point de départ** : Breuil-Cervinia (2 006 m). Cabane du Théodule (3 317 m).
- **Point d'arrivée** : Zermatt (1 616 m).
- **Cartographie** : Carte nationale suisse 1/50 000, feuilles nos 283 Arolla, 284 Mischabel, 294 Gressoney, ou C.N.S. 1/25 000, feuilles nos 1347 Matterhorn, 1348 Zermatt. (Le parcours italien, du Passo di Vera au Lisjoch, ne figure pas sur les C.N.S. au 1/25 000.)
- **Matériel** : couteaux, piolet, corde, crampons, vis à glace.
- **Itinéraire** : la montée de Breuil-Cervinia (2 006 m) à la cabane du Théodule (3 317 m) s'effectue par les téléphériques de Plan Maison et Testa Grigia (3 479,6 m) mais ces installations ne fonctionnent pas pendant une partie des mois de mai et juin. On peut parfois obtenir l'autorisation de monter le matin avec la benne des ouvriers (se renseigner la veille). En outre, il existe, en plus de la cabane du Théodule, un refuge-auberge à Testa Grigia. Celui-ci, pro-

priété de la Société des guides du Cervin à Breuil-Cervinia, a l'avantage d'être placé 150 m plus haut, ce qui fait gagner une demi-heure le premier jour.

1er jour : du Col du Théodule (3 301 m), remonter très tôt les pistes du Petit Cervin pour atteindre le point 3796 peu après l'aube. Ce départ matinal permet d'avoir une longue journée devant soi et de précéder de 2 h les foules qui arrivent par le téléphérique. Traverser vers le Breithornpass (3 824 m) puis grimper sur le Breithorn (4 164 m), premier « 4 000 » de la journée. En passant par la pente raide à gauche (W), on peut généralement monter à skis

jusqu'au point culminant. Descente sur le grand glacier de Verra, par une longue traversée à flanc de coteau, jusque vers l'altitude 3650, au-dessous et au sud-ouest du bivouac fixe César et Giorgio. Remettre les peaux et gagner le pied du Pollux (4 092 m) dont le versant W présente une pente de 150 m, très raide et souvent en glace. Si c'est le cas, il est inutile de prendre les skis au sommet. Au retour de celui-ci, longer la cote 3800 au pied de l'arête SW, pour rejoindre la combe du Passo di Verra ou Zwillingsjoch (3 845 m). Sans monter jusqu'à ce col, on escalade la face W-NW du Castor (4 228 m) sur la gauche, près des rochers qui supportent

le point 4205. Atteindre l'arête N près de ce point et la suivre jusqu'au sommet. La descente vers le Felikjoch (4 063 m) peut se faire à skis seulement si l'on est un habitué du ski extrême. Au col on peut rechausser les skis pour grimper au point 4201 et de là continuer en crampons jusqu'au sommet W du Liskamm (4 479 m). Cette montée est généralement en glace et ne peut s'effectuer que très rarement à skis. Rejoindre les skis et les chausser jusqu'au Felikjoch. Remonter à pied quelques minutes

Cervinia-Breuil en fin de saison de ski (ci-dessus).

à gauche. Si cette dernière est en glace, ce qui est fréquemment le cas, on doit déchausser et descendre 100 m par les rochers faciles. Franchir la rimaye tout à droite (S) et prendre pied dans l'immense cuvette supérieure du Glacier de Lis oriental. Par un large circuit à l'est puis au sud, monter au sommet de la Pyramide Vincent (4 215 m), magnifique belvédère baptisé ainsi en l'honneur du premier ascensionniste (5.8.1819) : J.-N. Vincent, l'heureux propriétaires des mines d'or du Mont Rose. Courte descente au nord, vers le Col Vincent (4 087 m) puis longue montée en demi-cercle par l'ouest pour atteindre la Ludwigshöhe (4 341 m) et, de là, sans problème la Pointe Parrot (Parrotspitze) (4 432 m). On peut descendre par la crête NE vers le Seserjoch (4 296 m) ou revenir sur ses pas jusque dans la combe du Grenzgletscher (4 240 m environ). Remettre les peaux pour grimper jusqu'à la cabane Margherita (4 554 m), la plus haute cabane des Alpes, au sommet de la Punta Gnifetti ou Signalkuppe.

Horaire : cabane Quintino Sella - Nez du Liskamm : 3 h. Descente : 30 mn. Montée à la Pyramide Vincent : 1 h 30. Col Vincent - Parrotspitze : 2 h. Parrotspitze - cabane Margherita : 2 h. On peut raccourcir l'étape de 3 h en évitant l'ascension des 3 sommets de « 4 000 », ce qui serait très regrettable. Au total : 9-10 h.

3e jour : descente sur le Col Gnifetti (4 452 m) et courte escalade à la Zumsteinspitze (4 563 m). Magnifique et longue descente du Grenzgletscher jusqu'à la cabane Bétemps (2 795 m), puis le même jour à Zermatt (1 616 m) par Furi (1 864 m) et la télécabine.

Horaire : descente : 5 mn. Escalade de la Zumsteinspitze : 30 mn. Descente à la cabane Bétemps : 1 h, à Furi 1 h 30-2 h supplémentaires. Au mois de juin, on traverse de préférence le glacier du Gorner pour rejoindre Rotenboden (2 775 m) et le chemin de fer du Gornergrat. Naturellement il est tout à fait possible de profiter de son excellent entraînement et prolonger cette course en effectuant l'ascension de la pointe Dufour (4 633,9 m) le jour suivant et, si les conditions sont toujours parfaites, de continuer le 5e jour vers Saas Fee par l'Adlerpass (3 789 m) et le Strahlhorn (4 190,1 m). On peut aussi traverser par la Cima di Jazzi (3 803 m) et le Schwarzberg-Weisstor (3 609 m) vers Mattmark et Saas Almagell. Tout est fonction du temps dont on dispose et des conditions de la haute montagne.

Au Col Gnifetti au Mont Rose,
vue sur le Cervin,
(ci-dessus).
Le sommet du Castor
(page ci-contre).

jusqu'au point 4093 (S-SW) et descendre une vingtaine de mètres par son arête S-SE puis remettre les skis pour glisser jusqu'à la cabane Quintino Sella (3 585 m) bien visible sur son promontoire.

Horaire : Col du Théodule - Breithorn : 4 h. Descente : 30 mn. Escalade du Pollux et retour : 2 h 30. Traversée du Castor : 2 h 30. Felikjoch - Liskamm et retour : 2 h-2 h 30. Descente à la cabane Sella : 30 mn. Au total une journée de 12-13 h si l'on gravit tous les sommets.

2e jour : de la cabane Quintino Sella (3 585 m) partir en direction NE ; remonter les glaciers de

Felik puis celui de Lis jusque vers 3 900 m. Obliquer à droite (E) et par une marche presque horizontale gagner le pied (4 020 m environ) de la pente SW du « Nez » du Liskamm (Naso). Escalader cette pente raide en appuyant vers la droite (E) jusqu'à l'altitude de 4 100 m. Si la neige est bonne, on peut monter à skis, d'autres fois il faut chausser les crampons. Suivre la partie la moins inclinée de la terrasse qui ceinture le versant S de la calotte glaciaire du « Nez » ; ce passage porte le nom, un peu excessif, de Passo del Naso. Légère descente jusqu'au sommet de l'éperon rocheux SE, puis par la pente

5. MONT ROGNEUX 3 084 m
versants nord-est et nord

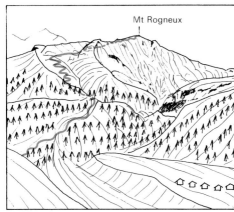

Contrairement à ce que son nom laisse supposer, le Mont Rogneux est une montagne débonnaire, accueillante, aux formes arrondies et peu sévères. Depuis les années 20 déjà, le Rogneux, comme on l'appelle familièrement, est une course classique, fréquentée chaque année par de nombreux skieurs. A juste titre, la voie normale, soit la montée par l'alpe de Sery et la descente par Servay sur Champsec, est considérée comme l'une des plus belles balades à skis du bas Valais. On peut l'entreprendre très tôt, dès que la neige a fait son apparition en suffisance, et la partie supérieure reste souvent bonne fort tard dans la saison.

Peu éloigné des centres comme Lausanne ou Genève, facilement accessible grâce à la cabane Brunet située pratiquement à mi-chemin de la montée, le Mont Rogneux mérite très certainement une ou plusieurs visites. Les pentes de ses versants N et NE offrent des conditions de neige optimales, souvent poudreuse du haut en bas sur plus de 2 000 m de dénivellation. Même à la fin du mois de mars on trouve parfois de la

neige cristallisée en forme de myriades d'étoiles par deux ou trois nuits claires et froides. Cette poussière de verroterie s'envole sous les lattes pendant toute la descente jusqu'aux dernières pentes avant le village de Champsec. Orientées N-NE, celles-ci ne reçoivent quasiment pas de soleil avant le mois d'avril.

On arrive à la cabane Brunet en partant de Lourtier (1 080 m) par La Tinte, Plena Dzeu, Le Tongne, ou, encore plus facilement, de la bifurcation des routes de Fionnay et de Brunet, à 1 302 m. Lorsqu'il y a un certain danger d'avalanches, on évitera de passer par Plena Dzeu, en montant directement au Tongne par la forêt assez raide du Tailon. De même, à la sortie du bois (1 860 m environ), on suivra de préférence le tracé de la route actuelle jusqu'au virage en épingle (1 908 m), puis le fond de la combe, ou bien l'on progressera à l'abri d'une autre petite forêt, à main gauche, jusque sur la crête au-dessous de la cabane.

Il est naturellement tout à fait possible de faire la course en un seul jour, en partant très tôt

dans la vallée. En fin de semaine, je le conseillerais même aux bon marcheurs, vu l'exiguïté de la cabane Brunet.

Pour varier l'itinéraire, on peut aussi gagner le Mont Rogneux depuis le haut des installations de remontées mécaniques de Bruson. Il faut compter de 3 à 5 h en passant par la Tête de la Payanne, l'alpage de Mille et l'arête W-NW. Le désavantage est alors le départ tardif, les installations ne fonctionnant qu'à partir de 8 h. Cet itinéraire offre de magnifiques coups d'œil sur les vallées d'Entremont et de Bagnes mais on a une vue moins détaillée de la face N du Petit Combin. La descente par cette voie permet d'atteindre, en début de saison, le village du Châble (820 m), par Mille, Le Vintsié, Rénarosse, Bruson, Le Sapey. Elle est un peu plus difficile que la descente indiquée plus loin, spécialement au départ du sommet W, dans la pente W, puis sur l'arête. Les grands champs au nord du point 2766 sont alors un régal jusqu'à l'altitude 2200 environ, d'où l'on traverse à gauche, en direction des chalets du Tseppi. Ce parcours très varié de plus de 2 250 m de dénivellation est aussi très beau et mérite d'être effectué au moins une fois.

- **Dénivellation** : 2 180 m jusqu'à Champsec.
- **Difficulté** : F.
- **Horaire** : montée : de Lourtier à la cabane Brunet : 3 h, de la cabane au sommet : 3 h; descente : 1-2 h suivant les conditions.
- **Période favorable** : décembre-avril, mai pour la partie supérieure.
- **Point de départ** : Lourtier (1 080 m) ou bifurcation de la route (1 302 m).
- **Cartographie** : Carte nationale suisse 1/50 000, feuilles n⁰ˢ 283 Arolla, 282 Martigny.
- **Matériel** : couteaux, peaux de phoque.
- **Itinéraire** : si l'on est motorisé, on peut laisser une voiture à Champsec et monter en direction de Fionnay jusqu'à la bifurcation de la route

Le Mont Rogneux vu du col de Mille (ci-dessus).
Les Combins et le Mont Rogneux vus de Verbier (page ci-contre).

pour Plena Dzeu et Brunet (1 302 m). Si l'on vient par le car postal, on peut soit partir de Lourtier, traverser la Drance et monter par plan Rosay, La Tinte, soit demander au chauffeur de s'arrêter à la bifurcation indiquée précédemment. Partir par la route en direction W jusqu'aux premiers chalets, puis remonter le bas du couloir d'avalanches pour gagner la clairière et les chalets du Tongne. Suivre le vieux chemin en direction S puis SE jusqu'à la nouvelle route; la parcourir sur quelques centaines de mètres puis prendre à droite plus ou moins le tracé du vieux chemin, pour gagner, au mieux des conditions, la petite brèche au sud de la

cabane Brunet (2 103 m). De celle-ci, remonter une petite combe juste au nord des chalets de Sery, gagner l'alpage de La Chaux puis le petit lac, Goli d'Aget (2 760 m), et enfin, par l'arête E, le sommet du Mont Rogneux.

Descente : on peut soit traverser les rochers du sommet pour gagner un petit replat au nord à 20 m environ, soit revenir sur ses pas une centaine de mètres. Descendre le versant N-NE du Rogneux pour atteindre la combe de Becca Midi, sans nom sur la carte au 1/50 000, et la suivre en direction NE. Longer sa rive droite et, par de magnifiques pentes N, rejoindre le replat de Servay (2 074 m). Tirer alors franchement à

droite pour atteindre une longue clairière qui suit la crête. On profitera d'un replat de cet endroit charmant et ensoleillé pour faire une halte et mettre une bonne bouteille au frais. La descente se poursuit par la forêt, toujours en suivant la crête, jusqu'au bisse et au chemin de Plena Dzeu que l'on traverse. Par les champs de Posodziet et du Biolet on gagne, à 900 m, le village de Champsec, qui a gardé le cachet de ses vieux mazots. Et, pour terminer une belle journée de montagne et de ski, pourquoi ne pas profiter d'un passage dans le val de Bagnes pour y goûter son fromage réputé et manger une bonne raclette ?

6. CIMA DI JAZZI 3 803 m

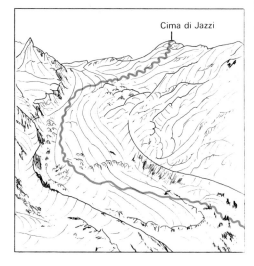

La Cima di Jazzi (3 803 m) est une belle grosse bosse de neige, dont la rotondité sympathique se découpe bien contre le ciel, si on prend la peine de la considérer de Sunnegga (2 288 m). Ce sommet n'est en rien comparable à certains de ses voisins, comme le mont Rose ou le Strahlhorn, 4 000 prestigieux, mais il sait offrir des émotions diverses. On aura d'abord le souffle coupé, si, du haut de cette cime frontière, on admire l'Italie. La vue est impressionnante, on plonge dans la Valle Anzasca sur la station de Macugnaga dont près de 2 000 m de dénivellation nous séparent. Quoique la réalité le démente, l'œil a l'illusion d'un à-pic absolu, d'une chute à la verticale. Puis c'est la rencontre de l'homme, minuscule et impressionné, avec un mur de glace et de roc de 2 500 m, la

face E du Mont Rose, la plus grande paroi d'un seul tenant de toutes les Alpes.

Pour se rasséréner, il faut se retourner de l'autre côté de la frontière où les émotions ne sont plus qu'esthétiques. Vertige et à-pics sont abandonnés à l'Italie, le versant suisse offre des champs de neige larges et ouverts qui permettent des évolutions aisées.

On peut qualifier de facile le Findelgletscher, en effet, en raison de sa largeur, les zones crevassées, relativement rares, s'évitent sans trop de problèmes. Grâce à ces conditions favorables on peut d'autant mieux admirer un paysage qui mérite toute notre attention. Devant nous l'œil suit une brillante avenue à l'horizon de laquelle le Cervin trône majestueusement. Débarrassé par la distance de la sensation d'écrasement, on contemple tout à son aise le Gornergrat, à gauche, puis, au-delà, le Mont Rose, le Liskamm et le Breithorn.

Ainsi, en raison de la beauté et de la facilité de la descente, cette course est fort prisée par quantité de touristes. D'autant plus prisée, sans doute, que de Zermatt, la Cima di Jazzi (3 803 m) est atteignable sans grand effort. On peut monter par des moyens mécaniques jusqu'au Stockhorn (3 405 m) d'où il ne reste plus que quelque 3 h de marche.

Cependant, malgré sa relative facilité, il est déconseillé d'entreprendre cette course par temps incertain. Par brouillard, par exemple, on a tôt fait de s'égarer sur les grands plateaux neigeux, et l'on risque fort de finir sa course dans une crevasse.

- **Dénivellation** : 2 130 m jusqu'à Zermatt (Winkelmatten).
- **Difficulté** : F.
- **Horaire** : montée : 3 h; descente : 2-3 h.
- **Période favorable** : possible toute la saison, mais conseillée de mars à mai.
- **Point de départ** : station supérieure du téléphérique du Stockhorn (3 405 m).
- **Cartographie** : Carte nationale suisse 1/50 000, feuille n° 284 Mischabel, ou C.N.S. 1/25 000, feuille n° 1348 Zermatt.
- **Matériel** : corde, piolet.
- **Itinéraire** : de Zermatt, monter par le train au Gornergrat puis par les deux sections du téléphérique du Stockhorn. On peut soit chausser les skis tout de suite, soit suivre, en portant les

skis, une trace souvent bien marquée qui monte jusqu'aux environs du sommet du Stockhorn (3 532,0 m). Descendre sur le Stockhornpass (3 394 m), puis remonter la large croupe qui va en direction du point 3632 (Torre di Castelfranco) jusqu'à l'altitude 3520 environ. Traverser à gauche dans la combe et gagner l'épaule de la Cima di Jazzi vers 3 600 m, l'escalader jusqu'au sommet (3 803 m).

Descente : suivre les traces de montée jusque vers 3 600 m puis tirer franchement à droite (NE) en direction du Strahlhorn, ou plutôt des pentes raides qui en tombent. Le glacier de Findeln, ou Findelgletscher, se présente alors comme une très vaste combe que l'on parcourt de préférence sur sa rive droite. Peu avant les rochers de Strahlchnubel (3 222 m), on croise à angle droit les traces montant à l'Adlerpass et l'on continue rive droite pendant un certain temps encore. Traverser tout le glacier à gauche vers l'altitude 2700 environ pour gagner la rive gauche et sa moraine à Triftji. Peu après, on rejoint les pistes qui descendent du Stockhorn ou du Rote Nase, les suivre jusqu'à Gant. De là on peut soit rejoindre les pistes de Blauherd, ce qui est le plus facile, soit poursuivre le long du Findelbach, rive gauche après le télésiège qui monte à Sunegga. On peut descendre en général jusqu'à Winkelmatten (1 672 m) ou même plus bas encore, mais en cas de manque de neige, on peut prendre le train à la gare de Findelbach (1 770 m).

La Cima di Jazzi et le glacier de Findeln (ci-contre). En montant à la Cima di Jazzi, vue sur la Nordend (page ci-contre).

7. AUGSTBORDHORN   2972,5 m

Belvédère de roc et de neige d'où la vue s'étend sur la haute plaine du Rhône et tout le haut Valais en général, l'Augstbordhorn offre, de surcroît, de magnifiques champs de neige ouverts tous azimuts. Ses versants NW, N et E sont les plus parcourus, car ils permettent du ski d'excellente qualité jusque tard au printemps, et l'accès du sommet n'est ni difficile ni très long. On fera pourtant bien de se méfier des flancs NW et N car ils sont assez raides et, comme la sous-couche y reste pulvérulente, ils présentent faci-

lement un certain danger d'avalanche, soit après une période de grand vent, soit après une chute de neige. Cependant, ces pentes NW, en direction de l'alpage de Senntum, et N, de Grat vers Gebidum, offrent aux bons skieurs de belles descentes en poudreuse. Celles-ci comptent parmi les plus belles de toute la région comprise entre Eischoll et Törbel. Cette contrée, si peu parcourue par les skieurs francophones, est généralement connue sous le nom de son village principal : Unterbäch. Mais on peut éga-

lement loger dans les hôtels des petites stations de Bürchen et de Zeneggen.

Les versants E et NE, moins raides et plus ensoleillés, sont plus accueillants et beaucoup moins exposés au danger d'avalanche. L'itinéraire habituellement le plus sûr longe l'arête N, dénommée Grätji, et passe par Walker et Arb pour rejoindre les pistes de Moosalp. Par bonne neige de printemps, après une nuit bien froide, on peut aussi descendre la face S en direction de Kreuz (1 616 m) et Embd (1 350 m) en passant par Läger et Schalb. Cette dernière possibilité est plus raide et exposée que les autres routes, il faut donc la classer AD et la réserver aux bons skieurs, sûrs d'eux.

Dans les environs immédiats, bien visibles depuis le point culminant de l'Augstbordhorn, on aperçoit vers l'ouest et le sud-ouest d'autres cimes aux champs de ski superbes, larges, ouverts, aux courbes tentantes. Le Dreizehn-

tenhorn (3 052,3 m), le Ginalshorn (3 026,7 m), l'Altstafelhorn (2 910,6 m), sont tous des sommets alléchants, et l'on se surprend à faire de nombreux projets pour de futures courses.

- **Dénivellation** : montée : 920 m de Bürchen-Moosalp, 980 m de Unterbäch-Unt. Senntum ; descente : 1 750 m jusqu'à Unterbäch, 1 570 m à Bürchen, ou encore 1 470 m à Törbel.
- **Difficulté** : F.
- **Horaire** : montée : 4 h; descente : 1-2 h.
- **Période favorable** : Noël à fin avril.
- **Point de départ** : Unterbäch (1 221 m) ou Bürchen (1 335 m).
- **Cartographie** : Carte nationale suisse 1/50 000, feuille n° 274 Visp, ou C.N.S. 1/25 000, feuilles nᵒˢ 1288 Raron et 1308 St Niklaus.
- **Matériel** : couteaux.
- **Itinéraire** : deux possibilités :

— depuis Unterbäch (1 221 m) par les moyens mécaniques jusqu'à l'alpe de Unt. Senntum (1 997 m). Par le fond du vallon gagner Ob. Senntum (2 278 m), puis le replat de Seefeld et le lac gelé coté 2546. Montée assez raide jusqu'au col (2 806 m) — Chumminilicke (2 803 m) sur la carte au 1/25 000 — et suivre l'arête en direction N puis NE jusqu'au sommet ;

— depuis Bürchen (1 335 m), par les moyens mécaniques on atteint Moosalp (2 055 m). Traverser le replat vers le sud, puis monter en direction SW, le long de la croupe qui mène à Walker (2 580 m), et gagner l'arête N, dénommée Grätji, un peu au-dessus du petit col (2 820 m) pour terminer l'ascension le long de cette arête.

Descente : sur Törbel, on peut partir le long de l'arête SE, puis, peu au-dessous du sommet, à l'altitude 2900 environ, prendre à gauche pour rejoindre la combe de Törbeltälli. Suivre alors cette grande combe sur sa rive gauche, et continuer directement vers la forêt, en longeant toujours la rive gauche du torrent. De l'autre côté de celui-ci, rive droite, la neige est souvent meilleure, mais on ne peut pas toujours, malheureusement, franchir facilement ce Törbelbach à l'altitude 2120 environ pour revenir à gauche. On traverse la forêt au mieux, soit le long du ruisseau, soit plus à gauche encore pour atteindre les Voralpen (Schwenni, Alpji, Eischbiel sur la carte au 1/25 000). Descendre à Törbel (1 501 m) à skis ou à pied, suivant l'état de la fonte des neiges, par la rive gauche du torrent et le hameau de Zen-Blatten.

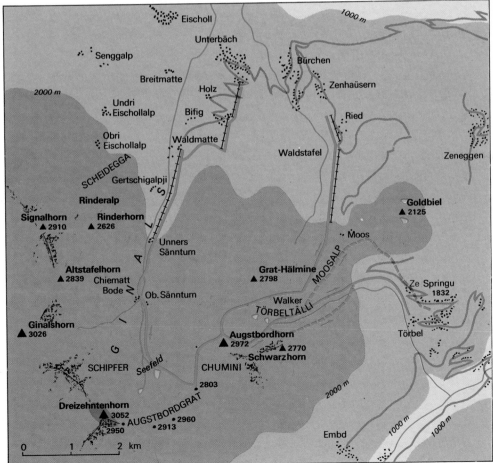

Neige de qualité, ski de rêve (page ci-contre).
L'Augstbordhorn vue d'avion (ci-dessus).

8. CRÊTA DE VELLA 2 502,1 m

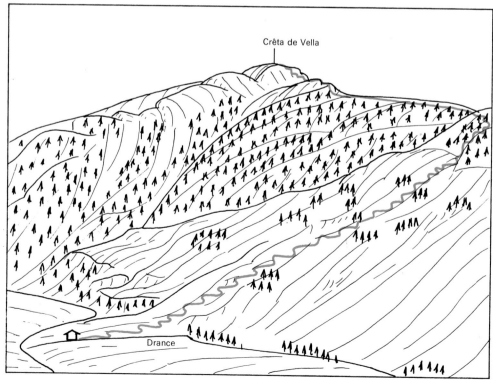

La Crêta de Vella offre une jolie excursion d'entraînement au départ de Liddes ou de Bourg-Saint-Pierre, et l'on peut entreprendre cette balade même par mauvais temps.

Évidemment, par grand danger d'avalanche, on évite les pentes plus raides montant des Arpalles (1 888 m), à Champlong (2 133 m). On choisit de préférence le cheminement par La Niord (1 747 m), Tsanlontset (2 091,4 m) puis, dès l'altitude 2200, on suit la crête bordant à l'est la combe de Plan Devant. Les différentes croupes et les courbes molles et arrondies qui se succèdent posent quelques problèmes d'orientation dans le brouillard. Une boussole et un altimètre bien réglé sont donc des compagnons indispensables et l'on peut s'exercer à leur maniement en début de saison.

Par beau temps la vue est superbe sur le massif des Combins dans notre dos et, du sommet lui-même, elle plonge dans la combe de l'A et dans la vallée d'Entremont. Par-delà le Bec Rond et la Tour de Bavon, le massif du Trient lance ses innombrables flèches de granite vers le ciel. En lisière de forêt, ou même parfois plus haut, dans les grandes étendues de la Chaux de Champlong, des chamois, isolés ou en troupeaux, s'enfuient à notre approche. Malgré nos skis et le fait que nous n'enfonçons que légèrement dans la neige poudreuse, ils sont beaucoup plus rapides que nous et semblent se rire de notre lenteur. Avec nos bâtons nous devons ressembler à de gros insectes mécaniques aux gestes saccadés.

Par neige sûre, la pente NW, abrupte et soutenue en direction de La Verdeuse dans la Combe de l'A, est certainement la plus belle des descentes, la plus directe. En aucun cas elle ne peut être taxée de facile. L'arête N et la combe de Plan Devant, jusqu'à l'altitude 2000 environ, offrent une pente moins raide et une neige presque toujours de première qualité jusque tard dans la saison. A l'entrée de la forêt on tire généralement à main gauche pour rejoindre l'arête N. La descente du torrent de Plan Devant n'est intéressante que les années de grand enneigement et lorsque le fond du couloir n'est pas encombré de restes d'avalanches. Ce couloir non plus ne peut être considéré comme facile. Les descentes du versant E, par La Niord, jusqu'au pont de Tsarevesse, sont spécialement belles en neige de printemps, tôt le matin.

- **Dénivellation** : 1 230 m jusqu'au bas du téléski désaffecté de Drance ; 1 000 m jusqu'au pont de Tsarevesse.
- **Difficulté** : F.
- **Horaire** : montée : 4 h ; descente : 1 h.
- **Période favorable** : décembre à fin avril.
- **Point de départ** : Bourg Saint Pierre (1 632 m).

Crêta de Vella

Drance

- **Point d'arrivée** : Drance, près de Liddes (1 276 m).
- **Cartographie** : Carte nationale suisse 1/50 000, feuille n° 282 Martigny.
- **Matériel** : couteaux (pour le parcours La Niord - Champlong).
- **Itinéraire** : quitter Bourg Saint Pierre (1 632 m) en traversant le replat vers le nord-ouest puis descendre jusqu'au pont de Tsarevesse (1 517 m). Chausser les peaux de phoque et remonter le chemin en direction de La Niord. A l'entrée de la clairière prendre à gauche, passer au-dessus du chalet *Le Sâr* (1 655 m) et traverser la forêt, toujours par le chemin, jusqu'au premier torrent. Monter alors directement vers le chalet des Arpalles coté 1955 puis continuer en direction de celui de Champlong (2 133 m). Poursuivre, presque à l'horizontale, vers le fond du vallon puis appuyer à droite pour emprunter la combe peu marquée qui débouche sur l'arête un peu au sud du sommet de la Crêta de Vella (2 502,1 m).

Descente : partir en direction NW en suivant la crête arrondie ou attaquer directement la combe de Plan Devant, plein nord. Dès l'altitude 2100 environ, appuyer franchement à gauche pour rejoindre l'arête N peu au-dessous du point 2083,0, à l'entrée de la forêt des Seyes. Descendre dans des bois clairsemés par une combe peu marquée jusque vers l'altitude 1730 environ puis tourner franchement à droite pour gagner, par une trouée dans la forêt, le haut du téléski désaffecté et le chalet du Creux (1 627 m). Généralement la neige reste de meilleure qualité si l'on descend les pentes à gauche du téléski en direction des hameaux de « Chez Petit », puis l'on revient à droite pour atteindre, par une traversée, le *Restaurant du téléski*, toujours ouvert au pied de l'ancienne installation mécanique, à 1 276 m. Après quelques rafraîchissements ou une petite collation, le patron se fera un plaisir de vous remonter avec sa voiture jusqu'à Liddes, ou même jusqu'à Bourg Saint Pierre pour une somme modique.

La Crêta de Vella, versant NW,
et le Grand Combin
(page ci-contre).
Seul, loin des foules du week-end
(ci-contre).

9. MONTS TELLIERS 2951,1 m

Les Monts Telliers devraient s'écrire « Montelliets » (petits monts) dit Jules Guex dans son étude de toponymie alpine. Effectivement, les Monts Telliers (2 951,1 m) sont cachés aux regards des automobilistes et, pour les découvrir, il faut monter un peu sur les flancs des montagnes environnantes. Du haut des installations de Super Saint Bernard, par exemple, les skieurs peuvent être intéressés par ce sommet assez élevé qui paraît solitaire et élancé, tout près vers l'ouest, là, de l'autre côté de la Combe de Drône. Les Monts Telliers offrent aux skieurs une belle randonnée d'une journée qui peut s'effectuer encore très tard dans la saison, parfois jusqu'à la fin du mois de juin et même au début de juillet lorsque la température n'est pas trop élevée. En fin de saison de ski, la route du Col du Grand Saint Bernard est ouverte à la circulation et l'on peut laisser sa voiture au pied de la Combe de Drône, à l'altitude 2000 environ. Sur la rive droite du torrent de Drône, on trouve encore longtemps des restes de névés qui permettent de chausser les skis peu après la traversée de la Drance d'Entremont. Après une courte pente, la promenade par le fond de la combe est vraiment décontractée et sans problème jusqu'au pied du Col du Bastillon.

A la hauteur du Petit Lé (petit lac) (2 581 m), on traverse de préférence vers la droite pour attaquer la dernière montée, raide, par le versant E. Du sommet on jouit d'une vue étendue. A nos pieds, la Combe des Planards descend vers le barrage des Toules, à l'est le Mont Vélan dévoile quelques-uns de ses formidables couloirs et à l'ouest au-delà des vals Ferret, suisse et italien, les massifs du Mont Dolent, des Jorasses, du Mont Blanc, présentent leurs immenses versants E et S. Vue insolite sur des montagnes pourtant bien connues.

La descente en neige de printemps, fondante à souhait, est de toute beauté. Elle nécessite une certaine attention dans les premiers mètres puis, facile, elle se déroule sur d'immenses champs bien ouverts et peu inclinés. On peut quelquefois slalomer entre les trous de marmottes encore mal éveillées et l'arrivée dans le vert de l'herbe fraîche, parmi les fleurs, est toujours d'un contraste saisissant et reposant.

- **Dénivellation** : 1 035 m jusqu'au restaurant de la télécabine ; 950 m « seulement » jusqu'à la Drance d'Entremont.
- **Difficulté** : F.
- **Horaire** : montée : 3 h 30-4 h ; descente : 1 h.
- **Période favorable** : dès le mois de décembre ; conseillé en fin de saison, avril, mai, juin.
- **Point de départ** : Bourg Saint Bernard (1 920 m).
- **Cartographie** : Carte nationale suisse 1/50 000, feuille n° 292 Courmayeur, ou C.N.S. 1/25 000, feuille n° 1365 Grand Saint Bernard.
- **Matériel** : couteaux.
- **Itinéraire** : laisser les voitures au parking des installations de Super Saint Bernard, ou, plus tard dans la saison lorsque la route du col est ouverte, le long de cette route vers l'altitude 2000-2040, un peu au-dessus du lieu dit Maringo. Traverser la Drance d'Entremont et remonter la pente à main gauche, rive droite du torrent de Drône. On arrive bientôt sur le replat

48

et l'on peut choisir entre deux itinéraires. Premièrement la montée directe par le Grand Lé, plus rapide mais beaucoup plus raide, ou le tour par le fond de la Combe de Drône et le Petit Lé, promenade plus calme et sympathique. Escalader la pente raide sous le sommet par la droite, versant E, et terminer les derniers mètres à pied par l'arête E-NE.

Descente : suivre les traces de montée dans la première partie, puis choisir son terrain en fonction de l'état de la neige. Les revers de la combe de Drône, rive droite, sous la pointe des Lacerandes (2 776 m), restent en bonne condition très longtemps car ils sont très peu travaillés par le soleil, au contraire des pentes situées au-dessous du Grand Lé qui sont touchées de plein fouet par les premiers rayons du matin. Un pique-nique au bord de la Drance, où l'on retrouve une bouteille de fendant mise au frais à la montée, termine de manière fort agréable une balade détendue dans un paysage rieur.

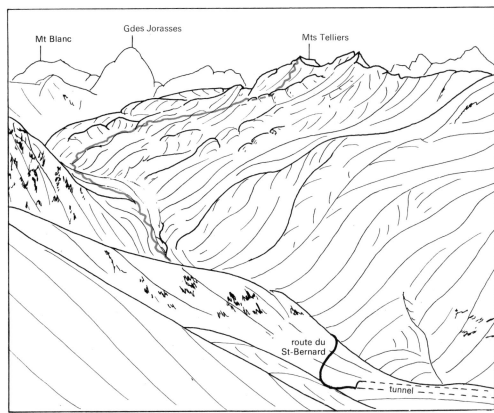

Arabesques esthétiques et éphémères
(page ci-contre).
Les Monts Telliers à droite avec le Mont Blanc
et les Grandes Jorasses dans le fond
(ci-dessus).

10. PUNTA LEISSÉ 2771 m

Sans nom sur la Carte nationale suisse, la Punta Leissé, grande croupe à double sommet, est pourtant cotée 2771 pour son point le plus haut. Cette pointe tire vraisemblablement son nom de la combe qui descend, sur son versant N-NW, en direction de la Comba di Vertosan. Vue depuis cette dernière, la cime ne ressemble pas non plus à une pointe mais bien plutôt à une grande barrière de plus d'un kilomètre de long. Les pentes de son versant S-SE offrent de magnifiques champs de neige très propices au ski et ouverts largement sur la vallée d'Aoste. Un terrain idéal dominant une sorte de balcon ensoleillé, un vaste panorama et une route ouverte, il est normal que la petite localité de Vetan (1 671 m), située au pied de la Punta Leissé, attire les touristes et se développe tranquillement. On y compte de plus en plus de chalets, malheureusement construits sans unité architecturale.

On monte le plus facilement à la Punta Leissé par la gauche, sur une grande croupe, large et commode qui vient buter contre le sommet W et l'on termine en se promenant sur la crête facile entre les deux sommets. Du côté S, la vue est immense sur la vallée et les massifs du Grand Paradis, du Ruitor et de la Tsanteleina. Vers l'ouest, la vallée d'Aoste se resserre puis est fermée complètement par la masse du Mont Blanc. Vers le nord, tout près de nous, le Monte Rosso, plus élevé de presque 200 m, bouche une partie du panorama mais, sur la droite, par-delà le Mont Fallère, on aperçoit tout de même le Grand Combin et les Alpes valaisannes.

Il est possible de descendre de trois côtés depuis la Punta Leissé. Un versant N très abrupt qui plonge de 970 m dans la Comba di Vertosan offre une descente assez difficile, en bonne neige très souvent. Le retour est plus long car, au bas de la Comba di Vertosan il faut remonter dans la forêt à un petit col (1 920 m) pour gagner les villages de Vens (1 734 m), puis Saint Nicolas (1 200 m). Une grande combe s'ouvre vers le nord-est et l'on peut descendre par là jusqu'au hameau de Verrogne (1 582 m). Une route non dégagée en hiver relie cette localité avec Vetan (1 671 m) ou Bellon (1 382 m). Enfin, tous les vastes champs situés au sud,

sud-est et sud-ouest de la crête sommitale présentent des pentes assez soutenues et bien exposées au soleil, où la neige se transforme rapidement en gros sel. Il est facile d'y tracer son chemin, en choisissant la meilleure exposition, toujours dans la ligne de pente et sans croiser les traces d'autres touristes. Vu l'altitude, on peut parfois encore réaliser cette course au mois de mai, et déchausser à la voiture.

- **Dénivellation** : 1 100 m entre le sommet et Vetan ; 1 190 m jusqu'à Verrogne.
- **Difficulté** : F.
- **Horaire** : montée : 3 h 30 ; descente : 30 mm-1 h.
- **Période favorable** : décembre à fin avril.
- **Point de départ** : Vetan (1 671 m).
- **Cartographie** : Carte nationale suisse 1/50 000, feuille n° 292 Courmayeur, ou I.G.M. feuille 28 Arvier, Bosses.
- **Matériel** : couteaux.
- **Itinéraire** : quitter la route Aosta-Courmayeur au village de Saint Pierre et prendre la route de Saint Nicolas (1 200 m) puis Sarriod (1 459 m) et enfin Vetan (1 671 m). Chausser les skis dès que possible, presque toujours au sortir de la voiture et traverser le plateau en direction NW. Remonter une combe jusqu'à un replat vers 1 950 m et passer près des chalets de Pesse (2 003 m). Monter tout droit vers la grande combe à l'ouest du sommet W ; vers l'altitude 2400 revenir légèrement à droite sur la croupe large qui va s'amenuisant et finit par former l'arête S. Passer sous le sommet W et rejoindre l'arête facile qui relie les deux cimes. Le sommet E, coté 2771, est plus haut d'environ 40 m et s'atteint avec les skis sans problème. *Descente :* on peut soit descendre par le chemin de montée, parcours le plus facile, soit piquer droit dans la pente sous le sommet, en direction du chalet de Grand'Arpilles (2 120 m). Laisser ce dernier à main gauche et continuer vers la première combe, au-dessous du replat de Pesse, par laquelle on rejoint très facilement les voitures. Pour descendre à Verrogne (1 582 m), on suit la crête E jusqu'au moment où l'on peut traverser au nord dans la combe et gagner le grand replat au sud de Le Crotte (2 392 m). Tourner à droite pour enfiler la première combe descendant à l'alpe de Vergioan (2 106 m), puis prendre la côte entre les deux ruisseaux et laisser à gauche le chalet de Loè (1 980 m). Suivant l'état de la neige on choisira la rive droite du torrent pour passer par Vulmian (1 730 m), ou la rive gauche plus ensoleillée pour atteindre directement le hameau de Verrogne.

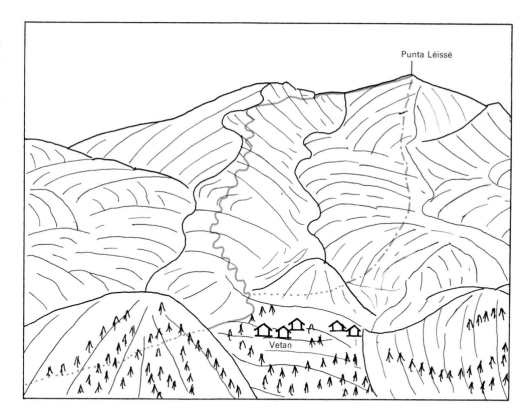

Montée à la Punta Leissé dans le val d'Aoste (page ci-contre).
Le hameau de Homené et la Punta Leissé (ci-contre).

11. MONT FLASSIN 2 772 m

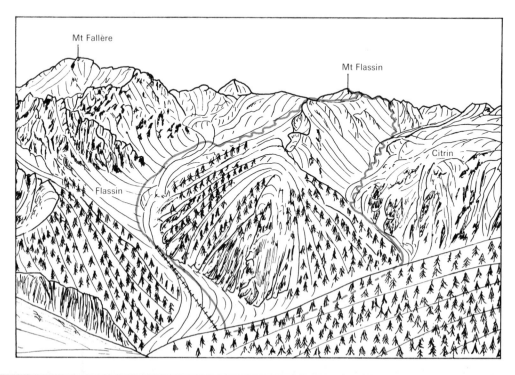

L'ascension du Mont Flassin est une course intéressante et bien fréquentée. Ce sommet est même le point culminant du parcours d'une épreuve de ski-alpinisme qui monte par la combe Citrin et redescend par celle de Flassin. Ces compétitions, qui se pratiquent avec des skis de fond légèrement plus larges que la normale, sont très populaires dans le val d'Aoste. Signalons, par exemple, la plus courue de toutes, la traversée du Mont Gelé (3 518,2 m), de la vallée d'Ollomont à celle de Valpelline, ou *vice versa* suivant les années, qui comporte une dénivellation de 1 600 m.

De la route du Grand Saint Bernard, en montant d'Étroubles au tunnel, on aperçoit, de l'autre côté de la vallée, deux combes presque symétriques, séparées en bas par une grande croupe boisée et, en haut, par une arête longue et très escarpée sur son versant N. Le point le plus élevé de cette arête forme le Mont Flassin qui tire son nom de la grande combe située à l'est. Dans la partie inférieure de celle-ci, on a construit deux téléskis qui montent jusqu'aux chalets de la Montagna Flassin inférieure, à 1 700 m environ. Au début cette combe est très encaissée, mais, au-dessus de la limite des arbres, elle s'ouvre et forme un grand cirque en fer à cheval. A main gauche les contreforts du Mont Fallère (3 061 m), très abrupts, d'où tombent de formidables avalanches. A droite, les pentes de la Testa Cordella (2 663 m) sont à peine moins escarpées et tout le fond du cirque est fermé lui aussi par des pentes très redressées. Seul le Col Flassin (2 605 m) offre une échancrure plus débonnaire mais trompeuse car le versant W du col n'est pas praticable. On peut atteindre le Mont Flassin par son arête S, souvent cornichée ou, mieux, par son arête NE, plus courte, moins exposée mais coupée par un petit ressaut. Du sommet, la vue s'abîme dans la Comba di Vertosan, si peu connue et si peu parcourue en hiver. Sans cabane, ni bivouac fixe, d'accès malaisé, ce magnifique petit val n'attire guère que les troupes alpines italiennes qui viennent de temps à autre y faire quelques exercices. Il y aurait pourtant de jolies courses à effectuer, par exemple : la Punta Fallita (2 623 m), la Testa di Serena (2 830 m), le Monte Rosso (2 943 m) et d'autres. Du Col Flassin, on peut suivre la crête vers le sud jusqu'à un petit sommet sans nom sur la carte et, de là, descendre dans la Combe di Vertosan. En continuant cette crête vers le sud-est, on peut gagner le Colle Finestra (2 729 m)

Descente de l'arête NW du Mont Flassin (ci-contre).
Dans la Combe Citrin (page ci-contre).

et, tournant à droite, descendre vers Vetan (1 671 m) ou Verrogne (1 582 m), puis Bellon (1 382 m) où l'on trouve une route et un hôtel ouverts en hiver.

- **Dénivellation** : 1 410 m.
- **Difficulté** : F.
- **Horaire** : montée : 5 h 30 ; descente : 1 h 30.
- **Matériel** : couteaux parfois utiles pour les dernières pentes.
- **Point de départ** : parc à voitures des téléskis, 1,500 km à l'ouest de Saint-Oyen (1 360 m).
- **Itinéraire** : quitter la route principale Aoste - Grand Saint Bernard à l'entrée du village de Saint Oyen et prendre une route secondaire qui descend à gauche et franchit le rio Artereva. 800 m après le pont environ se trouve un parc à voitures et un petit restaurant. Les deux téléskis ne fonctionnent pas très tôt le matin et on

remontera leurs pistes à peaux de phoque en une heure. Continuer sur la rive droite en traversant une forêt clairsemée puis en remontant le fond du vallon, toujours sur la même rive, jusqu'à l'altitude 2160 environ. Appuyer à droite pour gagner les chalets de la Montagna Flassin supérieure (2 258 m), puis continuer en direction du Col Flassin (2 605 m). Peu avant le col, à l'altitude 2520, un replat marque le début d'une petite combe qui monte en pente douce vers le nord, à droite. Suivre cette combe jusqu'à l'arête NE que l'on parcourt facilement jusqu'à 2 680 m. Enlever les skis pour franchir directement le petit ressaut de 30-40 m et rechausser pour terminer l'ascension. On arrive ainsi sur le sommet N, quelques mètres plus bas que le sommet principal mais qui marque l'intersection des arêtes S, NE et NW. Le point

culminant peut être atteint par une traversée facile de quelques rochers.

Descente : le ressaut se franchit facilement en dérapage directement sur l'arête. On peut suivre naturellement les traces de montée, ce qui est toujours conseillé par mauvaise visibilité, mais, selon l'état de la neige, il est aussi possible de longer l'arête en direction de la Testa Cordella et de prendre la combe qui descend directement au nord des chalets de la Montagna Flassin supérieure. Par neige sûre, on peut traverser à droite sous le Col Flassin, suivre le fond de la combe quelques instants, puis traverser encore plus à droite, sous les abrupts contreforts du Mont Fallère. En se tenant toujours sur la droite, la neige est souvent bien meilleure, poudreuse, car les pentes sont abritées très longtemps du soleil.

12. PUNTA CHALIGNE   2 608 m

La Punta Chaligne (2 608 m) n'est pas visible de la route du Grand Saint Bernard. Elle ne se montre bien que de la Valpelline ou, mieux encore, des hameaux de la rive gauche de l'Artanava, Allain, Villa, Daillon. Située légèrement en dehors de la grande crête qui descend du Mont Fallère vers l'est par Costa Mayan, elle n'a pas l'élan du Mont Saron et apparaît seulement comme la plus haute des deux bosses de ce dos de chameau blanc qui prolonge la Cresta Tardiva vers le sud. Mais, si elle n'a pas l'allure d'un grand sommet, la Punta Chaligne reste un objectif très valable pour une course d'une journée. Une montée agréable de 1 200 m, des pentes bien orientées vers le nord-est, une situation isolée de magnifique belvédère, tout contribue à en faire un but d'excursion dominicale très prisé par les Valdotains. Pendant la semaine on n'y rencontre pratiquement qu'un ou deux lièvres des neiges.

La montée se déroule d'abord dans des champs peu inclinés, entourés de sombres forêts de sapins, puis l'on débouche sur le replat plus ouvert de Chaz de Chaligne (2 225 m). Enfin la dernière pente assez raide, qui peut présenter quelques dangers de plaques à vent, nous amène sur notre sommet. De là, la vue est très étendue sur la vallée d'Aoste, la Valpelline, le val d'Ollomont et sur toutes les montagnes qui bordent ces vallées. Tout près, à l'ouest, les immenses champs de neige, presque toujours vierges, des alpages de Morgnoz, Frumière, Le Crotte, au pied du Mont Fallère (3 061 m), du Monte Rosso (2 943 m), de la Punta Leissé (2 771 m), sont vraiment tentants pour le randonneur.

La descente s'effectue le plus souvent par le même chemin que la montée jusqu'aux voitures. Cependant, on peut aussi, en tirant à gauche (NE) dès l'alpe de Terrez, descendre jusqu'à Condémine (1 140 m). Une autre possibilité, très intéressante également, consiste à partir par l'arête N-NW puis à tourner à gauche pour suivre la grande combe qui tombe de Chezère

di Sopra (2 304 m), jusqu'au bas de l'alpage de Montagnetta, point 1635. De là, on prend le chemin dans la forêt pour gagner Touraz (1 652 m), puis Villa su Sarre (1 212 m). Ce dernier tronçon s'effectue en traversant à gauche encore en direction de Chalençon (1 423 m), puis en revenant à droite par des champs entrecoupés de murettes. Une route relie Villa su Sarre avec Sarre et le fond de la vallée d'Aoste ; une autre avec Arpuilles et Signayes (722 m) sur la route Aoste - Grand Saint Bernard, mais elle n'est pas ouverte en hiver.

- **Dénivellation** : 1 250 m jusqu'à Buthier ; 1 450 m jusqu'à Condémine ; 1 620 m jusqu'à Gignod ; 1 400 m jusqu'à Villa su Sarre.
- **Difficulté** : F, PD pour la descente à Villa su Sarre.
- **Horaire** : depuis les hauts de Buthier : 4 h 30 ; descente : 1 h.
- **Période favorable** : décembre-avril.
- **Point de départ** : hameau supérieur de Buthier (1 360 m).
- **Cartographie** : Carte nationale suisse 1/50 000, feuilles n°s 292 Courmayeur, 293 Valpelline.
- **Matériel** : couteaux éventuellement.
- **Itinéraire** : en voiture, on quitte la route Aoste - Grand Saint Bernard légèrement en amont du hameau de Condémine (1 140 m) et l'on rejoint par une petite route en bon état le village de Buthier, formé de deux parties dis-

tinctes. Le hameau inférieur est côté 1319 et le supérieur 1360. On peut généralement chausser les skis après les dernières maisons, vers 1 400 m, et se diriger presque horizontalement vers le sud en direction du premier torrent. Traverser celui-ci et monter vers l'alpe Rolla (1 692 m), puis vers les chalets de l'alpe Chaligne (1 934 m). Derrière ceux-ci, remonter la forêt entre les deux ruisseaux et gagner le replat supérieur. Laisser à main droite les baraques de Chaz de Chaligne (2 225 m) et la combe qui monte directement au nord du sommet. Il est préférable de prendre la direction plein sud pour atteindre, vers 2 400 m, la crête peu marquée et arrondie qui descend du point culminant vers l'est - sud-est. La franchir et grimper directement les 200 derniers mètres en quelques zigzags. *Descente :* longer l'arête N-NW quelques mètres puis enchaîner, à droite dans la pente raide, quelques virages bien ronds suivis d'une belle « godille » jusqu'à Chaz de Chaligne. On peut descendre ensuite à l'alpe Chaligne le long des traces de montée dans la forêt où la neige reste de très bonne qualité, mais on peut aussi emprunter, à 500 m à gauche (N), un couloir exposé à l'est et rapidement transformé en neige de printemps. L'alpe Rolla offre des champs exposés au nord-est, à l'est ou même au sud, le long du ruisseau, et l'on choisira la meilleure exposition en fonction de l'état de la neige. A Buthier on retrouve les voitures. Par enneigement suffisant, un ami peut se dévouer pour faire le chauffeur et le reste du groupe peut descendre jusqu'à Gignod (988 m). Il faut alors traverser le torrent à hauteur du village de Buthier, sur une petite passerelle à 1 350 m, et suivre le chemin dans la forêt en direction de Collère. Longer la forêt à gauche et rejoindre la route du Grand Saint Bernard. La magnifique église de Gignod (988 m) apparaît sur son promontoire et l'on termine la course dans ses environs immédiats, dans une « trattoria » accueillante.

Le hameau de Bellon et la Punta Chaligne (page ci-contre).
Sur l'alpe Chaligne (ci-dessus).

13. TESTA CREVACOL 2 610 m

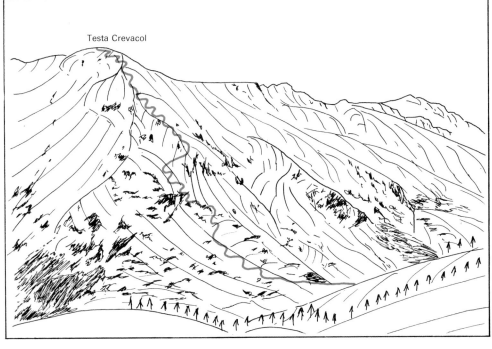

Testa Crevacol

Peu après le poste de péage, lorsque l'on remonte d'Aoste en direction du tunnel du Grand-Saint-Bernard, on aperçoit à droite, loin au-dessus des galeries couvertes de la route, d'immenses champs de neige dominant une jeune forêt de conifères, fraîchement plantée. La pointe de cette grande pyramide blanche forme la Testa Crevacol (2 610 m), magnifique sommet peu fréquenté. Pourtant celui-ci offre non seulement de vastes étendues ensoleillées, mais aussi une pente à l'inclinaison soutenue sur près de 1 000 m. Orientée S-SE, elle est caractérisée, très vite dans la saison, par une neige de printemps, dure à souhait tôt le matin et qui, rapidement, sous les rayons du chaud soleil d'Italie, fond en surface et devient « al dente » au moment de la descente. Pour ne pas trouver cette dernière pâteuse et trop molle, comme des spaghetti trop cuits, il faut partir de très bonne heure, quitte à prolonger un peu le casse-croûte sur la crête sommitale. Ce versant n'est pas monotone car il est parcouru de petits torrents qui forment autant de petites combes ; la plus grande de celles-ci, en plein centre, est vraiment la seule bien marquée sur toute la dénivellation. On peut ainsi choisir, au retour, l'orientation la plus appropriée, soit SE, soit SW, soit même W pour quelques « revers ». La montée se fait, en général, au départ du petit hameau de Motte (1 656 m). Rappelons ici qu'il n'est pas permis de laisser sa voiture en stationnement le long de la route internationale qui a le statut d'autoroute. Il faut quitter cette dernière avant le péage en montant et prendre à droite en direction de villages de vacances, modernes mais pas trop laids, malgré la dimension peu usuelle des maisons. Il y a naturellement dans cet immense triangle, de 2 km de base, différents itinéraires possibles, soit rive gauche, soit rive droite de la combe principale. On choisira son cheminement au gré de sa fantaisie, des conditions de la neige ou des alpages que l'on veut visiter. Lorsque l'on gagne le sommet par l'arête S-SW, deux têtes successives font croire faussement que l'on est déjà au bout de ses peines. De la troisième tête, la plus haute, la vue est magnifique sur toutes les combes et tous les vallons descendant de la chaîne qui nous entoure. C'est vraiment le centre d'un cirque presque parfait, sur trois côtés tout au moins, qui va du Mont Fallère au sud-est, à la Pointe de Barasson au nord-est en passant par le Grand Golliat, à l'ouest - nord-ouest. Des combes et des vallons s'offrent, orientés dans toutes les directions, et, avec les sommets qui les couronnent, ils proposent plus d'une douzaine de courses, ce qui représente bien de quoi remplir les fins de semaine d'une saison entière.

- **Dénivellation** : 960 m jusqu'à Motte.
- **Difficulté** : F.
- **Horaire** : montée : 3 h 30 ; descente : 1 h.
- **Période favorable** : décembre à avril.
- **Point de départ** : Motte (1 656 m).
- **Cartographie** : Carte nationale suisse 1/50 000, feuille n° 292 Courmayeur.
- **Matériel** : couteaux.
- **Itinéraire** : garer sa voiture tout au bout du hameau de Motte (place pour deux ou trois voitures sans gêner les paysans). Partir en direction W horizontalement pendant 500 m environ, puis monter vers la droite et passer sous les galeries de la route du Grand Saint Bernard, près du petit torrent qui descend de la Testa Crevacol. Suivre le chemin jusqu'au chalet appelé Devi (1 723 m), puis gagner le replat de la Montagna Merdeux (2 005 m). Une combe assez raide, en bordure de forêt, est parfois avalancheuse. Dans ce cas traverser horizontalement cette petite forêt et rejoindre la crête au plus tôt. Cette crête donne accès à des pentes moins inclinées et l'on parvient sans difficulté sur l'arête S-SW près de la cote 2446. Suivre cette arête, assez plate, jusqu'au sommet.

Descente : par le même itinéraire en sens inverse et l'on trouvera de petites combes orientées SW, qui dégèlent plus tardivement, jusqu'à l'altitude 1800 environ. Par une traversée à gauche (E) on rejoint Devi puis le passage sous les galeries et Motte. Une autre possibilité est de descendre directement le versant SE jusqu'à l'altitude 2200 environ puis traverser à gauche pour prendre une des rives du torrent jusqu'au passage sous les galeries de la route. Cette descente plus directe est recommandée par temps froid et neige lente à dégeler.

Du sommet de la Testa Crevacol, une magnifique combe de 700 m de dénivellation, orientée NE, plonge en direction du tunnel du Grand Saint Bernard. Elle est tentante et offre longtemps de la neige poudreuse de première qualité, mais elle est facilement dangereuse car la neige y reste peu stable. De plus, cette descente se termine à Saint Rhémy (1 619 m), et il faut prévoir un mode de transport pour regagner les voitures à Motte. Dans la partie presque plate qui suit le passage au-dessous du tunnel du Grand Saint Bernard, on peut admirer, à main gauche, la formidable pente qui tombe du col W de Barasson (2 636 m). Les deux cols de Barasson, facilement atteignables en une heure depuis l'hospice du Grand Saint Bernard, donnent accès à deux superbes descentes peu fréquentées. L'une se termine à Saint Rhémy (1 619 m), et l'autre à Saint Oyen (1 363 m).

La Testa Crevacol avec le Mont Vélan (page ci-contre).
Griserie de la neige vierge (ci-contre).

14. CROIX DE TSOUSSE 2 821,9 m

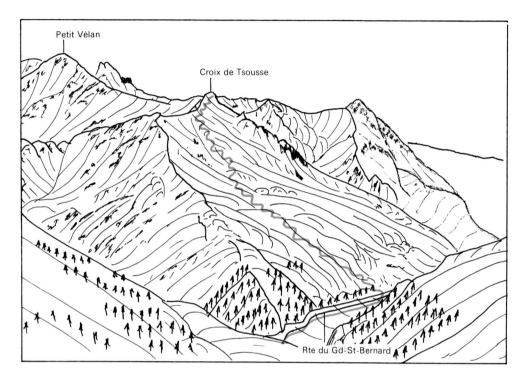

Petit Vélan

Croix de Tsousse

Rte du Gd-St-Bernard

En remontant la route du Grand Saint Bernard, de Liddes à Bourg Saint Pierre, on voit très nettement la crête abrupte qui sépare la vallée principale du vallon de Valsorey. Cette crête s'élève de plus de 1 000 m au-dessus du village et porte en réalité deux sommets, le Bonhomme de Tsalevey (2 730 m) et la Croix de Tsousse (2 821,9 m) qui se suivent en enfilade. Au-dessus, toujours sur la même ligne, légèrement vers la gauche, on aperçoit le Petit Vélan (3 201,5 m) puis la masse importante et les glaciers suspendus du Mont Vélan (3 731 m). La Croix de Tsousse est une course à faire dans la journée en partant, soit de Bourg Saint Pierre (1 632 m), soit de Bourg Saint Bernard (entrée du tunnel) (1 930 m). Par le vallon de Valsorey et ses pentes peu inclinées du versant E, la Croix de Tsousse est une balade facile et agréable permettant de découvrir quelques endroits charmants, ouverts et d'autres plus sauvages et plus encaissés au-dessous des Chalets d'Amont. Par les pentes raides au-dessus du Plan du Jeu et de son versant W, la Croix de Tsousse présente un caractère nettement plus alpin, plus dur, et la course est plus difficile, plus soutenue. Bien

que plus courte, de dénivellation moindre, cette montée demande plus d'engagement, surtout dans la dernière pente, sous la crête sommitale. Les diverses descentes qu'offre la Croix de Tsousse ont aussi des caractères très différents et sont de difficultés variées. La descente normale, décrite plus loin, est facile et ne présente aucun danger par elle-même. La descente du versant W-SW, vers le torrent de Pieudet et le Plan du Jeu, est beaucoup plus raide. Elle peut être classée déjà AD et demande un peu d'attention dans sa partie supérieure. Le parcours du versant NW, par la Chaux de Tsousse, coupé de quelques petites barres rocheuses, est délicat si la neige est dure. On fera bien d'attendre que la neige ramollisse un peu avant de s'y lancer. La descente du versant N, depuis le Bonhomme de Tsalevey par Tsandéserte jusqu'au fond du Valsorey, est l'une des plus belles, et la neige y est très souvent poudreuse. Elle risque cependant d'être avalancheuse car cette poudre ne se stabilise que difficilement sur son fond de petits buissons. Il faut donc être particulièrement attentif et prudent pour ces deux dernières descentes que l'on peut classer

AD pour la première et AD − pour la seconde.
- **Dénivellation** : 1 170 m jusqu'à Bourg Saint Pierre ou 900 m jusqu'à Bourg Saint Bernard.
- **Difficulté** : F par la Chaux de Jean-Max et le Valsorey, AD − à AD pour les autres descentes.
- **Horaire** : montée : depuis Bourg Saint Pierre : 4 h 30-5 h; depuis Bourg Saint Bernard : 3 h-3 h 30; descente : 1 h-1 h 30.
- **Période favorable** : décembre à mai.
- **Point de départ** : Bourg Saint Pierre (1 632 m) ou Bourg Saint Bernard (1 930 m) (parking du téléphérique).
- **Cartographie** : Carte nationale suisse 1/50 000, feuilles n°s 282 Martigny, 283 Arolla, 292 Courmayeur.
- **Matériel** : couteaux.
- **Itinéraire** : à Bourg Saint Pierre (1 632 m) prendre le chemin des cabanes de Valsorey et du Vélan, et le remonter jusqu'à la bifurcation de ces deux itinéraires, peu au-dessous du Chalet d'Amon (2 197 m). Traverser le torrent et quitter peu après la trace qui monte à la cabane du Vélan. Appuyer à droite et remonter les pentes bien ouvertes qui constituent la Chaux de Jean-Max. De préférence, on monte tout d'abord en oblique vers le fond de la combe, à main gauche, puis on tourne franchement à droite et l'on revient vers les replats, cotés 2563 dans leur partie supérieure. Escalader ensuite une pente un peu plus raide, pour atteindre la crête entre le Bonhomme de Tsalevey (2 730 m) et la Croix de Tsousse. Le signal est coté 2 821 m, mais la Carte nationale suisse au 1/25 000 indique, 100 m au sud, un autre point à 2 830 m. Au départ de Bourg Saint Pierre, lorsqu'il y a peu de neige, on peut prendre le vieux chemin qui part à droite. Longer le torrent de Valsorey sur l'une de ses deux rives, au mieux. On rejoint la trace, par une montée à gauche, un peu au-dessus de l'alpage de Cordonna (1 834 m). On peut aussi continuer le long du torrent jusqu'au Chalet d'en Bas (2 020 m), mais le mur de la prise d'eau et les pentes raides qui suivent sont parfois difficilement franchissables.
A Bourg Saint Bernard (1 930 m), on laissera sa voiture au parking du téléphérique et l'on chaussera directement ses peaux de phoque. L'utilisation du téléski du Plan du Jeu fait gagner 350 m de dénivellation mais il ne fonctionne pas de très grand matin. Monter vers les chalets du Plan du Jeu (2 073 m), puis continuer vers la gauche, en oblique, pour se faufiler entre de petites barres rocheuses et gagner un premier replat vers 2 200 m. Continuer vers la gauche jusqu'au torrent de Pieudet et le remonter, assez raide, en direction d'un deuxième replat situé au coude du ruisseau, altitude 2550 environ.

Suivre la petite combe qui monte vers le sud-est puis escalader, à gauche, la pente raide qui débouche un peu au sud-est du sommet. Une corniche complique parfois l'arrivée sur la crête sommitale pratiquement horizontale. A la descente, la voie la plus facile est celle qui suit, plus ou moins, les traces de montée par la Chaux de Jean-Max et le vallon de Valsorey. Si l'on recherche la neige poudreuse, de préférence à la neige de printemps, il faut quitter le sommet de la Croix de Tsousse en direction SE, puis E, pour gagner les belles pentes N qui tombent du Petit Vélan. On continue par la combe au pied de la Lui des Bôres jusqu'aux traces venant de la cabane du Vélan.

Descente : du versant N du Bonhomme de Tsa-levey — point 2730 sur la C.N.S. au 1/50 000 — elle s'attaque légèrement sur la gauche (N) du sommet, et la plongée jusqu'au torrent de Valsorey, 800 m plus bas, est de toute beauté. Le petit replat de Tsandéserte, vers 2 300 m, permet juste de reprendre son souffle avant de se lancer dans une nouvelle série impressionnante de « godilles ».

Du côté SW, on suivra avantageusement l'itinéraire de montée tout au moins dans la partie supérieure, sous la corniche. La descente directe depuis le sommet n'est pas toujours possible à cause des rochers souvent dégarnis. Pour le versant NW, on ne peut pas souvent attaquer par l'arête W dégarnie de neige par le vent, il faut donc suivre l'arête N un certain temps avant de se lancer dans la pente qui fuit vers la Chaux de Tsousse. En appuyant légèrement à droite, on descend en direction du barrage du lac des Toules (1 810 m). Un problème se pose pour le franchissement des galeries de la route du Grand Saint Bernard. Un peu en aval du barrage, un replat permet soit de sauter dans un tas de neige, s'il y en a suffisamment, soit de faire un rappel autour d'une grosse « poire » taillée dans la neige sur le toit de la galerie.

Escalade du versant SW de la Croix de Tsousse (ci-dessous).

15. OMEN ROSO 3041 m

L'Omen Roso porte un nom à consonance étrange et pourtant facile à expliquer d'après Jules Guex; ce serait « l'homme rouge » c'est-à-dire le « cairn rouge », le « Roter Steinmann » de l'allemand. On peut admettre le mot « Omen » pour cairn car, dans plusieurs endroits du Valais, on appelle « bonhommes » les cairns ou autres petits tumuli de pierres qui servent de points de repère. Il est, en revanche, difficile de trouver le mot « rouge » très adéquat car, s'il y a bien un cairn au sommet de l'Omen Roso, il n'est pas formé de roches rouges, mais grises.

Par ailleurs, sur la Carte nationale suisse au 1/50 000, l'Omen Roso porte la cote 3031, pour un point qui n'est pas le plus élevé. Sur la carte au 1/25 000 figurent deux cotes et j'ai adopté la cote du point le plus élevé, celle où se trouve le cairn, soit 3 041 m.

Le sommet de l'Omen Roso n'est ni très spectaculaire, ni le point le plus élevé de la chaîne qui sépare la vallée de Tourtemagne de celle d'Anniviers et va de la Bella Tola aux Diablons. C'est pourtant un but de course très valable et un point de vue magnifique, à la fois sur les champs de neige très ouverts du val d'Anniviers et sur ceux plus redressés et plus encaissés de la haute vallée de Tourtemagne.

L'Omen Roso est le point de départ de cinq descentes de toute beauté et de difficultés variées. La plus facile d'entre elles, décrite plus loin, doit son attrait à l'ambiance très spéciale du haut plateau de la Tsa du Tounot. La descente sur Saint Luc (1 655 m) est aussi la voie de montée la plus fréquentée; pour cette course, l'hôtel *Weisshorn*, une cabane amicale plus qu'un hôtel guindé, est un excellent point de départ. Il est tenu par un charmant couple, toujours très dévoué pour les touristes.

La descente en neige poudreuse, par la Montagne de Nava vers Ayer (1 476 m), offre de nombreuses variantes superbes, même si le parcours dans la forêt au-dessus d'Ayer est parfois acrobatique.

La grande combe de Barneusa en direction de Mottec (1 556 m) est exposée au sud-ouest et, en se tenant sur sa rive droite, on trouve d'excellentes pentes raides, très tôt transformées en neige de printemps. La sortie, depuis les Mayens de Barneusa, s'effectue par le chemin qui passe par Mijonette.

Du côté de la vallée de Tourtemagne, deux descentes sont possibles : l'une vers Gruben (1 829 m), par le Blüomatttälli (trois !), l'autre vers le glacier de Tourtemagne (2 300 m environ), par le Frilitälli, le replat de Turtmannscha-

Montée à la Pointe de Tourtemagne (ci-contre).
De gauche à droite : Roc de Boudri,
Pointe de la Forclettaz et Omen Roso
(page ci-contre).

falpu et la pente de Wängeralpu. Ce dernier itinéraire est le plus court pour rejoindre la cabane de Tourtemagne.

- **Dénivellation** : 1 380 m, jusqu'à Saint Luc.
- **Difficulté** : F.
- **Horaire** : montée : jusqu'à l'hôtel *Weisshorn* (2 337 m) 2 h 30 ; de l'hôtel au sommet : 3 h ; descente : 1-2 h.
- **Période favorable** : décembre à avril.
- **Point de départ** : Saint Luc (1 655 m).
- **Cartographie** : Carte nationale suisse 1/50 000, feuille n° 273 Montana, ou C.N.S. 1/25 000, feuille n° 1307 Vissoie.
- **Matériel** : couteaux.
- **Itinéraire** : de Saint Luc, on peut gagner de différentes manières l'hôtel *Weisshorn* (2 337 m). La plus commode est naturellement de prendre les installations mécaniques et de gagner, par télésiège et téléski, le point 2682 sous le Pas du Bœuf. De là, une agréable descente facile conduit jusqu'au torrent du Moulin, peu en amont et au sud du chalet de la Montagne du Tounot coté 2201. En 25-30 mn on rejoint l'hôtel *Weisshorn*. En cas d'arrêt des installations, heure ou saison trop tardive, on peut monter en voiture jusqu'au pied du téléski le plus à l'ouest de Tignousa. La bifurcation, sur la route de Chandolin, est bien indiquée, mais la route ne figure pas sur la carte au 1/50 000. Du parc à voitures (1 960 m environ), une route très peu inclinée passe sous le télésiège de Tignousa, puis un peu au-dessous du Chalet Blanc (2 179 m) et rejoint le chalet coté 2201 de la Montagne du Tounot. Le tenancier de l'hôtel *Weisshorn* utilise cette route pour son ravitaillement et, si on lui téléphone, il vient parfois chercher les sacs avec sa chenillette. On peut enfin partir à pied de Saint Luc et gagner, par une route horizontale, le torrent du Moulin que l'on remonte sur sa rive droite jusqu'au chalet coté 2201.

De l'hôtel *Weisshorn* (2 337 m) monter tout d'abord sur la petite éminence située à l'est et gagner les replats de la Tsa du Tounot par une traversée en légère descente. Remonter ces combes étirées et ces faux plats pour atteindre le Col de Bella Vouarda (2 621 m), sans nom sur la carte au 1/50 000. Suivre quelque temps la crête à gauche direction E et, dès l'altitude 2580 environ, prendre à droite pour monter en écharpe vers le Col de la Forcletta (2 874 m). Il n'est pas nécessaire d'aller jusqu'au col, on peut traverser, toujours vers la droite (S), et atteindre l'arête SW qui donne accès au petit plateau sommital où se trouve le cairn, à 3 041 m.

Descente : profiter de la belle pente qui plonge jusqu'au grand replat supérieur de la Montagne de Nava (2 600 m environ). Quelques gros rochers permettent de s'abriter pour un joyeux casse-croûte, ou un bain de soleil. On fera bien,

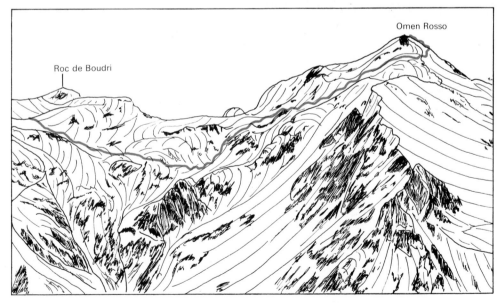

pourtant, de ne pas trop s'attarder afin de ne pas souffrir de la chaleur dans la petite remontée de 20 mn jusqu'au Col de Bella Vouarda (2 621 m) et profiter des bonnes conditions de neige sur la Tsa du Tounot.

Descendre en direction de Visivi, puis de la Montagne du Tounot (2 201 m), et enfin rejoindre la piste qui suit la rive droite du torrent du Moulin (ou des Moulins sur la carte au 1/25 000). Au bas de la piste (1 692 m), un restaurant permet de se désaltérer avant de prendre un petit bus pour regagner Saint Luc.

16. POINTES DE TSAVOLIRE 3 026 m

Bec des Bossons   Ptes de Tsavolire   La Maya

Il y a deux Pointes de Tsavolire mais une seule dépasse 3 000 m et a l'apparence d'un sommet bien formé. La pointe la plus basse (2 900,4 m) n'est en réalité que l'épaule W de la cime la plus haute. Les moyens de remontées mécaniques de Grimentz ont rendu les Pointes de Tsavolire très facilement atteignables en 1 h 30 seulement. En outre, depuis le sommet des installations du Mont Noble, au-dessus de Nax, il faut compter 3 h-3 h 30 pour atteindre le point le plus élevé. Malgré cette proximité de pistes bien fréquentées, les Pointes de Tsavolire ne sont pas très courues et, même en fin de semaine, il n'y a souvent personne. Les touristes de Grimentz vont plus volontiers au Roc d'Orzival (2 852,6 m), car un téléski aboutit sur la crête, à quelques pas du point 2816. De là, sans fatigue, ils peuvent, par exemple, plonger dans le val de Réchy. D'autres skieurs montent par les téléskis de Bendolla qui culminent à 2 874 m et se contentent de traverser le premier petit col, juste au sud du point coté 2923. Ils descendent

ensuite la rive droite de la vallée et rejoignent l'itinéraire précédent sur le grand plat de l'Ar du Tsan (2 200 m environ).

Les touristes de Nax, Vernamiège et Mase qui skient dans la région du Mont Noble (2 654,2 m), montent quelquefois à pied jusqu'au sommet en une demi-heure environ. De là, ils rejoignent facilement le val de Réchy, soit par le Col de Cou (2 528 m) et l'Ar du Tsan, soit par la Tour de Bonvin (2 444 m) et le couloir en bordure de forêt jusqu'au pont de La Lé (1 660,1 m). Ce dernier itinéraire est raide et, tourné à l'est - nord-est, il peut être avalancheux. De la Tour de Bonvin, on peut aussi descendre à travers la forêt jusqu'à Erdesson (995 m) par Bouzerou (1 712 m) et le chemin qui ramène à gauche (W) aux Peillettes (1 366 m) ou encore directement par la forêt de Lens et le point 1378 jusqu'à la route qui vient des Mayens de Réchy.

La descente des Pointes de Tsavolire (3 026 m) jusqu'à Itravers (923 m), par le val de Réchy, est facile mais très variée. Avec ses 2 100 m de

dénivellation et ses 10 km de distance horizontale c'est une des plus longues de la région. Elle n'est surpassée que par la descente classique de la Rosablanche (3 336,3 m) à Beuson (972 m), qui offre 14 km de distance horizontale et 2 360 m

de dénivellation, mais dont l'ambiance de haute montagne est malheureusement interrompue par la traversée de la station de Super Nendaz (1 733 m). Le val de Réchy, bien au contraire, conserve sur toute sa longueur le charme d'une nature inviolée, d'une solitude presque parfaite. La partie supérieure, avec ses immenses champs immaculés, nous donne l'impression de nous trouver sur un glacier, en très haute montagne. La partie inférieure, au-dessous de l'Ar du Tsan, resserrée, boisée, s'ouvrant sur la plaine du Rhône, nous fait reprendre pied sur la « terre des hommes ». Le torrent qui murmure, chantonne ou gronde doucement suivant les saisons, nous rappelle que toutes les eaux des montagnes n'ont pas été domestiquées et mises en conduites forcées. Le val de Réchy est placé sous l'œil attentif de la Protection de la Nature et nous osons espérer qu'il restera encore longtemps une réserve naturelle.

● **Dénivellation** : montée : 250 m environ du haut des téléskis de Bendolla, 1 375 m d'Eison ; descente : jusqu'à Itravers 2 100 m.

● **Difficulté** : F.

● **Horaire** : montée : des téléskis de Bendolla (2 874 m) : 1 h 30 ; d'Eison (1 650 m) : 5 h ; descente : 1 h 30-2 h.

● **Période favorable** : décembre à mars, parfois jusqu'à fin avril.

● **Point de départ** : Grimentz, télésièges de Bendolla, puis des Crêts, enfin téléski de Lona (2 874 m). La société des remontées mécaniques délivre un billet pour une seule montée de ces trois installations.

● **Cartographie** : Carte nationale suisse 1/50 000, feuille n° 273 Montana, ou C.N.S. 1/25 000, feuille n° 1307 Vissoie.

● **Matériel** : couteaux, peaux de phoque.

● **Itinéraire** : du sommet des installations de Grimentz-Bec des Bossons, monter quelques minutes en escalier sur le col, à gauche du point 2923. Celui-ci s'ouvre à l'ouest - nord-ouest sur l'arête N du Bec des Bossons. Une petite descente sur le versant W est presque toujours nécessaire après ce col car le vent y enlève souvent toute la neige. A l'altitude 2840 environ, on peut traverser à gauche, entre une petite cuvette et quelques rochers, et mettre les peaux de phoque juste à gauche du point 2823 sur la carte au 1/25 000. Monter alors en direction du col coté 2948, puis suivre l'arête NE jusqu'au sommet. Il faut parfois déchausser, la crête étant souvent dégarnie de neige.

Descente : piquer directement dans la pente

NW et gagner les faux plats au-dessous de la Maya (2 915,5 m), grande tour rocheuse très caractéristique. Passer au-dessous (E) du Pas de Lovégno (2 695 m), col par lequel on peut gagner les villages de Saint Martin (1 411 m) ou de Mase (1 345 m). Continuer en suivant la combe du torrent sur sa rive gauche. Après La Rêche, traverser à droite le replat et passer à droite du point 2356,8 pour éviter un banc de rochers et gagner par un couloir facile le plateau de l'Ar du Tsan. Franchir ce dernier en direction de la cote 2184 puis traverser vers la gauche et descendre la rive gauche du vallon jusqu'au pont de La Lé (1 660,7 m). Changer de rive et poursuivre, rive droite, par les Mayens de Réchy jusqu'au pont, coté 1226 sur la carte au 1/25 000. On peut soit traverser ce pont et prendre le chemin à gauche pour gagner Erdesson (995 m) ou Loye (911 m), soit poursuivre dans la forêt, rive droite du torrent jusqu'au pont coté 991. Enfin passer au-dessus du lieu dit les Moulins et rejoindre Itravers (923 m).

Le Bec des Bossons
et, à droite, les Pointes de Tsavolire
(page ci-contre).
Rythme et harmonie, joies de la poudreuse
(ci-dessus).

17. DREIZEHNTENHORN 3 052,3 m

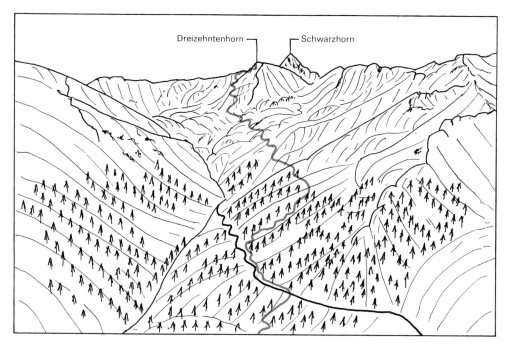

Dreizehntenhorn — Schwarzhorn

Le Dreizehntenhorn, le « 13e sommet » en français, est le point culminant d'un immense diadème qui couronne au sud le grand plateau d'Unterbäch-Eischoll. Cette petite chaîne de montagnes en arc de cercle s'étend de l'Ergischhorn (2 529 m), à l'ouest, au sommet N de l'Augstbordhorn appelé March (2 876 m), à l'est, et comporte effectivement treize sommets. Le Dreizehntenhorn est non seulement le point le plus élevé; il en est aussi le plus en retrait, situé tout au fond du vallon de Ginals fermé, lui, par onze sommets. Une différence à noter, la carte C.N.S. au 1/50 000 indique le point 2910,6 comme étant l'Altstafelhorn, alors que la C.N.S. au 1/25 000 place ce sommet respectivement aux points 2839, 2837, à 1 km plus au sud-est environ. Cette deuxième carte donne au point 2910,6 le nom de Signalhorn et, comme c'est souvent le cas pour cette série de cartes, les noms de lieux ont été orthographiés d'une manière phonétiquement beaucoup plus proche de la prononciation réelle en patois local. Rottälli, pour prendre deux exemples proches de notre « 13e sommet », est devenue Rots Tälli, en deux mots, et Kummeni est devenu Chummini (le ch se prononce du fond de la gorge de manière gutturale).

Le Dreizehntenhorn est un beau sommet que l'on peut gravir au départ d'Unterbäch (1 221 m) ou d'Eischoll (1 219 m), mais que l'on peut aussi traverser en allant à Gruben (1 829 m), dans la vallée de Tourtemagne ou à Embd (1 350 m), dans le Mattertal (vallée de Zermatt).
En direction d'Unterbäch, deux descentes sont possibles, l'une par la combe au nord du sommet et l'autre, au nord-est, par les immenses champs de la grande conque blanche qui tombent de l'Augstbordgrat. Toutes deux se rejoignent dans les parages du terminus supérieur du téléski, à Unt. Senntum (1 997 m). Pour cette partie supérieure, bien orientée vers le nord, elles offrent en général une neige poudreuse de toute première qualité sur 800 m de dénivellation. De même, la descente vers Gruben, par le Niggelingtälli peut s'effectuer entièrement dans des revers orientés NW puis par une traversée dans la forêt de Pletschen pour les 100 derniers mètres. Le versant S du Dreizehntenhorn tombe dans le Rottälli puis sur l'alpage d'Augstbord et l'on y trouve de l'excellente neige de printemps dès le mois de mars, en suivant la rive gauche du vallon. Du village de Embd (1 350 m), on rejoint la plaine par la route vers Stalden ou par le téléphérique jusqu'à

la gare de Kalpetran sur la ligne du chemin de fer Viège-Zermatt.
- **Dénivellation** : montée : 1 050 m de la station supérieure du téléski Unterbäch-Unt. Senntum, 1 830 m depuis Eischoll ; descente : 1 830 m jusqu'à Unterbäch ou Eischoll, 1 700 m jusqu'à Embd ou encore 1 220 m jusqu'à Gruben.
- **Difficulté** : F. PD pour la partie supérieure ou pour la descente sur Embd.
- **Horaire** : montée : depuis Unt. Senntum : 3 h 30-4 h, depuis Eischoll : 6 h. Descente : 1-2 h.
- **Période favorable** : décembre à fin avril.
- **Point de départ** : Unterbäch (1 221 m) ou Eischoll (1 219,4 m).
- **Cartographie** : Carte nationale suisse 1/50 000, feuille n° 274 Visp, ou C.N.S. 1/25 000, feuilles nos 1288 Raron, 1308 St Niklaus.
- **Matériel** : couteaux.
- **Itinéraire** : en saison, monter jusqu'à Unt. Senntum (1 997 m) par les installations mécaniques. Hors saison, on peut partir d'Unterbäch (1 221 m) et monter par le hameau de Holz (1 445 m), puis les lieux dits Bifig et Waldmatten jusqu'à Unt. Senntum. Le trajet est presque plus varié et à peine plus long en partant d'Eischoll (1 219,4 m). On monte alors par Breitmatten et sa petite chapelle, cotée 1459 (1464 sur la C.N.S. 1/25 000), le lieu dit Eggen et l'on rejoint l'itinéraire précédent un peu au-dessus de Waldmatten. Suivre le vallon de Ginals sur sa rive droite jusqu'à Ob. Senntum (2 278 m), puis par la croupe de Schipfenboden gagner la combe qui monte au col (2 842 m), au nord-ouest du sommet. Ce col porte le nom de Niggelinglicke sur la C.N.S. au 1/25 000 et il est coté 2840. Escalader l'arête NW souvent dégarnie de neige par le vent.

Il est aussi possible de monter par la conque de Seefeld et de gagner, au petit col coté 2951, l'arête SE que l'on suit, souvent à pied par manque de neige, jusqu'au sommet.
Descente : prendre l'arête N un instant puis, dès que possible, plonger dans le versant N, assez raide et parfois avalancheux, mais généralement en neige poudreuse d'excellente qualité. Après cette belle pente de 300 m de dénivellation, la descente change de caractère et, dans les replats de Schipfenboden, on a l'impression de planer au-dessus de la vallée du Rhône. Au printemps, le contraste entre le premier plan éclatant de blancheur et les différents verts ou les bruns de la vallée augmente encore cette impression de mondes distincts, séparés par une distance immatérielle, un vide insolite. Au gré des conditions de neige, on poursuivra directement vers Ob. Senntum (2 278 m), ou bien l'on traversera vers la gauche, presque horizontalement, en direction de Kühmattboden, pour prendre la belle combe légèrement coudée

qui descend vers Unt. Senntum (1 997 m). La partie inférieure de la descente s'effectue le long des traces de montée ou, en saison, le long des pistes. Dès l'altitude de 2 400 environ on peut traverser encore plus à gauche et par Rinderalp gagner la lisière de la forêt, puis franchir la crête appelée Scheidegge et, toujours en tirant à gauche, descendre vers les chalets d'Ob. Eischollalp (2 058 m) puis ceux d'Unt. Eischollalp (1 870 m) et enfin Sengalp et les champs de ski au nord-ouest d'Eischoll. Cette variante, plus longue mais avec beaucoup de traverses, permet d'éviter les piste dammées et fréquentées. De l'alpage de Rinderalp on peut descendre sur Gertschigalpji (1 879 m) par un couloir dans la forêt et rejoindre Unterbäch par Bifig et Holz.

Concentration, décontraction : les secrets de la technique (ci-dessus).

18. OCHSENHORN 2 912,1 m
WEISSGRAT 2 894 m

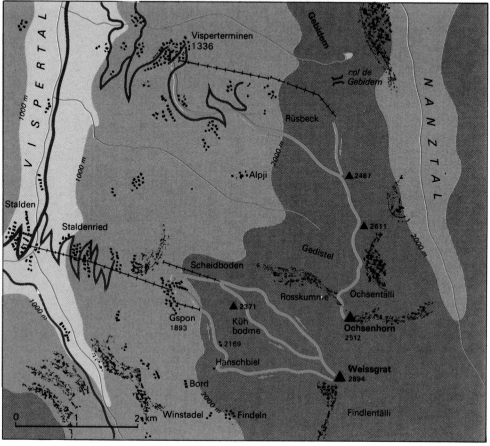

La crête qui monte du Gebidem (2 317,1 m) au Simelihorn (3 245,5 m) sépare la vallée très encaissée de la Viège, le Vispertal, de celle plus raide et moins profonde de la Gamsa, le Nanztal. Ce chaînon de 9 km offre à celui qui le parcourt des coups d'œil vraiment splendides, sur la vallée du Rhône, toutes les Alpes bernoises au nord, et les Alpes valaisannes plus proches au sud. Une très belle balade, peu difficile, consiste à partir du sommet des installations de remontées mécaniques de Visperterminen pour gravir l'Ochsenhorn (2 912,1 m). On grimpe ainsi le long d'un grand dos, bien arrondi au début, puis de plus en plus escarpé, et comportant même quelques passages délicats sur la dernière arête. Cette escalade prend 2 h 30-3 h et, si l'on veut, il est possible de la prolonger jusqu'au Weissgrat (2 894 m) ou plus loin encore jusqu'au Galenhorn (3 124,3 m), ou même au Simelihorn (3 245,5 m). Cependant, les remontées mécaniques ne se mettent pas en marche très tôt et l'on n'aura guère le temps matériel de réaliser tout ce parcours.

Pour pouvoir partir à l'aube et profiter à la fois des magnifiques éclairages offerts par le lever du soleil et d'une journée plus longue, il est préférable de loger à Gspon (1 893 m). De là, en 3 h 30 on rejoint le Weissgrat (2 894 m) et en 2 h supplémentaires le Simelihorn (3 245,5 m), en traversant le Galenhorn (3 124 m). Toutefois, si le parcours des arêtes est enivrant à la montée, il l'est beaucoup moins à la descente et requiert une très grande attention. C'est pourquoi je conseillerais de s'arrêter au Weissgrat, au moins en début de saison, lorsque l'entraînement n'est pas encore très poussé, ou lorsque l'on est en compagnie de skieurs peu expérimentés.

De l'Ochsenhorn (2 912,1 m), on suit généralement l'itinéraire de montée pour redescendre en direction de Gebidem, puis les pistes jusqu'à Visperterminen (1 336 m). Depuis le Weissgrat (2 894 m), trois parcours sont possibles en direction de Gspon (1 893 m); tous trois débutent sur l'arête NW, au point 2886. On choisira celui qui présente les meilleures conditions, suivant la saison, l'enneigement et l'heure de la descente. En prenant les traces de montée on suivra plus ou moins l'arête NW, le long de laquelle les coups d'œil sur la vallée sont étonnants, mais où le ski est moins intéressant. Par neige poudreuse stable, la pente N, directement vers Rosskumme (2 400 m environ), est de toute beauté bien qu'un peu raide pour être qualifiée de facile. Il faut la classer PD. Enfin, par neige de printemps, on optera pour le versant SW en appuyant à droite dès 2 400 m pour rejoindre Hanschbiel (2 245,8 m), Sänntum (2 169 m) et enfin les pistes de Gspon (1 893 m), par le tracé de l'un des deux sentiers.

OCHSENHORN (2 912,1 m)

- **Dénivellation** : montée : 600 m ; descente : 1 575 m jusqu'à Vispterminen.
- **Difficulté** : F.
- **Horaire** : montée : 2 h 30 ; descente : 1 h - 1 h 30.
- **Période favorable** : janvier-avril.
- **Point de départ** : Vispterminen (1 336,4 m).
- **Cartographie** : Carte nationale suisse 1/50 000, feuille n° 274 Visp, ou C.N.S. 1/25 000, feuilles n°s 1288 Raron, 1289 Brig, 1308 St Niklaus et 1309 Simplon.
- **Matériel** : couteaux.
- **Itinéraire** : du haut des remontées mécaniques (2 313 m) remonter le large dos de la crête. Dès le point 2611 l'arête s'amenuise et des rochers obligent à quelques détours ou même à un peu d'escalade en enlevant les skis. Entre les cotes 2768 et 2827 on se tiendra sur le versant E de la crête puis sur le versant W jusqu'au sommet. Les skieurs moyens ont intérêt à déposer leurs skis au-dessous du point 2768 et à terminer l'ascension à pied (1 h environ).

Descente : par l'itinéraire de montée. Dès le point 2487 on peut prendre à gauche une petite combe qui rejoint les pistes de Vispterminen par Rüsbeck.

WEISSGRAT (2 894 m)

- **Dénivellation** : 1 000 m.
- **Difficulté** : F.
- **Horaire** : montée : 3 h 30 ; descente : 30 mn-1 h.
- **Période favorable** : janvier, avril ; quelquefois jusqu'à mi-mai.
- **Point de départ** : Gspon (1 893 m),
- **Cartographie** : Carte nationale suisse 1/50 000, feuille n° 274 Visp, ou C.N.S. 1/25 000, feuilles n°s 1308 St Niklaus, 1309 Simplon.
- **Matériel** : couteaux.
- **Itinéraire** : de Gspon (1 893 m), partir en direction N pour prendre la piste qui vient de Scheidboden (2 103 m). La remonter jusqu'au sommet du téléski puis continuer dans la même direction jusque dans la petite combe raide qui grimpe à l'est du point 2371,1. L'escalader puis contourner des rochers par la droite et gagner le sommet (2 894 m).

Descente : choisir l'un des trois itinéraires cités plus haut. Si l'on prend le premier, il faut retraverser entre 2 400 et 2 300 m vers la petite combe qui précède le téléski. Attention aux plaques à vent au départ du point 2886, dans le versant N.

Au centre le Weissgrat avec les Alpes bernoises dans le fond (page ci-contre).
Ski, Soleil, Solitude, toujours des S dans ce Sport de SerpentinS (ci-contre).

19. SPITZHORLI 2726,3 m

Le point 2726,3 n'est en fait pas le point culminant de ce magnifique belvédère qu'est le Spitzhorli (2 737 m). En effet, la C.N.S. 1/25 000 porte justement la cote 2737 sur un point situé plus au sud - sud-ouest, alors que la C.N.S. 1/50 000 n'en fait pas mention. De toute façon, les skieurs gravissent le point le plus élevé d'où la vue est aussi la plus étendue. Ce qui surprend tout d'abord, lorsque l'on débouche au sommet, ce sont les à-pics des deux vallons qui le flanquent de chaque côté, le Nesseltal et le Nanztal. Ces deux profondes tranchées entourent le Glishorn (2 525 m), qui cache la ville de Brig mais nullement les fumées de celle de Viège, dans la vallée du Rhône, 2 000 m plus bas. Par-delà cette immense coupure, le sauvage sillon du Gredetschtal, inhabité et mystérieux, monte à l'assaut du Nesthorn (3 824 m). Ce dernier, flanqué à gauche de la pyramide élancée du Bietschhorn (3 934,1 m) et à droite de l'imposant Aletschhorn (4 195 m), domine la couronne scintillante des Alpes bernoises. Le plus long glacier des Alpes, le grand glacier d'Aletsch, montre le bout de sa langue au fond des gorges de la Massa, et, à droite encore, le fossé encaissé de la vallée de Conches se perd dans les brumes de la Furka. Tout près, le Monte Leone (3 553,4 m) et sa magnifique descente, puis, au sud, le Fletschhorn (3 996 m) dans toute la majesté de ses glaciers tourmentés.

Le Spitzhorli n'est pas une très longue course, ni un très haut sommet, mais une visite en vaut vraiment la peine. C'est une excellente mise en jambe si l'on commence une semaine dans la région du Simplon ou si le temps n'est pas assez clément pour entreprendre une course plus importante. Par neige fraîche et fort vent, ce qui va souvent de pair dans la région, on fera bien de prendre garde aux quelques pentes raides et avalancheuses. On fera tout spécialement attention à l'entrée et dans la combe au-dessous de Wäng, entre les courbes de niveaux 2200 et 2300, ou dans la dernière pente qui se trouve sous le sommet.

Au Col du Simplon (2 005 m), on peut loger à l'hôtel ou chez les chanoines de l'ordre du Grand Saint Bernard qui tiennent l'hospice (1 997 m). Dans tous les cas il est nécessaire de téléphoner pour s'informer de la place disponible et pour réserver. A l'hospice, une salle de « torture » est à disposition des grimpeurs qui veulent parfaire leur entraînement. On y trouve toutes sortes d'engins très utiles pour essayer ses forces et en particulier un « toit »

équipé pour un passage en « artificielle ».

- **Dénivellation** : 737 m.
- **Difficulté** : F.
- **Horaire** : montée : 2 h 30 ; descente : 1 h.
- **Période favorable** : décembre à mai.
- **Point de départ** : Col du Simplon (2 005 m).
- **Cartographie** : Carte nationale suisse 1/50 000, feuille n° 274 Visp, ou C.N.S. 1/25 000, feuilles n°s 1289 Brig et 1309 Simplon.
- **Matériel** : couteaux.
- **Itinéraire** : de la bifurcation N de la route de l'hospice, à gauche du monument, partir en direction W puis NW et se diriger vers le hameau de Hobschen, cote 2017 au bord du petit lac. Traverser le replat et surmonter une petite pente raide pour prendre une combe qui grimpe vers l'ouest. La suivre jusque vers 2 140 m puis continuer à flanc de coteau jusque sur le replat (2 180 m environ). Traverser alors une pente escarpée pour gagner le fond de la combe raide qui monte aux grands replats supérieurs. Passer près du lac Rossen inférieur (2 472 m), puis vers le lac supérieur (2 573 m), enfin escalader la pente terminale en direction NW et longer la crête jusqu'au sommet.

Descente : diverses possibilités. On peut par exemple suivre l'itinéraire de montée jusqu'à la cote 2200 et descendre alors directement sur le hameau de Blatten (1 893 m). Remonter ensuite une petite combe et traverser un replat pour rejoindre la route du Simplon près de la bifurcation S pour l'hospice. Une autre possibilité consiste à suivre toute l'arête S du Spitzhorli, à passer deux petits cols, et à grimper sur le Straffelgrat (2 633 m). De là une magnifique descente, raide, orientée S puis SE, amène dans les environs immédiats des grandes bâtisses d'Alter Spittel (1 850 m). Remonter alors la combe en direction de Blatten (1 893 m) et continuer comme précédemment, ou couper au plus court vers la route du Simplon, point 1898, où l'on aura pris la précaution d'amener une voiture.

Il faut signaler ici qu'en cas de brouillard il est particulièrement difficile de s'orienter dans toute la région comprise entre Alter Spittel et le Col du Simplon. Une bonne boussole permet de rejoindre à coup sûr la route internationale qu'il n'y a plus qu'à suivre.

Qu'importe la neige pourvu qu'on ait l'ivresse (page ci-contre).
Dans la région du Simplon,
le Galehorn au sud du Spitzhorli (ci-dessus).

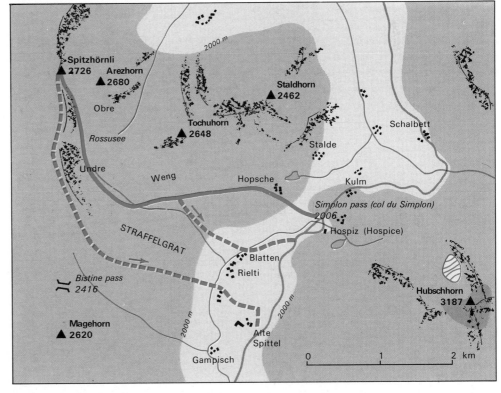

20. COL SERENA 2 547 m

A la sortie des galeries couvertes, lorsque l'on descend la route du tunnel du Grand Saint Bernard vers Étroubles, un grand virage en épingle à cheveux oblige les conducteurs à beaucoup d'attention. S'ils vont suffisamment lentement, ces derniers ont pourtant le temps de jeter un coup d'œil, tout comme leurs passagers du reste, vers les magnifiques pentes de neige qui tapissent le fond du vallon à leur droite. Et là, juste en face d'eux pendant un court instant, ils peuvent apercevoir la belle échancrure du Col Serena (2 547 m). Cette selle, bien proportionnée, découpe son entaille arrondie sur le ciel bleu du vallon de Planavalle dans la vallée d'Aoste. Le passage, très direct, n'est guère fréquenté l'hiver car son versant SW est peu commode et de plus très exposé aux avalanches entre l'alpe Rantin (2 338 m) et les maisons de Planavalle (1 750 m). Sur son versant NE au contraire, le Col Serena offre une combe régulière et pas trop raide qui tombe de 900 m dans le vallon de l'Artereva. Certes, en cas de fortes chutes de neige, cette combe n'est pas exempte de dangers d'avalanches et les cicatrices laissées dans la forêt par ces dernières sont bien visibles dans la partie inférieure. Mais la montée au Col Serena est une très jolie course, facile et dans un cadre superbe. Son orientation NE lui conserve une neige excellente tout au long de l'hiver et jusqu'au printemps. De plus, la solitude qui baigne ces petits vallons n'est que rarement troublée par les skieurs qui préfèrent les ascensions plus prestigieuses mais plus encombrées.

Lorsqu'on arrive au Col Serena (2 547 m), il est encore possible de monter à droite sur le point 2710, soit en portant les skis le long de sa facile arête SE, soit en prenant, avant le col, à droite, une petite combe raide dès 2 400 m environ. On peut aussi grimper sur la Testa di Serena (2 830 m) par son versant N et son arête NW, d'où de très bons skieurs peuvent descendre par un petit couloir (AD). Ces deux escalades ne sont à entreprendre que par neige bien stabilisée, et l'on jouit alors, de leurs points culminants, d'un panorama nettement plus vaste que depuis le col.

● **Dénivellation** : 891 m jusqu'au Col Serena, 1 054 m jusqu'au point 2710.
● **Difficulté** : F
● **Horaire** : montée : 3-4 h; descente : 1 h.
● **Période favorable** : décembre-avril.
● **Point de départ** : Motte (1 656 m).
● **Cartographie** : Carte nationale suisse 1/50 000, feuille n° 292 Courmayeur.
● **Matériel** : couteaux.
● **Itinéraire** : quitter la route principale du Grand Saint Bernard, à deux pas de la station de péage du tunnel, pour monter à Bosses

(1 544 m). Une petite route conduit jusqu'au hameau de Motte (1 656 m), où il n'est pas toujours facile de parquer sa voiture par manque de place. De Motte, suivre le fond de la vallée en passant sous le viaduc du virage de l'autoroute, et traverser le rio Artereva sur un petit pont, pour prendre sa rive droite. Appuyer à gauche dans la forêt dès le point 1685, puis longer le bois au-dessus de la chapelle de S. Michele, et remonter la combe directement vers le Col Serena (2 547 m). Les pentes raides qui l'enserrent dans le haut s'escaladent au mieux suivant les conditions de neige, mais en restant le plus près possible du fond de la combe.
Descente : suivre plus ou moins les traces de montée. Si l'on vient du point 2710, on aura de la neige plus rapidement transformée, surtout dès le début du mois de mars. Les pentes de droite, sous la Testa di Serena (2 830 m), restent par contre en poudreuse très longtemps. Cette remarque est valable pour toute la combe. Suivant la neige que l'on recherche, on suivra soit la rive gauche, soit la rive droite.

Serena sérénade (page ci-contre).
Montée au Col Serena avec le Mont Vélan (ci-contre).

21. GAMSERCHOPF 3 403 m

Sans nom sur la c.n.s. au 1/50 000, le Gamserchopf y porte pourtant une cote 3400, différente de celle indiquée par la c.n.s. au 1/25 000. Sur cette dernière plusieurs altitudes ont été modifiées. Certaines se sont vues diminuées, de 3 m par exemple, comme pour le Fletschhorn, d'autres augmentées, comme celle du point 3603,5, dénommé Senggchuppa et coté 3606 sur les nouvelles cartes. Il est donc difficile d'avoir une grande précision quand on décrit des courses de la région du Simplon.

Mis à part ce petit inconvénient, le Gamserchopf est une très jolie course, suffisamment longue pour fournir un excellent entraînement. Le vallon de Mattwaldalp offre, en outre, un cirque accueillant où les pentes ne sont pas trop inclinées et où l'on rencontre presque toutes les orientations. L'altitude relativement élevée de ce vallon permet de faire encore de très belles descentes jusqu'à la fin du mois de mai. Par contre, les possibilités d'y trouver un logement sont pour ainsi dire nulles car la petite cabane

des Pères de Bethléem (3 040 m) est fermée, et pour obtenir la clé il est nécessaire de s'adresser à l'hospice du Simplon qui renseigne. Il faut donc partir de Saas Balen (1 487 m) ou camper sur la magnifique terrasse de Siwiboden à 2 200 m environ. Une petite route forestière monte jusqu'à Siwinen (2 077 m), et, en mai, elle est souvent libre de neige. Sans cela, on monte à pied de Saas Balen à Siwiboden en 2 h 30-3 h. On peut aussi traverser à flanc de coteau les pentes raides du Jägihorn (3 206,3 m) en venant de la cabane Weissmies (2 726 m), et grimper au Gamserchopf par le Bergenloch (respectivement 3 135 m et 3 131 m). Ce deuxième itinéraire offre l'avantage de partir d'une altitude plus élevée mais il est beaucoup plus exposé aux avalanches. Il est déconseillé de l'emprunter au début de l'hiver quand la neige n'est pas suffisamment consolidée.
Du sommet du Gamserchopf, assez plat, la vue plonge dans le vallon de Rossboden et dans la vallée du Simplon dominée par le Breithorn (3 436 m) et le Monte Leone (3 553,4 m). Un accès est aussi possible par là depuis Simplonvillage (1 476 m). Il faut alors franchir le difficile col du Rossbodenpass (3 148 m), plus praticable et moins dangereux en fin de saison qu'au début. Enfin, il est encore possible d'escalader le

Gamserchopf en partant de l'hospice du Simplon (1 997 m) par la route du Sirwoltensattel (2 621 m) et le Gamsagletscher dans le haut du Nanztal. Cet itinéraire n'est pas conseillé non plus au début de l'hiver, mais il est une très belle balade de printemps, surtout lorsque l'on passe ainsi du Col du Simplon à Saas Balen.

- **Dénivellation** : 1 916 m.
- **Difficulté** : F.
- **Horaire** : montée : 7-8 h; descente : 1-2 h.
- **Période favorable** : février à mai.
- **Point de départ** : Saas Balen (1 487 m).
- **Cartographie** : Carte nationale suisse 1/50 000, feuille n° 274 Visp, ou C.N.S. 1/25 000, feuille n° 1309 Simplon.
- **Matériel** : couteaux, corde, piolet.
- **Itinéraire** : quitter Saas Balen (1 487 m) par la petite route forestière qui monte vers Grundbielen (1 644 m), au nord du village. Prendre

alors un raccourci par les clairières vers Matt (1 794 m), puis Siwinen (2 077 m), et grimper le long de la forêt assez haut (2 200 m environ) avant d'atteindre, à gauche, la magnifique terrasse de Siwiboden. En fin de saison on monte en voiture jusqu'à Heimischgarten (2 074 m), puis l'on revient à Siwinen (2 077 m) par une route horizontale. Traverser en oblique à gauche quelques moraines de grosses pierres pour remonter ensuite la rive droite du torrent de Mattwaldbach dont les pentes ensoleillées offrent une neige plus vite consolidée. En fin de saison suivre de préférence la rive gauche où la neige reste plus longtemps. Prendre pied sur le glacier de Mattwald vers 3 000 m et appuyer à droite pour rejoindre le Gamserchopf (3 403 m), par de larges champs de neige en forme de dôme.

Descente : par neige poudreuse sûre, suivre la rive gauche du Mattwaldbach. On arrive ainsi, en longeant le pied des rochers du Rothorngrat, à skier sur des pentes orientées NW et N jusqu'à Siwiboden, 1 200 m plus bas. Cet itinéraire est également valable en neige de printemps si l'on est un peu tard dans l'après-midi. De Siwiboden, les pentes, assez raides et orientées SW, sont rapidement dégarnies. On cherchera donc les bords de forêt et les petits couloirs entre les arbres sur la gauche jusqu'à Grundbielen (1 644 m). De là, on suit la route à pied pendant 15 mn jusqu'à Saas Balen (1 487 m).

Le vallon de Mattwaldalp et le dôme du Gamserchopf (page ci-contre).
Jouer avec son ombre (ci-dessous).

22. LATELHORN-PUNTA DI SAAS 3198,2 m

quement désert, à l'exception de quelques chasseurs ou braconniers; la contrebande ne nourrit plus son homme!

A main gauche, lorsqu'on remonte le vallon, la longue arête baptisée Cresta di Saas s'étire, presque horizontale et rectiligne, sur 4 km, du Sonnighorn à la Punta di Saas, ou Latelhorn (3 198,2 m). Sur le versant suisse, ce sommet, coté aussi 3204, Carte nationale suisse au 1/25 000, n'est qu'un gros caillou perché tout en haut d'un magnifique champ de neige. Du côté italien, au contraire, il a beaucoup d'allure et, vu d'Antronapiana 2 300 m plus bas, sa face E-NE est très caractéristique. D'Italie, on peut gravir son versant NE, en allant coucher au barrage du Lago di Camposecco. Les gardiens sont très accueillants mais ils demandent, avec raison à mon sens, que l'on ait une autorisation de la direction de l'ENEL de Domodossola ou, à défaut, d'Antronapiana. Le lendemain on escalade les 875 m d'une belle combe, raide et presque toute droite jusqu'au sommet. Au retour, cette pente est vraiment superbe, spécialement en fin de saison lorsque la neige est juste croustillante, « à point ». Vers Saas Almagell, la descente du Furggtälli, d'un caractère tout différent, ne le cède en rien à la descente italienne. Les champs de neige sont moins abrupts mais beaucoup plus larges et les 800 premiers mètres de dénivellation sont tout de même assez inclinés pour satisfaire les plus difficiles. Au fond de la vallée, on glisse en admirant les chamois. Haut perchés sur leurs promontoires, ils nous surveillent du coin de l'œil, tout comme le couple d'aigles qui chasse la marmotte. Affamée par son long sommeil, celle-ci se risque de plus en plus loin de son trou. Les plus affaiblies ou les plus téméraires de la famille feront une bonne proie pour l'oiseau royal ou pour notre ami Goupil toujours à l'affût. A l'approche des premiers mélèzes les derniers névés s'effacent et l'on met les skis sur le sac pour rejoindre la voiture par un bon sentier à flanc de montagne.

- **Dénivellation** : 1 300 m de Furggstalden; 1 460 m de Zer Meiggeru.
- **Difficulté** : F.
- **Horaire** : depuis Zer Meiggeru (1 740 m) : 6 - 7 h; descente : 1 - 2 h.
- **Période favorable** : mi-avril à mi-juin.
- **Point de départ** : Furggstalden (1 893 m) ou Zer Meiggeru (1 740 m).
- **Cartographie** : Carte nationale suisse au 1/50 000, feuille n° 284 Mischabel, ou C.N.S. au 1/25 000, feuille n° 1329 Saas. Assemblage touristique au 1/25 000, carte touristique de la vallée de Saas, vendue par l'Office du tourisme.
- **Matériel** : couteaux.
- **Itinéraire** : un télésiège grimpe de Saas

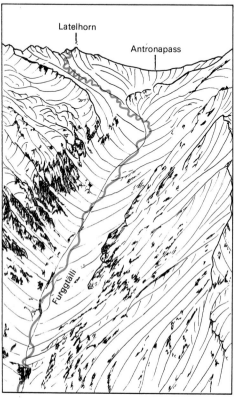

Au-dessus de Saas Almagell (1 673 m), entre le bassin de Mattmark et le vallon d'Almagelleralp, s'ouvre une petite vallée pittoresque et restée très sauvage. Le développement de Saas Almagell et la construction d'installations mécaniques, à son entrée même, n'ont en rien entamé la beauté âpre et la solitude du Furggtälli. Ce val retiré est rarement visité en hiver car trop exposé aux avalanches, surtout dans sa moitié inférieure. De chaque côté, des pentes excessivement abruptes de 1 000 m de haut en défendent l'accès et rebutent un grand nombre de touristes. En fin de saison, lorsque toutes les grandes avalanches sont tombées, les touristes sont partis et la station est vide. C'est le moment de faire une excursion dans le Furggtälli; la neige est stabilisée et les jours qui s'allongent permettent des courses plus longues. Il n'y a pas de cabane, ni de refuge, ni même de chalet d'alpage sur toute la longueur des randonnées. Le col qui permet de passer en Italie, l'Antronapass (2 838 m), s'appelle Passo di Saas a Antrona, évidemment. Mais cette différenciation à tendance à disparaître, le col n'étant plus utilisé que par des promeneurs l'été. Le reste de l'année il est prati-

Almagell (1 673 m) à Furggstalden (1 893 m) mais il présente deux inconvénients. En saison, son horaire est trop tardif pour le départ d'une longue course et au printemps il ne fonctionne pas. Par contre, une petite route, rapidement libre de neige et en bon état, quitte à gauche, 500 m après les dernières maisons de Saas Almagell, la route principale du barrage de Mattmark. On trouve des places de parc 150 m au nord du hameau de Furggstalden. Prendre le chemin de Furggu (2 075 m) en pente douce dans la forêt et passer sous deux téléskis. On peut rejoindre cet itinéraire en partant de Zer Meiggeru (1 740 m) en montant par le chemin de la rive gauche, assez raide dans la forêt, et qui débouche à Stafel (2 050 m). Remonter alors

le Furggtälli par sa rive droite et chausser les skis dès que possible, en général peu après les derniers mélèzes, au lieu dit Im wite Sand (2 100 m environ). Le vallon s'étire sur 3,500 km jusqu'au point 2379 au pied du Kehrenrück, à gauche, puis il s'élève franchement vers le Col d'Antrona (2 838 m). Monter jusqu'au col et bifurquer à gauche, nord-est, puis est - nord-est, pour escalader le sommet par une combe bien marquée qui longe l'arête SW du Latelhorn (3 198,2 m). Atteindre l'arête à une brèche caractéristique et grimper en 10 mn au sommet.

Descente : on peut suivre la trace de montée ou plonger directement dans le Furggtälli et rejoindre le fond du vallon vers le point 2633 ou même un peu à l'aval. Un peu avant Furggu

(2 075 m), on peut traverser le torrent et descendre par le chemin dans la forêt vers Zer Meiggeru (1 740 m), 1 km au nord de Saas Almagell. Cette variante est souvent encore enneigée alors que les gentianes fleurissent déjà sur le replat de Furggstalden (1 893 m).

*Ivresse de la vitesse
(page ci-contre).
De l'Ulrichshorn, vue sur le vallon de Furggtälli
et les sommets qui l'entourent
(ci-dessus).*

23. BEC DE NANA 3 010 m

Bec de Nana

Dans le Valtournanche, la grande station de Breuil-Cervinia monopolise l'intérêt des touristes; ceux qui n'y trouvent pas place, ou veulent simplement séjourner à une altitude plus basse, s'arrêtent en général au village de Valtournanche. Très peu de touristes connaissent les petites stations qui ont pour nom : Torgnon, Chamois ou, encore plus minuscules, La Magdeleine, Promiod. Pour parvenir à Chamois, par exemple, il n'y a pas de route et il faut prendre un téléphérique. Celui-ci vous hisse de Buisson (1 100 m), dans le fond de la vallée, à Chamois (1 800 m), où l'on trouve quelques auberges simples et accueillantes. Située sur une terrasse inclinée vers le sud, Chamois est très ensoleillée, offre un télésiège et deux ou trois téléskis mais aussi quelques possibilités de balades à peaux de phoque. Dans l'arrière-saison, il n'y a presque plus personne.

En partant de Chamois, on peut gravir, entre autres, le Col Pillonel (2 702 m) et la tête — sans nom sur la C.N.S. — qui se trouve juste au sud-est (2 730 m environ). Très jolie course par Les Cortiselles (2 079 m) de 3 h environ. Des pentes moyennes, orientées à l'ouest et au nord-ouest, avec trois itinéraires de retour possibles. Le plus court descend directement par Les Corts (2 180 m) et la forêt, en direction du pont qui permet de rejoindre facilement Corgnola-Chamois. On peut grimper sur Le Grand Dent (2 832 m) ou sur la Becca Trecaré (3 033 m), deux itinéraires beaucoup plus raides. Il est possible de traverser sur Promiod (1 492 m) en gravissant au passage le Mont Tantané (2 734 m), ou sur Valtournanche en allant escalader le magnifique Mont Roisetta (3 334 m). De plus, le Col Pillonel (2 702 m) et le Col de Nana (2 775 m) permettent de traverser dans la vallée d'Ayas. Du premier on descend sur Antagnod (1 699 m), et du second sur Saint Jacques (1 689 m) par l'alpe Tournalin puis celle de Nana. Le sens du nom « Bec de Nana » laisse rêver et je n'ai pas trouvé l'explication de son étymologie. Il n'est certainement pas question d'une jolie « nana », mot bien trop moderne et peu connu dans le val d'Aoste. S'agit-il, comme pour le village valaisan de Nax — en patois, prononcez : Nâ — d'un dérivé de *nasus* (nez), ce qui serait très possible vu la forme de la montagne ? Ou bien, ce nom vient-il de l'ancien mot gallo-helvète *nant* (vallon, torrent), et signifie alors « bec du vallon », ce qui est très vraisemblable aussi ? Ces deux hypothèses m'ont été suggérées par l'excellent ouvrage de Jules Guex, *La Montagne et ses noms*, réédité en 1976. De toute façon, comme souvent dans les Alpes, la montagne tire son nom de l'alpage situé à son pied, et les bergers avaient le choix entre quelques nez de rocher ou le petit

torrent encaissé pour baptiser leurs pâturages. Du sommet du Bec de Nana, on jouit d'une vue superbe sur les grands glaciers tourmentés qui tombent de la Gobba di Rollin, du Breithorn, du Pollux et du Castor dans la haute vallée d'Ayas. Par-delà le col de Bettaforca on aperçoit les séracs du Liskamm et du Mont Rose. Sur la gauche, derrière la Becca Trecaré, guigne la pyramide rocheuse du Cervin.

- **Dénivellation** : 1 200 m.
- **Difficulté** : F – PD pour le sommet.
- **Horaire** : montée : 4-5 h ; descente : 1 h-1 h 30.
- **Période favorable** : décembre-mai.
- **Point de départ** : Chamois (1 810 m).
- **Cartographie** : Carte nationale suisse 1/50 000, feuille n° 293 Valpelline.
- **Matériel** : couteaux.
- **Itinéraire** : partir par le vieux chemin en direction E-NE et rejoindre le hameau coté 1896. De là, légère descente, jusqu'à un moulin (1 880 m environ) et traverser le torrent. En fin de saison, on peut en général chausser les skis à cet endroit et gagner Les Cortiselles (2 079 m) par les clairières, rive gauche du torrent. Il est possible aussi de monter par les pâturages en fleurs de la rive droite, en portant les skis, mais cette solution est à déconseiller car on traverse quelques terrains très boueux. Des Cortiselles, s'élever régulièrement sur la droite du vallon, passer près des points 2314 puis 2378 et continuer par le fond de la combe. A l'altitude 2680, il faut quitter le chemin du col et tourner franchement à droite pour escalader la pente qui monte vers le sommet. Un replat vers 2 820 m permet de souffler un instant et d'en profiter pour étudier la dernière côte. On peut gravir celle-ci par la gauche ou par la droite, mais, suivant l'accumulation de neige, ou son manque trop flagrant, on devra peut-être déchausser sur quelques dizaines de mètres.

Descente : suivre au début les traces de montée jusque dans la combe. Au-dessous du Col de Nana, coté 2775 mais sans nom sur la C.N.S., on choisira son itinéraire en fonction de la neige, à droite ou à gauche du talweg. Dans la forêt, au-dessous des Cortiselles (2 079 m), on peut descendre jusqu'au moulin, ou tourner à gauche et longer la rive du torrent jusqu'au pont, en face de Corgnola. De là, 10 mn suffisent pour rejoindre le centre du village.

Chamois rouge au-dessus de Chamois, Valtournanche (page ci-contre).
Montée au Col de Nana (ci-contre).

77

24. MONT ZERBION 2722 m

De tous les sommets de la vallée d'Aoste, c'est peut-être bien le Mont Zerbion qui offre la vue la plus étendue. Situé juste au-dessus de Saint Vincent, qu'il domine de plus de 2 000 m, ce belvédère extraordinaire est visible de partout et il présente un panorama très varié, qui va des brumes bleues de la plaine du Pô aux neiges éternelles du Mont Rose, des fumées sales des usines d'Aoste aux séracs lointains du Mont Blanc. Les champs déjà verts du val d'Ayas, du Valtournanche et les forêts sombres du Col de Joux forment une collerette gaie qui contraste avec les froides corniches du premier plan.

Le chemin d'accès le plus évident pour les skieurs part de Promiod (1 492 m) et grimpe par le vallon du Colle Portola (2 410 m), d'où l'on suit la crête N jusqu'au point le plus élevé. Il faut se méfier du danger d'avalanche dans la grande combe NW qui monte droit au sommet. La neige s'y transforme mal et reste instable durant presque toute la saison. On prendra moins de risques en montant par le col et l'arête N et en utilisant cette magnifique combe de 800 m de dénivellation pour la descente. Alors, seul le premier skieur peut s'y lancer, si les conditions paraissent sûres, et s'assurer de la justesse de son jugement avant d'y engager tout le groupe. Naturellement, on peut aussi monter au sommet par l'arête W, en traversant à droite depuis le pied de la combe précitée pour passer près des chalets Francou (2 035 m). Remonter ensuite la forêt au-dessus et vers la droite puis continuer par la pente qui rejoint l'arête W. La dernière partie de celle-ci, souvent très cornichée, offre des sensations fortes et un coup d'œil superbe sur la vallée à droite. En cas de grosses corniches, on fera bien de mettre la corde et de s'espacer au maximum.

Une envie nous prend lorsque, de la cime, on regarde les évolutions des choucas, c'est de plonger, en aile delta, dans les voiles de brume qui estompent le fond de la vallée vers Châtillon. A voir leurs arabesques, si faciles, si naturelles, il semble très simple de se lancer dans le vide et de s'appuyer sur les courants ascendants pour remonter, planer, virer, s'élever et plonger à nouveau pour recommencer sans fin. Jeu silencieux et grisant auquel s'adonnent les nombreux pilotes de planeurs partis d'Aoste. Ceux-ci survolent tout le massif, frôlant les parois rocheuses, tournant inlassablement au-dessus des forêts chaudes de soleil pour prendre de l'altitude et s'enfoncer ensuite dans tous les vallons. Ils y trouvent de nouveaux horizons et recommencent plus loin, du Grand Paradis au Grand Combin, du Rutor jusqu'au Cervin.

- **Dénivellation** : 1 230 m.
- **Difficulté** : F-PD pour la partie sommitale.
- **Horaire** : 4-5 h.

- **Période favorable** : décembre à fin avril.
- **Point de départ** : Promiod (1 492 m).
- **Cartographie** : Carte nationale suisse 1/50 000, feuille n° 293 Valpelline.
- **Matériel** : couteaux, corde parfois utile pour l'arête sommitale.

- **Itinéraire** : quitter la route Châtillon - Valtournanche à Antey - Saint André et prendre la route de la Magdeleine. Tourner à droite, peu au-dessous du hameau de Noussan (1 488 m), pour atteindre Promiod en voiture. De là, monter par la rive droite du vallon, par Boettes (1 714 m), la Nouva (2 193 m), le Col Portola (2 410 m), et enfin suivre l'arête N jusqu'au sommet. Par neige sûre, on peut escalader, du chalet de Salère (2 110 m), la combe qui monte à l'antécime (2 652 m). On traversera l'arête W de cette dernière vers l'altitude 2500 pour remonter le long du versant SW de ses rochers et rejoindre l'arête N avant le sommet du Mont Zerbion (2 722 m).

Descente : la plus payante est naturellement celle qui plonge directement dans la grande combe NW. Au sommet, on peut suivre l'arête W quelques dizaines de mètres avant de tourner à droite et descendre les pentes raides de la rive gauche de la combe, mais il est plus facile de revenir sur les traces de montée et de prendre carrément le fond du petit vallon. Cette deuxième variante est aussi plus sûre du point de vue du danger d'avalanche. Les pentes NW de l'antécime (2 652 m) sont aussi très belles et, sur le flanc gauche, la neige reste très longtemps poudreuse jusqu'à la forêt. Au fond de l'entonnoir que forment ces deux combes, vers la cote 1900, il est préférable de traverser le torrent pour longer la rive droite, mais on peut aussi traverser plus bas vers 1 800 m. Cette deuxième partie de la descente se fait sur des pentes S, et la neige n'y est pas toujours de très bonne qualité, sauf en mars et avril, où elle se transforme en neige de printemps. Il faut choisir alors de réaliser la course tôt le matin, pour être de retour à Promiod vers midi. On trouvera des endroits très sympathiques pour pique-niquer peu au-dessus du village, par exemple, quelques rochers avec vue dégagée sur la vallée à l'altitude 1600 environ.

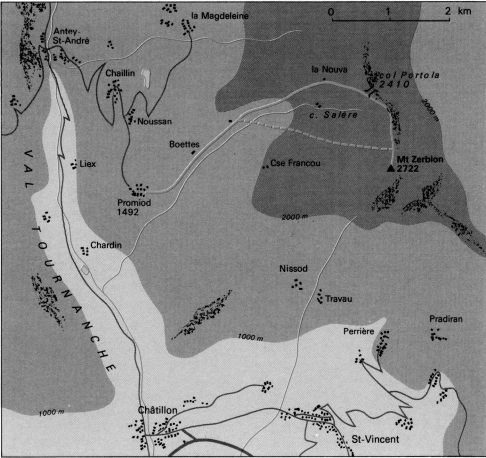

Carte de Noël (page ci-contre).
Crème glacée (ci-dessus).

25. POINTE DU TSATÉ 3 077,7 m

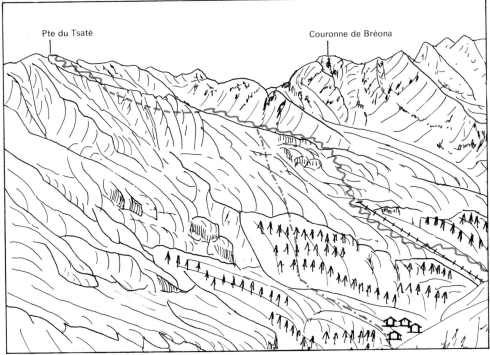

Pte du Tsaté   Couronne de Bréona

Bien au-dessus de La Forclaz sur Les Haudères (1 727 m), plus haut que la limite des forêts, s'étendent d'immenses et magnifiques champs de neige, les alpages de Bréona et du Tsaté. Ceux-ci ne sont pas très fréquentés en hiver et, au printemps, lorsque le skilift qui monte jusqu'à 2 200 m est arrêté, il n'y a presque plus personne. Pourtant, suivant l'enneigement, on peut faire de superbes balades jusqu'à la fin du mois de mai. Les pentes des alpages, orientées S et SW, sont très débonnaires et seules les dernières côtes avant les crêtes présentent quelque déclivité. La neige de printemps y reste de bonne qualité jusque vers midi et, dans la partie inférieure, des revers abrités permettent de ne déchausser qu'à peine au-dessus des villages. En mai ceux-ci, couchés déjà dans leurs écrins d'herbe verte et de fleurs, gardent un charme fou que n'enlaidit aucun cube de béton. Ces villages ont pour noms : La Sage (1 667 m), qui vient du patois *châze* : le saule, Villa (1 742 m), au cachet valaisan bien marqué et La Forclaz (1 727 m), sur son balcon ensoleillé.

La petite barrière de montagnes qui sépare le val d'Hérens du val de Moiry a une altitude supérieure à 2 900 m, sauf en son point le plus bas, le Col du Tsaté (2 868 m). Ce dernier, enserré entre la Pointe du Bandon (3 074 m) et la crête de Serra Neire qui culmine à 2 986 m, n'est pas le passage le plus fréquenté entre les deux vallées. En hiver le chemin le plus court pour gagner la cabane de Moiry du C.A.S. (2 825 m) passe au sud-est par le col de Bréona (2 915 m). Au nord-ouest, le col de Torrent (2 918 m) est depuis très longtemps le passage le plus souvent emprunté et l'on y trouve un bon sentier d'été. Entre ces deux cols, le point le plus élevé, la pointe du Tsaté (3 077,7 m), est une cime très caractéristique qui porte bien son nom ; tsaté = château. Du sommet, la vue plonge dans les vals d'Hérens, de Ferpècle, d'Arolla et, de l'autre côté, dans le val de Moiry plus élevé et plus proche, puis dans le val d'Anniviers, plus lointain. Les glaces du lac artificiel de Moiry, craquelées et déposées sur ses bords, lui font comme une ceinture en peau de crocodile blanc. Au-dessus de Ferpècle, les séracs du glacier du Mont Miné, en travail perpétuel, accompagnent notre escalade d'un grondement sourd et intermittent, signe tangible de l'usure des montagnes et de leur lente disparition. Ce phénomène est presque imperceptible à nos yeux d'hommes qui vivons ce que vivent les météorites à l'échelle universelle. Lorsque nous en sommes témoins pendant plusieurs heures, il nous invite à la méditation sur notre condition humaine. A quoi sert de grimper sur une montagne, à quoi sert notre vie, qu'adviendra-t-il de notre « moi » après la mort ? Questions éternelles, questions aux réponses très personnelles, sans cesse remises en cause, questions toujours présentes surtout pour ceux qui côtoient des phénomènes cosmiques les dépassant.

- **Dénivellation** : montée : 880 m du haut du téléski du Tsaté ; descente : 1 410 m jusqu'à La Sage, 1 350 m jusqu'à La Forclaz.
- **Difficulté** : F à PD.
- **Horaire** : du téléski : 3 h. De La Forclaz : 4 h 30-5 h ; descente : 30 mn-1 h.
- **Période favorable** : Noël-avril, quelquefois jusqu'à mi-mai.
- **Point de départ** : La Forclaz (1 727 m). En saison : téléski du Tsaté (2 200 m).
- **Matériel** : couteaux.
- **Cartographie** : Carte nationale suisse 1/50 000, feuille n° 283 Arolla, ou C.N.S. 1/25 000, feuille n° 1327 Evolène.
- **Itinéraire** : lorsque le téléski du Tsaté fonctionne, on peut l'utiliser à la première heure avec les employés, autrement il faut compter 1 h 30 pour en remonter les pistes. Si l'on veut éviter ces dernières, on choisira l'itinéraire qui part en direction SE et suit le chemin des chalets de Bréona. Au dernier petit hameau (2 197 m), on tire franchement plein nord pour rejoindre l'itinéraire du Tsaté près d'un petit lac coté 2504. De là, remonter la grande combe qui, par le lac du Tsaté (2 687 m), conduit directement à l'arête sommitale légèrement à droite (SE) du sommet. On peut généralement garder les skis jusqu'au point le plus élevé (3 077,7 m).

Descente : on peut naturellement traverser le sommet et descendre vers la Fêta d'Août de Moiry. De là on peut rejoindre Grimentz (1 572 m) par l'alpage et le barrage de Moiry ou gagner la cabane de Moiry du C.A.S. (2 825 m) par la rive gauche du glacier du même nom puis par une traversée horizontale à angle droit, et enfin une escalade par la droite jusqu'à hauteur de la cabane.

Descente : vers le val d'Hérens elle peut s'effectuer le long de l'itinéraire de montée ; c'est la plus facile. On peut aussi, à l'altitude 2 600 environ, au-dessus de Remointse (2 480 m), tourner la crête à droite pour gagner des pentes un peu plus raides, orientées SW et qui, par conséquent, dégèlent plus tardivement. On les emprunte jusqu'à la forêt, puis on descend entre les deux ruisseaux jusqu'à hauteur de Motau (1 918 m). De là, il est possible de traverser soit à droite et gagner par un chemin à travers bois La Sage (1 667 m), soit prendre, à gauche, la piste qui conduit à La Forclaz (1 727 m).

Versant N du Col et de la Pointe du Tsaté (page ci-contre).
Descente de la Pointe du Tsaté sur La Remointse (ci-contre).

26. CRÊTE DE CHAMPORCHER 2 656 m

Le petit hameau de Lignan (1 633 m) n'a que quelques maisons, une église et un hôtel. Perché sur une belle terrasse, face au sud, il a l'air d'être sur la proue d'un immense bateau de 500 m de haut, entre les torrents de Chaleby et de Saint Barthélemy. Tout petit village, à l'écart du grand tourisme, il est caché dans un val peu connu et pourtant attrayant. On y trouve de belles forêts, des courbes pas trop brutales et tout de même des champs de neige superbes et très peu parcourus.

Au nord de Lignan, la crête, tout d'abord très arrondie, s'élève progressivement vers l'alpe Fontaney (2 079 m), puis la pente devient raide et la crête fait un coude à gauche (W). Plus haut, elle s'effile et prend le nom de Crête de Champorcher, poursuivant son chemin toujours vers le nord. Un seul point est coté (2 656 m), mais la crête s'élève encore au-delà, jusqu'à son point le plus septentrional et le plus élevé (2 690 m environ), avant de redescendre à peine pour marquer le Col de Chaleby (2 683 m).

La Crête de Champorcher est un but de course à skis très valable et que l'on peut entreprendre de différentes manières. Pour le skieur peu habitué à la randonnée, c'est une montagne qui offre des pentes peu inclinées et d'autres très raides, des versants SE et W où la neige est très différente. Enfin, c'est une balade pas trop longue qui permet de s'entraîner sans s'épuiser en jouissant d'un coup d'œil magnifique, surtout sur le Mont Faroma (3 073 m) tout proche. Par neige encore non stabilisée, la Crête de Champorcher peut présenter de grands risques d'avalanches et même l'itinéraire le plus sûr, par les Cols de Fontaney (Col du Salvé sur I.G.M.) (2 568 m) et de Chaleby (2 683 m), n'est pas totalement à l'abri d'une plaque à vent ou d'une coulée. Par bonne neige, poudreuse et sûre, cet itinéraire, avec la descente par le vallon de Chaleby vers Clemensod (1 627 m), est un circuit superbe, la neige y restant excellente longtemps. L'itinéraire décrit ci-après n'est vraiment bon sur toute sa hauteur qu'en neige de printemps. Heureusement, son orientation SE et S lui procure un ensoleillement maximum, et la neige s'y transforme rapidement dès la mi-février. Une longue période de beau temps en janvier peut déjà modifier les pentes les plus raides, mais les faux plats risquent d'être croûtés. Après une chute de neige importante, il vaut mieux s'abstenir d'escalader la dernière côte raide sous le point 2656, le risque d'avalanche y est trop grand. On choisira plutôt l'itinéraire qui, par la droite de Cia Fontaney (2 302 m), passe par les Cols de Fontaney (2 568 m) et de Chaleby (2 683 m), avec un retour par le même chemin. En fin de saison, on peut monter en voiture jusqu'à Venoz (1 755 m) et prendre la combe située à l'ouest de ce hameau où la neige reste plus longtemps.

- **Dénivellation** : 1 060 m jusqu'au point le plus septentrional, 1 020 m jusqu'au point 2656.
- **Difficulté** : PD − .
- **Horaire** : 3 h 30-4 h; descente : 1 h.
- **Période favorable** : janvier à avril.
- **Point de départ** : Lignan (1 633 m).
- **Cartographie** : Carte nationale suisse 1/50 000, feuille nº 293 Valpelline.
- **Matériel** : couteaux.
- **Itinéraire** : de Lignan (1 633 m) remonter la large croupe en direction de la forêt (N) qui délimite le changement de pente contre la Crête de Champorcher. Pénétrer dans le bois en appuyant à droite, pour atteindre les chalets de l'alpe Fontaney (2 079 m). En continuant à droite, à travers une forêt très clairsemée,

Crête de Champorcher

Lignan

gagner l'important plateau par le bord duquel on revient, à gauche, vers les bâtisses de Cia Fontaney (2 302 m). Directement au nord commence une petite combe raide qui grimpe tout droit, entre quelques rochers, vers le point 2656. Escalader cette combe en se tenant le plus possible sur la droite et rejoindre la crête et le point précité. Avec les couteaux on peut grimper cette dernière côte skis aux pieds, seules les conversions posent quelques problèmes aux débutants. Mais quel bon exercice!

Descente : la première pente dégèle rapidement grâce à son orientation SE, mais elle est soutenue et demande une bonne dose de concentration, ce qui est aussi un très bon entraînement. Dès les chalets de Cia Fontaney (2 302 m), on choisira, en fonction de l'état de la neige, de prendre par les pentes plus raides, à droite, ou par les vastes champs étalés jusqu'à la forêt, à gauche. Au-dessous de l'alpe Fontaney (2 079 m), une clairière, rive gauche du ruisseau, permet de traverser facilement la zone boisée. Un flanc de coteau vers la droite donne accès à la grande croupe où l'on peut choisir le côté droit ou le gauche suivant l'état de la neige. Du point 2656, il est aussi possible de rejoindre le vallon de Chaleby en passant à l'ouest de la Crête de Champorcher par une traversée en direction NW. Par les chalets de Champanement (2 318 m), puis de l'alpe Chaleby (1 940 m), on descend vers Clemensod (1 627 m), par la rive gauche du torrent. Cette descente est un peu plus délicate et doit être classée PD.

Sur l'alpe de Fontaney, au-dessus de Lignan.
Dans le fond, le val d'Aoste (page ci-contre).
Le Mont Morion (ci-contre).

27. BISHORN 4 153 m

Le Bishorn porte le surnom un peu péjoratif de « 4 000 des dames », ce qui me paraît injuste, à la fois pour les dames et pour le Bishorn. A l'heure actuelle il y a beaucoup de dames qui font de grandes courses, soit en cordées mixtes, soit en cordées féminines, et le Bishorn, bien que peu difficile, demande un effort certain pour parvenir à sa cime. Il est beaucoup plus pénible, en effet, de monter de Zinal (1 675 m) jusqu'à la cabane de Tracuit (3 256 m), puis le lendemain, au sommet à 4 153 m que, par exemple, grimper au Breithorn (4 164 m) en partant de l'arrivée du téléphérique du Petit Cervin à 3 820 m. A mon avis, même les prestigieux 4 000 de Saas Fee, maintenant que les cabanes peuvent être atteintes par des moyens mécaniques, ne requièrent pas d'efforts comparables à ceux demandés par le Bishorn.

De plus, de son faîte neigeux on jouit d'une vue étendue de trois côtés, et le sentiment d'éloignement, d'isolement, est bien plus grand que sur nombre d'autres sommets de plus de 4 000 m. Seule au sud la masse imposante et toute proche du Weisshorn bouche une partie de l'horizon, l'emplit de ses séracs suspendus et de ses couloirs vertigineux.

Avec ses 2 500 m de dénivellation, la descente du Bishorn (4 153 m) jusqu'à Zinal (1 675 m) est une des plus longues et des plus belles des Alpes valaisannes. Dans toute sa partie supérieure, elle offre une pente soutenue sans être vraiment raide, et l'on peut s'en donner à cœur joie pour enchaîner de longues séries de virages jusqu'à « plus souffle ». Pourtant, lors des années pauvres en neige, on fera bien de prendre garde aux crevasses, très souvent cachées par des ponts peu épais à cause des grands vents qui balaient fréquemment ces hauteurs glacées, arrachant pendant tout l'hiver la neige poudreuse qui les recouvre. De même, la traversée du grand replat qui conduit à la cabane est dangereuse car on skie dans le même sens que les crevasses.

Depuis le Col de Tracuit, on peut aussi descendre dans la vallée de Tourtemagne, en suivant la rive gauche du glacier du même nom jusqu'à l'altitude 2800. Une courte remontée vers l'est amène sur la branche droite du Turtmanngletscher un peu au-dessus du point 2913,4. On traverse à droite pour glisser le long des moraines et, par le Gässi, couloir raide et étroit, on gagne la cabane de Tourtemagne (2 520 m). La descente de la vallée ne présente pas de difficulté,

Le sommet du Bishorn, 4 153 m
(ci-contre).
Au centre, le Bishorn,
simple épaule de son grand voisin le Weisshorn
(page ci-contre).

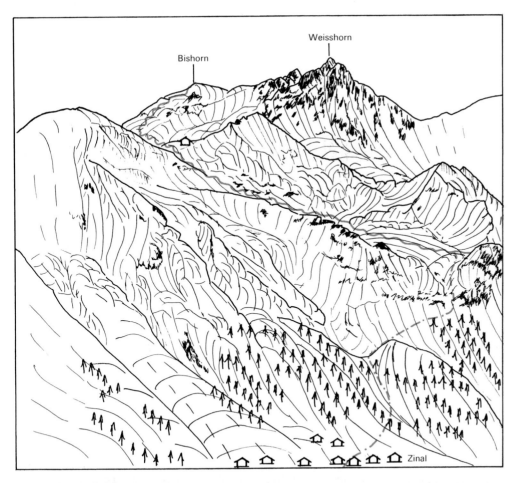

Bishorn   Weisshorn

Zinal

mais, de Gruben à Oberems, il y a près de 8 km de plat. Du Col de Tracuit, le Rothorn de Zinal (4 221,2 m), obélisque fauve dressé sur son piédestal de marbre élancé et froid, véritable flèche de pierre jaillissant de son socle de neige et de glace, nous fait rêver de cimes d'où l'on ne redescendrait jamais plus. A son pied, le glacier de Moming, tourmenté, fracturé en tous sens, découpé en tranches et en blocs, augmente encore l'impression d'inaccessibilité du Rothorn. Et pourtant, n'est-ce pas justement une invite pour l'alpiniste, dont la motivation principale est l'appel de l'inconnu, le défi de l'impossible. Au-dessous du col, de vastes pentes, larges et d'une bonne inclinaison, conduisent ensuite dans la grande cuvette de Combautanna. Une courte remontée nous amène dans les parages du Roc de la Vache d'où l'on peut admirer la face N du Pigne de la Lé dont la formidable descente, raide sur plus de 900 m, semble inconcevable ainsi vue d'en face. Les pentes en direction de l'Ar Pitetta et du fond de la vallée sont orientées SW et offrent généralement de bonnes conditions de neige de printemps. L'arrivée sur la petite plaine de Zinal, au débouché de la gorge particulièrement étroite de la Navisence, procure un soulagement, une détente, comme si, claustrophobes apeurés, nous finissions par émerger d'une sombre grotte en pleine lumière.

● **Dénivellation** : 900 m jusqu'à la cabane de

Tracuit et 1 575 m encore pour aller à Zinal.

- **Difficulté** : PD.
- **Horaire** : montée : jusqu'à la cabane de Tracuit : 5-6 h, de la cabane au sommet : 3 h 30 ; descente : 2-3 h.
- **Période favorable** : mars à juin.
- **Point de départ** : Zinal (1 675 m).
- **Cartographie** : Carte nationale suisse 1/50 000, feuilles n°s 283 Arolla et 284 Mischabel, ou mieux, assemblage n° 5006 Zermatt und Umgebung, ou encore C.N.S. 1/25 000 n° 1327 Evolène et n° 1328 Randa.
- **Matériel** : corde, piolet (crampons utiles quelquefois).
- **Itinéraire** : au départ de Zinal, suivre l'un des bords de la Navisence jusqu'au fond du long plat. Remonter la gorge ou, lorsqu'il n'y a pas assez de neige, prendre le chemin d'été, rive gauche, par le Vichiesso (1 862 m). Traverser

les alpages de l'Ar Pitetta et de la Tsijiore de la Vatse pour gagner le petit col à droite du point 2617 au sud-est du Roc de la Vache. Légère descente, puis escalade du Col de Tracuit que l'on franchit au mieux par le chemin d'été. De Zinal : 5-6 h.

De la cabane, traverser le Turtmann Gletscher en légère montée vers le col situé au sud-est du point 3591 de l'arête N-NW du Bishorn. Remonter la grande pente conduisant à la selle entre les deux sommets. Le plus élevé est celui de droite, que l'on atteint parfois à skis jusqu'en haut ou en faisant un dépôt des skis 20 à 30 m sous la cime.

Descente : suivre à peu de chose près le même itinéraire qu'à la montée. En fin de saison, on a le choix entre deux variantes. La première est de descendre jusqu'au fond de Combautanna et de prendre le chemin d'été, à droite, direc-

tement sur Zinal. Ce parcours est raide, exposé et dangereux s'il y a encore de la neige dans la traversée. La seconde possibilité est de loin préférable. Descendre au-dessous du Col de Tracuit jusqu'à l'altitude 2800 environ, puis traverser à gauche et remonter, 30-45 mn pour franchir la crête de rocher près du point 2992 à l'est du Col de Milon. Prendre pied sur le glacier du Weisshorn et profiter des superbes combes qui conduisent jusqu'au fond de l'Ar Pitetta (2 000 m). Rejoindre ainsi les traces de montée et la gorge de la Navisence. Cette deuxième solution offre de magnifiques coups d'œil sur le glacier de Moming, le Rothorn, le Weisshorn et le Besso.

Le Bishorn vu de l'arête W du Barrhorn (ci-dessus).
Le Mont Saron vu de l'ouest (page ci-contre).

28. MONT SARON 2681 m
face sud

En montant la route du Grand Saint Bernard depuis Aoste, on aperçoit tout à coup, droit devant soi, une magnifique pyramide blanche, presque parfaite, aux flancs très raides. Peu au-dessus du village de Gignod, cet immense triangle immaculé, se détachant sur le ciel bleu, s'impose avec une telle netteté que l'envie d'y grimper ne peut que fondre sur le skieur de passage en voiture. Pour atteindre cette petite merveille, il faut cependant traverser la vallée d'Aoste et le vallon de l'Artanava, soit en rejoignant le village d'Allain (1 253 m) directement, soit en partant d'Étroubles par une petite route horizontale et en piètre état. Il est possible de monter en voiture jusqu'au village de Villa (1 426 m), ou même, en fin de saison, encore plus haut, vers les alpages de Mourié et de Baravex. La neige reste pourtant plus longtemps dans le versant E de la combe située entre les hameaux de Villa et de Bruson et l'on pourra descendre jusqu'à ces derniers souvent encore à la fin mars. L'orientation de toute cette course est plein sud et l'on y trouvera, presque toujours, de la bonne neige de printemps, dure à souhait, si l'on part tôt le matin. La montée, par l'alpe Fontanne (1 892 m), est raide mais agréable et quelques replats se prêtent bien à une halte. La partie supérieure, le grand triangle blanc aperçu de la vallée, se grimpe aisément au-dessus de 2 200 m par l'arête de gauche (S-SW) à l'exception des derniers 100 m qui se feront de préférence directement, soit sur l'arête SE, soit encore à pied si le vent a enlevé toute la neige. Il serait naturellement possible de monter au Mont Saron par son versant E en partant du village de Doùes (1 176 m), mais la course en serait plus longue, la dénivellation plus importante, le danger d'avalanche, à mon avis, plus grand dans la partie finale et l'on n'aurait pas sa voiture au point d'arrivée.

Toute la montée est belle et intéressante mais, dès que l'on a quitté la limite des arbres pour rejoindre l'arête S-SW, la vue se dégage, s'amplifie. Les vallées se creusent et s'estompent dans la brume, les montagnes les plus élevées se haussent, comme des spectateurs avides de mieux voir. Leurs têtes montent au-dessus de la foule anonyme des petits sommets et bientôt, par-delà les premières crêtes, apparaissent vers l'ouest tous les géants du massif du Mont Blanc. Une conversion et on leur tourne le dos sans façon pour découvrir alors la chaîne si peu connue et combien fascinante située au sud de la Valpelline. On monte encore et encore, et la cime, qui semblait à portée de main depuis plus d'une heure, paraît s'éloigner au lieu de se rapprocher. Enfin, peu avant la croix de bois du sommet, on découvre le val d'Ollomont et son immense cirque supérieur

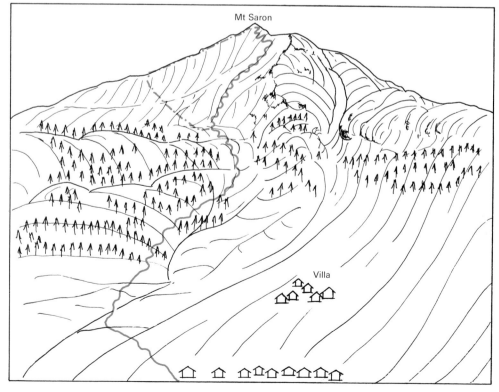

avec ses combes géantes, ses pentes raides, sa couronne de sommets attirants, aux noms évocateurs : la Tête Blanche, le Mont Avril, le Mont Gelé. On ne s'attardera pas trop au sommet, malgré la situation unique de ce belvédère, d'où l'on peut étudier en détail de nombreuses autres courses, faire des projets ou revivre d'anciens souvenirs ; il s'agit de profiter au mieux de cette descente superbe, qui doit se faire quand la surface de la neige est redevenue molle à souhait.

● **Dénivellation** : 1 255 m jusqu'au hameau de Villa (1 426 m).

● **Difficulté** : PD, avec une première pente de 500 m à 35° environ.

● **Horaire** : montée : 4 h-4 h 30 ; descente : 30 mn-1 h.

● **Période favorable** : décembre à mars, mais de préférence février et mars, quand la neige est transformée.

● **Point de départ** : hameau de Villa (1 426 m), au-dessus du village d'Allain (1 253 m), vallée d'Aoste.

● **Cartographie** : Carte nationale suisse 1/50 000, feuille n° 293 Valpelline.

● **Matériel** : couteaux.

● **Itinéraire** : prendre la route qui relie le

hameau de Villa aux quelques maisons de Bruson (1 470 m). Peu après le passage du torrent, remonter les champs à droite, puis une forêt clairsemée, pour gagner un premier replat au pied de l'alpage de Fontane. Passer près des chalets (1 892 m), puis traverser la forêt légèrement vers la droite. On parvient ainsi dans le couloir d'avalanche qui prolonge la grande pente sommitale vers le bas. Ce large couloir a quelques replats et l'on gagne facilement le pied même de la grande pente, puis, en appuyant à gauche, l'arête S-SW. Celle-ci, large et arrondie au début, se remonte facilement jusque vers 2 500 m d'altitude. La dernière partie de la montée se fait, au mieux suivant les conditions de neige, en traversant à droite vers l'arête SE ou directement dans la pente. Les quelques rochers du sommet se passent très facilement et même parfois à skis s'ils sont recouverts de neige.

Descente : attaquer directement le milieu de la grande pente sommitale en utilisant au mieux la qualité de la neige. La partie droite, plus exposée au soleil, dégèle un peu plus rapidement que la partie gauche, également plus raide. Par bonnes conditions, on peut descendre ces premiers 500 m, en dessinant une longue ligne de virages courts et réguliers, qui, vue de loin, évoque une fermeture Éclair. Le passage de la forêt offre un peu de variété et la neige y change parfois de qualité. Les pentes au-dessous de l'alpe Fontane et la forêt clairsemée qui suit sont très amusantes. Lorsque le temps est froid et au vent du nord, toute la descente, jusqu'à la voiture, peut être dure et ne dégeler que vers 14 heures. Il y a, pour se désaltérer, un petit bar au hameau de Villa et un restaurant au village d'Allain.

Le Mont Saron, face S, et le hameau de Villa (page ci-contre).
La Becca di Viou et le Mont Mary vus des pentes du Mont Saron (ci-dessous).

29. BECCA COLINTA 2 814,1 m
versant est

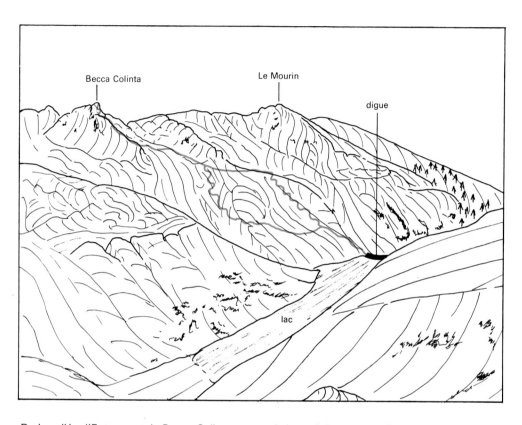

Becca Colinta — Le Mourin — digue — lac

De la vallée d'Entremont, la Becca Colinta est invisible ; on ne la voit qu'un bref instant de la route du Grand Saint Bernard, en longeant les galeries qui bordent le lac artificiel des Toules. Son immense pente E se déploie alors sur toute la hauteur de ses 1 000 m, séduisante, attirante. Pour les skieurs qui préfèrent les pentes moins raides, les champs de neige plus ouverts, plus débonnaires, l'itinéraire de la Fédération suisse de ski, qui passe par la Chaux de Forgnon, est tout à fait agréable et intéressant. Son seul défaut est de n'aboutir au sommet lui-même que par une escalade rocheuse, facile certes, mais aérienne et sans skis. Le versant E de la Becca Colinta permet, lui, d'atteindre le sommet sans déchausser. Les derniers lacets dans l'escalade de la pointe même offrent quelques sensations fortes et superbes : on croit monter avec ses skis sur la flèche d'une cathédrale ! Flèche assez peu inclinée, il est vrai, du côté où l'on monte mais à pic sur les trois autres versants. Les derniers pas nécessitent une attention soutenue qui ne peut se laisser distraire par

la beauté du paysage. Cette course se déroule dans une réserve d'animaux et il n'est pas rare de rencontrer plusieurs troupes de vingt à trente chamois. Ces hardes, assez craintives, broutent en général sur les crêtes dénudées par le vent ou dans les pentes dégagées par les avalanches de fond. Elles s'enfuient à l'approche des skieurs mais, avec un peu de chance et surtout un peu de flair, on peut les surprendre si l'on débouche lentement d'une combe ou si l'on reste caché derrière une crête. C'est toujours un spectacle fascinant de voir ces antilopes agiles bondir de rochers en rochers, cavalcader à toute allure le long d'arêtes affreusement exposées ou patauger dans la neige profonde. Du sommet on découvre souvent quelques solitaires attardés au soleil sur les vires chaudes de la face S, tellement étonnés de voir des skieurs perchés sur leur belvédère qu'ils ne s'enfuient même pas et se contentent de lancer quelques sifflets d'avertissement. Le massif du Mont Blanc, tout proche à l'ouest, et celui du Grand Combin, à l'est, encadrent de leurs rochers et

de leurs glaciers escarpés les champs de neige immaculés qui nous entourent. En effet, ni les alpages de la Combe des Planards ni ceux de la Chaux de Forgnon ne sont très fréquentés en hiver et les pentes de la Chaux de Tsousse, qui nous font face par-delà le lac des Toules, sont rarement skiées parce que très raides dans leur partie supérieure. La descente se choisira, en fonction des qualités de neige, soit comme nous la décrivons plus loin par le versant N depuis Le Pé (2 592 m), soit par les pentes SE en direction des chalets de Fournoutse (2 140 m) et le bas de la Combe des Planards.
Depuis les ruines du chalet de Forgnon (2 209 m), on peut grimper en 2 h environ au Mourin (2 766,3 m). Un couloir de sa face SE offre une belle descente en neige de printemps, très raide dans le haut. Le Mourin est également un magnifique belvédère et son versant N présente deux couloirs raides parfaitement skiables. L'un part de son arête W en direction de Plans Darreys, l'autre descend de l'arête E vers Champlong et permet d'atteindre la superbe pente que l'on voit si bien de Bourg Saint Pierre. La dénivellation, dans les deux cas, est de 1 200 m jusqu'au pont de Tsarevesse (1 517 m), mais la neige y est souvent soufflée, croûtée.

- **Dénivellation** : 1 000 m jusqu'au barrage des Toules ; 1 130 m jusqu'à la voiture, à Bourg Saint Pierre.
- **Difficulté** : PD.
- **Horaire** : montée : 4 h-4 h 30 ; descente : 30 mn-1h.
- **Période favorable** : décembre à mi-mai.
- **Point de départ** : Bourg Saint Pierre (1 632 m).
- **Cartographie** : Carte nationale suisse 1/50 000, feuilles nos 282 Martigny et 292 Courmayeur.
- **Matériel** : couteaux.
- **Itinéraire** : automobiles postales jusqu'à Bourg Saint Pierre ou véhicules privés jusqu'à l'entrée des galeries du tunnel du Grand Saint Bernard. Là une route secondaire descend à droite pour rejoindre le village de Bourg Saint Pierre. On peut laisser les voitures dans le premier virage au départ de l'ancienne route du Grand Saint Bernard. Remonter celle-ci à skis jusqu'au pied du barrage des Toules, pont à 1 730 m. On peut naturellement économiser les 2 premiers kilomètres presque plats si l'on se fait transporter, par la nouvelle route du Grand Saint Bernard, jusqu'à la hauteur du barrage, mais il n'y a pas de place de stationnement à cet endroit des galeries. Du pont, monter en direction des chalets de La Letta (1 907 m), puis escalader la large pente raide en direction du grand chalet de L'Emenna (2 247 m). En cas de neige instable et peu sûre, on préférera la mon-

tée par les chalets en ruine du Crêt (1 923 m) et de Forgnon (2 209 m). Une côte relie ces deux ruines et, si l'on ne s'en écarte pas, le danger est minime. Parcours en demi-cercle presque plat du chalet de Forgnon à celui de L'Emenna. Depuis ce dernier, monter en oblique en direction SW pour atteindre les replats situés au sud du Pé (2 592 m). Montée relativement facile jusqu'à l'altitude 2 600 environ, puis plus raide. Si l'on ne tient pas à déchausser, on évitera de prendre l'arête à main droite et l'on grimpera par le côté gauche de la pente, jusqu'au-dessus du couloir qui s'ouvre au nord de l'arête. La dernière pente est brève, 80 m au plus, mais raide, et peut être instable. En effet, son orientation ne permet pas la transformation par le soleil de

la neige accumulée pendant tout le début de l'hiver. Cette neige se transforme en gros grains (gobelets) et adhère mal aux dalles de rocher sous-jacentes. Au printemps, la neige de surface peut être dure et porter le poids d'un homme, mais il faut se méfier et s'assurer que le fond est ferme et bien accroché. Sinon, on escaladera, à pied, l'arête SE (corniches).

Descente : par le même itinéraire pour la première partie, mais vers la cote 2600 on rejoindra l'arête près du point 2592 (Le Pé). Magnifique pente N de 300 m de dénivellation, avec neige poudreuse très longtemps dans la saison, jusqu'au replat de la Chaux de Forgnon (2 288 m). Après des dizaines de virages courts, grisants et essoufflants, un replat bienvenu conduit

calmement au chalet de L'Emenna. De là, une superbe pente, raide sans excès, s'abaisse d'un jet jusqu'au barrage des Toules. Par neige de printemps dure, saupoudrée de poudreuse ou recouverte des grains de sel du premier dégel, on peut, sans s'arrêter, enchaîner ses arabesques en droite ligne jusqu'au petit replat précédant le lac. Traverser la Drance sur le pont ou sur le cône d'une avalanche et, par quelques énergiques poussées sur ses bâtons, rejoindre Bourg Saint Pierre par l'ancienne route du Grand Saint Bernard.

Près du sommet de la Becca Colinta (ci-dessus).

30. MONT VÉLAN 3 731 m
voie normale

Le Mont Vélan (3 731 m) est la première grande montagne à l'ouest du Col du Grand Saint Bernard, le premier grand sommet entre le massif du Mont Blanc et celui du Grand Combin. Son point culminant est formé d'un dôme neigeux qui marque l'angle S-SE d'un vaste plateau glaciaire à l'altitude élevée (3 650 m environ). Ce plateau repose lui-même sur un socle très abrupt sur trois côtés : seul le versant E-NE présente une pente moins rébarbative, le glacier de Valsorey, qui descend en ressauts successifs et crevassés jusque dans le val du même nom. Le Mont Vélan propose au skieur-alpiniste un itinéraire classique de toute beauté, au caractère de haute montagne et réservé à des gens bien entraînés. Il offre aussi d'autres itinéraires beaucoup plus raides et exposés, pour très bons skieurs et skieurs extrêmes. Nous parlerons plus en détail de l'une de ces descentes dans un autre chapitre.

L'accès au Mont Vélan passe en général par la cabane du Vélan (2 569 m) au bord du glacier de Tseudet. On peut aussi gagner directement le sommet depuis le tunnel du Grand Saint Bernard en passant par le glacier de Proz et le grand couloir en Y du versant W. Une troisième possibilité est d'aller coucher au bivouac fixe Savoie (2 651 m), au pied de l'éperon S-SE des Trois Frères et de monter par le Col de Valsorey ou le Col des Chamois. Toutes ces voies d'accès présentent des difficultés alpines et nécessitent l'usage du piolet et des crampons. Seul l'itinéraire du Col de la Gouille depuis la cabane du Vélan peut être parcouru sans crampons, s'il est en bonnes conditions.

Du sommet même, on jouit d'une vue magnifique sur le Grand Combin tout proche, sur le massif du Mont Blanc et sur la vallée d'Aoste, pratiquement à nos pieds. Cet immense plateau neigeux, qui semble ne finir nulle part, crée un sentiment d'isolement, d'éloignement du monde. Par beau soleil et mer de nuages, il donne l'impression de flotter sur les brouillards et invite à s'installer, à camper dans le blanc et le bleu, à choisir ce coin agréable, aux lignes

calmes pour y rester *ad vitam aeternam*. Pourtant ce calme est trompeur car le Mont Vélan est très exposé à tous les vents et il est souvent le champ de batailles géantes où s'affrontent les tempêtes du nord et du sud de l'Europe. Il ne fait guère bon s'y laisser surprendre par le mauvais temps.

A la descente, les premières pentes sont en général en neige dure, soufflée : on retrouve la neige poudreuse plus bas. Les nombreuses crevasses demandent une grande attention. On fera bien de suivre les traces de montée dans les endroits les plus exposés, spécialement juste avant le Col de la Gouille car on skie parallèlement aux crevasses. Sur le glacier de Tseudet, moins tourmenté, on prendra garde aux avalanches de séracs qui tombent de la face N du Mont Vélan et traversent parfois tout le replat. Au-dessous de la cabane du Vélan, on choisira son itinéraire en fonction de la neige : soit la pente qui commence juste au nord-ouest de la cabane et descend directement vers les Chalets d'Amont, soit le glacier de Tseudet et la gorge du torrent. Ce deuxième parcours présente moins de danger d'avalanche mais il faut faire très attention aux ponts de neige sur le torrent. Un bain glacé n'est jamais un plaisir, mais il peut, de plus, se terminer tragiquement si le courant est violent.

- **Dénivellation** : 600 m jusqu'au Col de la Gouille, 580 m jusqu'à la cabane du Vélan et encore 900 m jusqu'à Bourg Saint Pierre ; au total : 2 080 m.
- **Difficulté** : PD.
- **Horaire** : montée : de Bourg Saint Pierre à la cabane du Vélan : 4 h ; de la cabane au sommet : 5-6 h ; descente : 2-4 h suivant les conditions.
- **Période favorable** : mars à mai, jusqu'en juin parfois.
- **Point de départ** : Bourg Saint Pierre (1 632 m).
- **Cartographie** : Carte nationale suisse 1/50 000, feuilles nos 282 Martigny, 283 Arolla, 293 Valpelline, ou assemblage no 5003 Grand Saint Bernard.
- **Matériel** : corde, piolet, couteaux.
- **Itinéraire** : de Bourg Saint Pierre, remonter le Valsorey sur sa rive droite, par Cordonne jusqu'aux Chalets d'Amont. Traverser le torrent et monter en direction S, par la Lui des Bôres, jusqu'au sommet de la moraine où se trouve la cabane du Vélan (2 569 m). S'il y a danger d'avalanche dans cette dernière pente raide, on suivra, depuis les Chalets d'Amont, le fond du vallon, puis la gorge et enfin en tournant à droite on gagnera la cabane par le glacier de Tseudet. De la cabane du Vélan, gagner le glacier de Tseudet en suivant tout d'abord la moraine W.

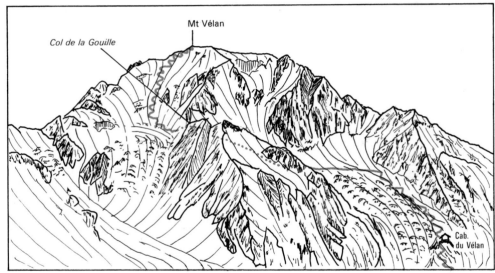

Remonter le glacier et le traverser vers l'est, à 2 800 m environ, jusque sous le Mont de la Gouille, puis s'élever en direction du col du même nom (3 150 m). Ce col est équipé de chaînes sur ses deux versants, mais celles-ci sont souvent cachées sous la neige. L'emploi d'une corde peut être utile, car il faut franchir le col à pied. On remonte alors le haut glacier de Valsorey, soit en son milieu, soit plus près de sa rive droite, au mieux suivant l'état des crevasses, tout en se dirigeant vers le point 3621. On gagne ainsi le dôme allongé du sommet par la pente raide de son versant SE.

Descente : habituelle, classique et très belle, elle s'effectue par le chemin de montée. Au passage du Col de la Gouille il faut déchausser et traverser en portant ses skis. De bons skieurs, habitués des pentes raides et peu soucieux de repasser à la cabane, ont la possibilité d'éviter le Col de la Gouille et de descendre directement sur le bas glacier de Valsorey par un couloir de 200 m environ, situé sur la rive droite et rejoignant le pied N du Col de Valsorey. La descente à Bourg Saint Pierre peut se faire, parfois, par la rive gauche du torrent depuis le Chalet d'en Bas, mais il est nécessaire de bien regarder, en montant à la cabane, si le passage de la prise d'eau (1 830 m) est praticable.

Vers le sommet du Mont Vélan (page ci-contre). Séracs du glacier de Valsorey (ci-dessus).

31. **POINTES D'OREN** 3 525 m
versants est et nord-est

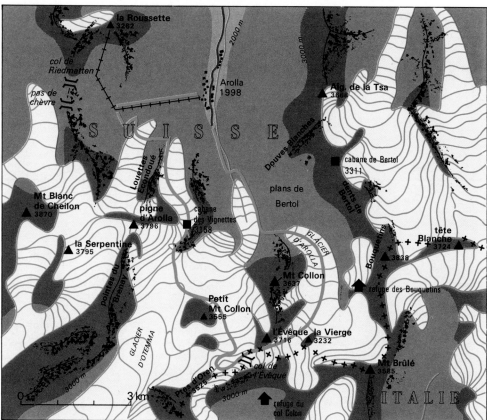

Les pointes d'Oren sont ces deux grosses mottes de crème que l'on a en face de soi en montant au Col de l'Évêque, sur le parcours de la haute route. Elles ont l'air débonnaire et en réalité le sont tout à fait, à l'exception de quelques zones crevassées ici et là. Elles sont dédaignées par les skieurs de la haute route, gens pressés et programmés emmenant souvent avec eux les manies de « l'automobiliste du dimanche » ! Pourtant ces belles bosses, aux formes pleines et arrondies, méritent une visite à l'occasion, et la descente sur Arolla, longue, facile et régulière, traverse des paysages magnifiques, tour à tour rudes, sauvages, ou au contraire ouverts et calmes. Du sommet, la vue plonge en Italie dans la Comba d'Oren. Large dans sa partie supérieure, celle-ci s'engouffre dans un entonnoir impressionnant, serré entre deux murailles austères et sombres, hautes de plus de 1 000 m. Il est possible de descendre par là jusqu'à Prarayer, mais ce parcours est vraiment raide dans sa partie supérieure, en oblique sur le glacier d'Oren N et même jusque vers la cote 2500. Il faudrait le classer comme course AD −, spécialement à cause des glaciers et des quelques barres de rochers à son pied. Le fond de la combe est facile mais très exposé aux avalanches des deux côtés.

La descente sur Arolla commence par une pente assez raide et coupée d'une ou deux crevasses. Sans être difficile elle demande une certaine attention. Au Col de l'Évêque (3 392 m), on rejoint les traces laissées par la foule de la haute route et on les suit jusqu'au-dessous de la Vierge. A la hauteur du point 3263,7, une zone crevassée requiert de la prudence mais, peu avant le Col Collon (3 087 m), on peut s'égailler sur le glacier et filer sous les hautes parois presque verticales de la Mitre de l'Évêque. En face du refuge des Bouquetins, un grand replat permet une halte bienvenue et laisse le temps d'admirer la grande combe qui monte vers le col du Mont Brûlé. Plus loin les champs de neige du Haut Glacier d'Arolla sont vastes et faciles et les parois abruptes du Mont Collon, à main gauche, et des Bouquetins, un peu plus loin, à main droite, se renvoient l'écho de nos jodels. Les alpinistes qui montent vers le refuge paraissent minuscules lorsqu'on les voit à plus d'un kilomètre. Fourmis dressées sur leurs pattes, on discerne leurs membres qui s'activent avec énergie, mais immobiles, elles ne semblent pas progresser dans cette immensité blanche. Sommes-nous vraiment aussi petits, aussi insignifiants pour eux ? Bientôt le glacier tourne à gauche et l'on découvre les ondulations brillantes des Plans de Bertol, une autre trace et d'autres skieurs montant à la cabane du même nom. Un peu avant la prise d'eau de la Grande

Dixence, puis à nouveau juste après, il faut prendre garde aux avalanches de séracs qui peuvent tomber du Mont Collon. On longe la rive droite du Bas Glacier d'Arolla, puis celle du vallon de la Borgne que l'on traverse sur le pont, coté 2092, et, généralement, on peut skier jusqu'aux environs de l'usine de pompage à 2 008 m.

- **Dénivellation** : 1 500 m, jusqu'à Arolla.
- **Difficulté** : PD.
- **Horaire** : montée : depuis Arolla jusqu'à la cabane des Vignettes : 3 h 30-4 h, de la cabane au sommet : 2 h 30; descente : 2-3 h.
- **Période favorable** : mars à juin.
- **Point de départ** : Arolla (1 998 m).
- **Cartographie** : Carte nationale suisse 1/50 000, feuille n° 283 Arolla, ou C.N.S. 1/25 000, feuilles n°s 1347 Matterhorn et 1346 Chanrion.
- **Matériel** : corde, piolet.
- **Itinéraire** : d'Arolla (1 998 m) on peut uti-liser le grand skilift des Fontanesses, puis traverser à gauche le glacier de Tsijiore Nouve pour rejoindre la trace de montée à la cabane sur la grande moraine qui descend des Louettes Écondouè. Remonter cette moraine puis prendre à gauche vers le replat coté 2519. S'élever en direction du glacier de Pièce et en suivre tout d'abord la rive gauche (main droite en montant). Aux alentours de l'altitude 2800, on traverse le grand replat pour gagner la rive droite que l'on remonte jusqu'au Col des Vignettes (3 158 m). La cabane s'y découvre, à main gauche, au tout dernier moment. De la cabane, longer la crête en direction W, puis traverser en direction S sur un petit replat et descendre en longeant les rochers du versant E du Pigne d'Arolla, enfin, par un « schuss » gagner le Col de Chermotane. Passer au pied du Petit Mont Collon (3 555 m) et traverser à gauche pour monter au Col de l'Évêque (3 392 m) où l'on pourra éventuellement déposer les sacs. Revenir horizontalement vers la droite (W) jusque sous la selle qui sépare les deux sommets, y monter et suivre la crête frontière jusqu'à la cote 3525.

Descente : suivre les traces jusqu'au Col de l'Évêque, puis celles de la haute route et les quitter un peu au-dessus du Col Collon, vers l'altitude 3100, pour gagner la rive gauche du Haut Glacier d'Arolla. On utilise de préférence cette rive gauche jusque vers 2 800 m environ, puis on continue par le milieu du glacier jusque vers la prise d'eau. Prendre alors franchement rive droite et gagner le Bas Glacier d'Arolla en longeant les rochers à main droite. Ce dernier glacier se descend aussi par sa rive droite et l'on traverse le torrent de la Borgne d'Arolla près du pont (2 092 m), pour glisser encore jusqu'aux alentours de l'usine, d'où la route est dégagée.

Le sommet E des Pointes d'Oren (page ci-contre).
Entre l'Évêque et le Petit Mont Collon,
le Col de l'Évêque et les Pointes d'Oren
(ci-dessous).

32. **MONT BLANC DE CHEILON** 3 869,8 m

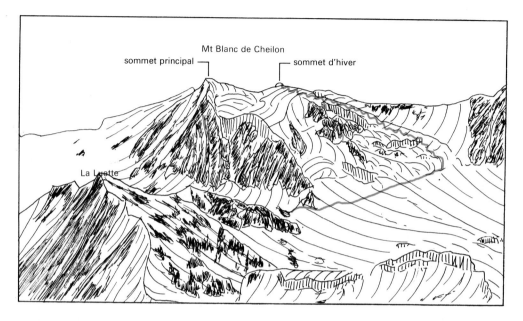

sommet principal — Mt Blanc de Cheilon — sommet d'hiver

La Luette

Encadrée par une fenêtre de la cabane des Dix, la pyramide élancée du Mont Blanc de Cheilon (3 869,8 m) semble inaccessible au skieur. Les deux arêtes abruptes qui délimitent sa formidable face N ne sont pas très difficiles en été, mais, plâtrées de neige et de verglas, elles prennent des allures himalayennes. Deux énormes courtines de glace dominent les parois rocheuses et sombres qui s'arc-boutent de chaque côté de la pointe et ne font que renforcer cette impression de sauvagerie et d'impraticabilité. Pourtant, le Mont Blanc de Cheilon se laisse mater relati-

vement facilement. Il possède un sommet d'hiver (3 827 m) à peine plus bas que le sommet principal, et que l'on atteint à skis par un détour sur le glacier de Giétro. Le parcours de l'arête sommitale, aérienne, est délaissé par beaucoup de skieurs car il nécessite l'usage des crampons, accessoire que bon nombre d'entre eux dédaignent d'emporter. Mais le sommet d'hiver offre déjà de grandes satisfactions esthétiques; le paysage y est pratiquement aussi dégagé que du sommet principal et la vue s'étale, magnifique, du Mont Rose au Mont Blanc, de l'Aletschhorn aux Dents du Midi. Le Mont Blanc de Cheilon est souvent inclus, à juste titre, dans le parcours de la haute route lorsque l'on dispose de suffisamment de temps. Cette belle montagne mérite en effet un détour et, en retour, offre aux skieurs une montée agréable dans un cadre déjà sauvage de haute montagne, ainsi qu'une descente superbe, très souvent en excellente neige. De nombreux skieurs entreprennent aussi son ascension, en deux jours, en guise d'initiation à la randonnée en montagne ou, mieux encore, l'introduisent dans le programme d'un long week-end avec ascension également de La Luette (3 548,3 m), et du Pigne d'Arolla (3 796 m). On peut aussi très bien prévoir l'escalade du Mont Blanc de Cheilon lors d'une traversée, de la cabane des Dix à celle de Chanrion. On peut ainsi déposer les sacs, trop lourds pour des épaules peu entraînées, à 3 260 m environ, au pied de la longue côte qui grimpe le long de la face N de la Ruinette (3 875,0 m). Enfin, pour des skieurs-alpinistes très entraînés et qui désirent « collectionner » le maximum de sommets en un minimum de temps, il est très possible de faire le matin tôt l'ascension du Mont Pleureur (3 703,5 m), par son versant S, puis d'enchaîner de suite, au début de l'après-midi, avec celle du Mont Blanc de Cheilon, et de rentrer à la cabane des Dix pour l'heure du thé.

- **Dénivellation** : 1er jour : 985 m; 2e jour : 900 m. Si l'on prend le téléski, on économise 480 m le premier jour.
- **Difficulté** : PD.
- **Horaire** : montée : 1er jour : 4-5 h, avec le téléski on économise 1 h 30, 2e jour : 3 h 30-4 h; descente : du sommet à la cabane : 1 h, de la cabane à Arolla : 1 h 30-2 h.
- **Période favorable** : décembre à juin.
- **Point de départ** : Arolla (1 998 m) - cabane des Dix (2 928 m).
- **Matériel** : couteaux, piolet, corde.
- **Cartographie** : Carte nationale suisse 1/50 000, feuille no 283 Arolla, ou C.N.S. 1/25 000, feuilles nos 1346 Chanrion et 1347 Matterhorn.
- **Itinéraire** : *1er jour* : au départ d'Arolla, on

peut prendre le téléski de Fontanesses-I qui grimpe jusqu'à 2 470 m, ce qui raccourcit le trajet d'environ 1 h 30. Si cette installation ne fonctionne pas, ce qui arrive en fin de saison, on remonte le long de son tracé. Il est bien sûr possible de monter en voiture jusqu'aux derniers grands immeubles d'Arolla. On économise ainsi environ 15 mn de marche, mais le nombre de places de parking est limité et, au retour, on ne gagnera rien car la descente le long du téléski est souvent mieux enneigée. Du sommet de ce remonte-pente, on continue dans la même direction dans une combe qui se redresse progressivement jusqu'au Pas de Chèvres (2 855 m). Attention par brouillard de ne tourner ni à gauche vers le glacier de Tsijiore Nouve, ni à droite dans la combe de Fontanesses.

Au Pas de Chèvres il faut déchausser, attacher ses skis sur son sac et descendre les célèbres échelles. Le passage est bien aménagé et n'est pas difficile, mais toujours impressionnant la première fois qu'on l'emprunte. Après les échelles, il faut perdre encore une vingtaine de mètres d'altitude en descendant à pied vers la gauche (S). Traverser ensuite le glacier de Cheilon, d'abord vers le sud-ouest puis carrément plein ouest, pour gagner le pied du rognon rocheux sur lequel la cabane est perchée.

2e jour : de la cabane des Dix (2 928 m), on part en direction SW presque horizontalement sur près d'un kilomètre, puis on grimpe tout droit vers le Col de Cheilon (3 243 m). La dernière pente, un peu plus raide, s'escalade de droite à gauche. Au col, on prend pied sur le glacier de Giétro, tout plat à cet endroit, et l'on traverse, plein sud, en direction du pied de la face N de la Ruinette. Attention à ne pas prendre trop tôt à gauche, de grandes avalanches de séracs tombent parfois jusque sur le plateau. Remonter la très large vire glaciaire qui longe l'arête reliant la Ruinette au Mont Blanc de Cheilon. Cette pente est coupée de quelques grosses crevasses à éviter d'un ou deux zigzags. Le sommet d'hiver du Mont Blanc de Cheilon est en fait son sommet SW (3 827 m). On l'atteint à skis, seuls les derniers 10 m s'escaladent à pied. Pour gagner le sommet principal (3 869,8 m), il faut redescendre dans une brèche (3 785 m), généralement à skis, puis chausser les crampons pour grimper la dernière arête jusqu'au sommet.

Descente : le long des traces de montée. Pour éviter le grand replat du glacier de Giétro, on peut couper à droite sous les séracs. Sans peaux de phoque, il est toujours plus facile de s'enfuir en cas d'avalanche intempestive.

Le Mont Blanc de Cheilon vu depuis le Pleureur (page ci-contre).
En montant au Mont Blanc de Cheilon (ci-contre).

33. POINTE DE VOUASSON 3 489,7 m
voie normale

La Pointe de Vouasson (3 489,7 m) est peu visible de la plaine quoiqu'elle soit relativement élevée et proche de la vallée du Rhône. Son glacier régulier, incliné comme un chapeau sur l'oreille d'une belle Sédunoise, n'apparaît bien que si l'on grimpe un peu au flanc de la rive droite, vers Savièse, Anzère ou Crans-Montana. De là-haut, on s'étonne de cette importante masse de glace qui coule vers le nord, cascade figée dans le fond du vallon de Vouasson. Et pourtant, ce glacier, alimenté par ce grand plateau en pente douce situé entre 3 200 m et 3 500 m, est tout à fait bien proportionné.

La Pointe de Vouasson peut s'escalader dans la journée au départ du hameau de La Gouille (1 834 m), sur la route d'Arolla, mais il est plus agréable et plus sympathique de monter passer la soirée au refuge des Aiguilles Rouges (2 810 m). Cette jolie cabane, récemment rénovée, facilite l'accès des Aiguilles Rouges aux grimpeurs de l'été. Aux skieurs elle offre un gîte confortable avant l'ascension du Mont de l'Étoile (3 370 m), de la Pointe de Vouasson (3 489,7 m), ou précède la traversée du Col des Ignes (3 181 m) vers la cabane des Dix (2 928 m). Le Mont de l'Étoile, que l'on peut gravir au retour de la Pointe de Vouasson, est au départ d'une des plus belles descentes de la région. Celle-ci tombe d'une seule pente raide, en passant par La Coûta, sur la route d'Arolla au lieu dit « le Pont à Maurice » (1 800 m), ou même jusqu'aux Haudères (1 450 m) s'il y a assez de neige. Le parcours direct du Col des Ignes à Satarma (1 809 m) est également une descente superbe toujours dans la ligne de pente. De la Pointe de Vouasson, la vue plonge à pic dans le lac artificiel des Dix, 1 000 m plus bas, au-delà duquel brillent les glaciers d'une petite chaîne qui s'étire de La Luette (3 548,3 m) à la Rosablanche (3 336 m). Au sud, le Mont Blanc de Cheilon (3 869,8 m), avec sa belle face N presque symétrique, est une invite à prolonger l'école buissonnière en montagne, à ne pas regagner ses obligations dans la plaine. Le monde exaltant des sommets est là, étalé contre le ciel bleu, et il serait bien tentant pour les citadins de transformer le congé du week-end en une longue récréation de tout un printemps.

- **Dénivellation** : montée : 1er jour : 976 m, 2e jour : 680 m; descente : 2 150 m jusqu'au pont (1 341 m) en face d'Evolène (1 371 m).
- **Difficulté** : PD.
- **Horaire** : montée : 1er jour : 3 h 30-4 h, 2e jour : 3 h; descente : 2-3 h.
- **Période favorable** : décembre à mai, mais attention aux crevasses en début de saison.
- **Point de départ** : La Gouille (1 834 m).
- **Point d'arrivée** : Evolène (1 371 m).

● **Cartographie** : Carte nationale suisse 1/50 000, feuille n° 283 Arolla, ou C.N.S. 1/25 000, feuilles n°s 1326 Rosablanche et 1327 Evolène.

● **Matériel** : couteaux, piolet, corde.

● **Itinéraire** : *1er jour :* chausser les skis derrière le hameau de La Gouille (1 834 m) et remonter à travers bois en direction du lac Bleu (2 090 m), à l'ouest - sud-ouest. Continuer en direction W pendant environ 600 m vers le fond du vallon, puis escalader une combe plus raide à droite jusqu'à la Remointse du Sex Blanc (2 417 m). Poursuivre légèrement vers la gauche (NW puis W), et enfin contourner le point 2844 par le nord pour redescendre SE vers la cabane des Aiguilles Rouges (2 810 m).

2e jour : quitter tôt le refuge pour jouir d'une bonne neige dans la deuxième moitié de la descente. Remonter une combe, direction NW, puis le bord N du glacier supérieur des Aiguilles Rouges jusqu'au pied des rochers que surplombe la Pointe de Darbonnaire. Toujours dans la même direction (NW), escalader une pente un peu plus raide pour parvenir sur le grand plateau du glacier de Vouasson à l'altitude 3300 environ. Traverser le plateau direction W puis NW pour atteindre le sommet de la Pointe de Vouasson (3 489,7 m).

Descente : plusieurs cheminements sont possibles. Celui qui présente le moins de danger de crevasses consiste à traverser le plateau en direction de l'est pour arriver un peu après le point 3311. Descendre ensuite plein N pour traverser la zone crevassée aussi directement que possible. A l'altitude 3100 environ, appuyer vers la droite (NE) pour longer le pied des rochers du Mont de l'Étoile (3 370 m). A 2 900 m, on peut revenir au milieu du glacier pour y descendre une langue assez raide. Il est souvent plus facile de poursuivre vers la droite et de quitter le glacier, toujours vers la droite (NE), à l'altitude 2750 environ. De belles pentes, orientées NW, amènent alors dans le fond du vallon, à La Luesse (2 205 m). Prendre ensuite rive gauche du torrent de Merdesson pour gagner, au-dessous de La Meina, les pistes des installations de remontées d'Artsinol. On peut alors soit les suivre, soit, à l'altitude 1650, prendre le chemin qui, passant au-dessus du très joli hameau de Lana (1 407 m), permet de rejoindre le pont (1 341 m) en face du village d'Evolène (1 371 m).

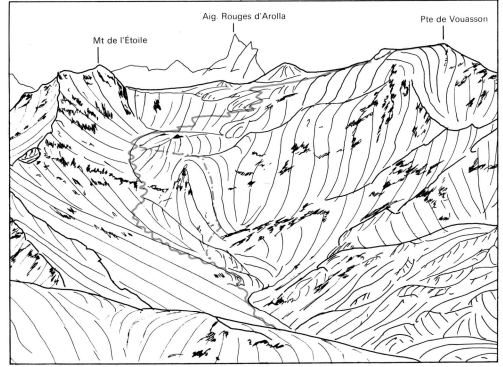

Mt de l'Étoile — Aig. Rouges d'Arolla — Pte de Vouasson

Les Aiguilles Rouges d'Arolla dans le soleil levant (page ci-contre).
Descente du glacier de Vouasson (ci-dessus).

34. BECCA DE LOVÉGNO 2 820,6 m

Becca de Lovégno

La Becca de Lovégno (2 820,6 m) n'est pas un sommet bien prestigieux. Cachée au fond du val de Réchy, entre la Pointe de Masserey (2 841 m) et la tour rocheuse si caractéristique de la Maya (2 915,5 m), elle n'apparaît guère comme un sommet distinct et intéressant. Pourtant la Becca de Lovégno, qui tire son nom du pâturage de son flanc SW, propose une descente très payante, presque toujours dans de très bonnes conditions. Son versant NW, où la neige reste très longtemps poudreuse, présente en effet une pente soutenue d'environ 1 000 m de dénivellation. Dès Pravochin (1 824 m), le parcours est amusant, soit en forêt, soit parmi les mayens, et il amène au village de Mase (1 345 m), qui a su préserver son cachet. Les vieux mazots brunis sont frileusement serrés les uns contre les autres, les toits, recouverts d'une épaisse couche de neige, se touchent presque et donnent l'impression d'un groupe de commères se racontant les derniers potins de la région. La vue est dégagée, le soleil darde des rayons méridionaux sur une pente orientée plein sud, et le soir dans les deux cafés, l'ambiance est chaude, tout le monde se connaît et s'interpelle.

Il y a plusieurs possibilités pour gagner le sommet de la Becca de Lovégno. On peut partir de Suen (1 429 m), remonter la longue clairière qui va de Tsijerache (1 599 m) à Plan Genevrec (2 157 m environ), puis poursuivre par la large croupe W et terminer l'ascension par l'arête W. De Saint Martin (1 411 m) ou de Trogne (1 472 m), on montera par le hameau de Lovégno (2 169 m), et l'alpage du même nom, vers le Pas de Lovégno (2 695 m) et l'arête S. On peut aussi coucher à Eison (1 650 m), et le lendemain grimper par les Mayens d'Eison et traverser en oblique toute la « montagne d'Eison » pour rejoindre l'itinéraire précédent au Pas de Lovégno. L'accès par le Mont Noble, le Col de Cou et l'Ar du Tsan est décrit plus loin. Enfin

on peut inclure l'ascension de la Becca de Lovégno dans une traversée de Zinal à Verbier, lors de l'étape Grimentz - Mase. Du sommet des téléskis de Grimentz (2 874 m), on traverse l'arête N des Becs de Bosson par un petit col (2 923 m), puis tout le plateau supérieur de l'Ar du Tsan pour atteindre le Pas de Lovégno (2 695 m).

- **Dénivellation** : montée : 1er jour : 995 m, 2e jour : 650 m; descente : 1 475 m.
- **Difficulté** : PD.
- **Horaire** : montée : 1er jour : Nax - cabane du Mont Noble, 3 h 30-4 h ; 2e jour : 3-4 h. Descente : 1 h-1 h 30.
- **Période favorable** : décembre à mi-avril.
- **Point de départ** : Nax (1 265 m) ou sommet des installations du Mont Noble, ce qui permet de faire la course dans la journée.
- **Point d'arrivée** : Mase (1 345 m).
- **Cartographie** : Carte nationale suisse 1/50 000, feuille n° 273 Montana, ou C.N.S. 1/25 000, feuilles nos 1306 Sion et 1307 Vissoie.
- **Matériel** : couteaux.
- **Itinéraire** : *1er jour :* on peut laisser la voiture à Nax (1 265 m), et monter à skis le long de la croupe boisée de l'arête NW du Mont Noble par Clôt de Guidon et Le Chiesso (2 068 m). A l'heure actuelle, avec les pistes qui

descendent du Mont Noble, on préfère monter un peu plus au sud le chemin qui, dans la forêt, passe par Prarion (1 541 m) et Pralovin (1 949 m). Naturellement, on peut aussi monter sans fatigue par les remontées mécaniques, au départ des Mayens de Nax. La cabane du Mont Noble (2 244 m) est une propriété privée et il faut réserver ses places par téléphone : 027/31.13.37 ou 027/31.14.72.

2e jour : au départ de la cabane, monter sur la Tête des Planards (2 446 m), puis traverser les pentes SW du Mont Noble (2 654 m), pour gagner le Col de Cou (2 528 m). Une courte descente en biais vers le sud-est conduit dans les immenses replats de l'Ar du Tsan. Laisser les chalets à moitié en ruine de La Fâche (2 453 m) à main gauche et continuer horizontalement

pendant 2 km. Monter alors à droite (SW) pour atteindre le Pas de Lovégno (2 695 m). Escalader l'arête de la Becca de Lovégno (2 820,6 m), parfois à pied, la neige ayant été emportée par le vent, ou d'autres fois à skis en utilisant le flanc SW de l'arête.

Descente : longer l'arête W pendant quelques dizaines de mètres, et plonger dès que possible dans le versant NW. Cette pente peut être dangereuse, car son orientation ne facilite guère la stabilisation des différentes couches de neige. Cependant, c'est une très belle pente qui tombe sur un premier replat (2 400 m environ), puis sur un second, près du chalet de l'A Vielle (2 190 m). Il faut alors traverser le torrent et rejoindre les chalets de l'alpage de l'Arpetta (2 091 m), d'où une nouvelle pente superbe

conduit à Pravochin (1 824 m). Descendre jusqu'à la lisière de la forêt et prendre le sentier à droite pour gagner les Mayens des Praz (1 696 m). Suivre le chemin jusqu'au contour de la route forestière, puis descendre à gauche l'ancien chemin qui passe par Les Otiores, et atteindre le beau village de Mase (1 345 m), par les champs qui le dominent. Au printemps, cette dernière partie du trajet depuis Les Otiores est souvent dégarnie de neige.

Dans le versant NW de la Becca de Lovégno (page ci-contre).
Au centre, la Becca de Lovégno (ci-dessus).

35. POINTE DE BOVEIRE 3 212,4 m

Beaucoup moins courue que son proche voisin, le Mont Rogneux (3 083,8 m), la Pointe de Boveire (3 212,4 m) présente un versant E assez raide que l'on peut escalader à skis presque jusqu'au sommet. La grande course classique du Mont Rogneux attire toujours la foule des skieurs, spécialement en fin de semaine, et la cabane Brunet (2 103 m) est souvent archicomble. Une balade à la Pointe de Boveire permet de sortir des pistes trop fréquentées et de s'éloigner de la cohue. La montée, par de vastes champs de neige ensoleillés dès tôt le matin, offre de magnifiques coups d'œil sur les glaciers suspendus de la face N du Petit Combin (3 672 m). Tout à loisir, on peut s'amuser à y découvrir différents itinéraires, l'imagination stimulée par la marche dans l'air glacial.

La descente, par ce versant E puis par les combes tombant jusqu'à Pron Sery (2 234 m), représente 1 000 m de dénivelée orientés NE et presque toujours d'une poudreuse de rêve. Une courte remontée de 150 m permet de rejoindre Pindin (2 384 m) où reprend la descente. Celle-ci, malheureusement souvent à flanc de coteau, suit la route forestière jusqu'au virage de Posodziet (1 617 m), où l'on retrouve des champs plus ouverts et les traces qui viennent du Mont Rogneux. L'arrivée dans le vieux village de Champsec (900 m) par des pentes orientées plein nord est souvent praticable jusqu'à la fin du mois de mars ou même jusqu'à mi-avril.

Si l'on combine l'ascension de la Pointe de Boveire avec la traversée du Col de Lâne (3 037 m), une courte remontée de 120 m est également nécessaire. Celle-ci est pourtant très payante car l'on peut ensuite choisir trois descentes, toutes trois variées et pleines d'attraits. La première conduit à Bourg Saint Pierre (1 632 m), par l'alpage de Boveire (chalet de Boveire d'en Bas à 2 230 m) et le Creux du Mâ (1 975 m). La seconde est plus directe et, par Le Cœur (2 233 m), puis Morion (1 717 m), tombe sur la route du Grand Saint Bernard un kilomètre en amont du village de Liddes (1 346 m). A mes yeux, la plus intéressante de ces trois descentes, parce que la plus longue et la plus complète, est la troisième, décrite ci-après, qui mène à Rive Haute (1 223 m). Là, légèrement en

retrait de la route du Grand Saint Bernard, on pourra déguster une bonne fondue, ou goûter aux spécialités du Valais dans un petit café-restaurant très simple et très sympathique.

- **Dénivellation** : montée : 1er jour : 800 m, 2e jour : 1 110 m; descente : 1 990 m jusqu'à Rive-Haute, sans compter les contrepentes; 2 310 m si l'on descend sur Champsec.
- **Difficulté** : PD.
- **Horaire** : montée : 1er jour : 3 h, 2e jour : 4 h-4 h 30 ; descente : 2-3 h y compris les petites remontées.
- **Période favorable** : décembre à fin avril.
- **Point de départ** : bifurcation de Fionnay - route forestière de Plena Dzeu : cote 1302.
- **Point d'arrivée** : Rive Haute (1 233 m) sur la route du Grand Saint Bernard.
- **Cartographie** : Carte nationale suisse 1/50 000, feuilles nos 282 Martigny et 283 Arolla, ou C.N.S. 1/25 000, feuilles nos 1326 Rosablanche, 1345 Orsière et 1346 Chanrion.
- **Matériel** : couteaux.
- **Itinéraire** : *1er jour :* on part généralement de la bifurcation cotée 1302 entre la route de Fionnay et celle de la cabane Brunet. Arrêt sur demande du car postal, possibilité de garer quelques voitures. Suivre la route forestière en prenant un raccourci par Le Tongne (1 628,8 m), et un autre dans la dernière combe sous la cabane.
2e jour : partir tôt même si le froid est vif car les pentes de l'alpage de Sery sont vite ensoleillées. Monter vers La Chaux (2 350 m environ) puis traverser le replat en direction de Pindin (2 384 m). Passer sous « les Capucins » (2 718,6 m) pour gagner Nicliri (2 492 m), puis escalader la moraine W du glacier du Petit Combin. On peut déposer les sacs vers 2 900 m pour grimper à droite le versant E, puis NE, de la Pointe de Boveire. Monter à skis le plus haut possible puis à pied quelques dizaines de mètres.
Descente : suivre les traces de montée jusqu'au dépôt des sacs puis remonter, environ 20 mn, jusqu'au Col de Lâne (3 037 m). Puis un couloir raide et étroit permet de rejoindre, après 50 m déjà, une pente plus large sur la gauche (S). Descendre dans la grande combe et, dès que possible, appuyer à droite (NW) pour atteindre le replat de Plan Beussolet vers 2 480 m. Traverser ce replat en direction N et, en gardant le maximum d'altitude, longer les rochers du versant SW de la pointe de Terre Rouge. Remettre éventuellement les peaux de phoque pour grimper jusqu'à La Vardette (2 462,6 m, 15 mn). On peut naturellement éviter cette contrepente en traversant les pentes S de l'alpage de La Chaux, mais on perd ainsi 200 à 300 m de dénivelée, en poudreuse sur le versant NW. Ce versant, appelé « les Grands Revers », peut être dangereux en cas de neige non stabilisée

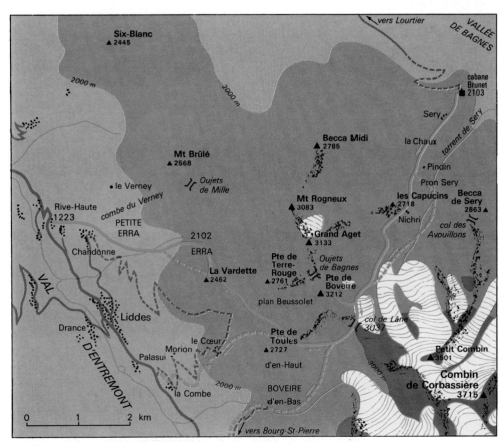

ou après une période de vent du sud. Dans ce cas, descendre dans la combe de la Grande Erra en direction des chalets d'Erra d'en Bas (2 102 m). Par de bonnes conditions, descendre de La Vardette directement vers la forêt du Revers, puis de celle-ci jusqu'au point 1716, est un dessert de choix pour les skieurs de profonde. Au point 1716, traverser la gorge du torrent d'Aron et prendre à droite le chemin qui mène vers les champs de Chandonne (1 454 m). Rester assez haut au-dessus du village pour gagner, au nord, la grande combe du Verney que l'on descend jusqu'à la hauteur du hameau de Rive Haute (1 223 m), situé peu au-dessus du viaduc de la route du Grand Saint Bernard.

Ombres et lumières sur la neige (page ci-contre). Derrière l'épaule du Grand Laget, la Pointe de Boveire (ci-dessus).

36. LES LOUÈRETTES 3068,7 m

Entre le Bec de la Montau (2 921,8 m) et le Métailler (3 212,9 m), la crête s'étire en petites dents et sommets peu marqués. A mi-chemin, Les Louèrettes (3 068,7 m) présentent un sommet allongé, presque plat, en général dépourvu de neige, et qui s'étire sur près de 500 m, de l'intersection des arêtes N et NW au Col d'Orchèra (3 033 m). La superbe pente NE qui tombe jusqu'aux chalets d'Orchèra (2 098 m), est bien visible de l'alpage de La Mandelon ou du Pic d'Artsinol. On l'aperçoit aussi très bien de la région de Nax - Mont Noble - Mase, et sa grande hauteur, alliée à une largeur respectable, est une invite à tous les skieurs de randonnée. Pourtant on n'y voit que rarement des traces car Les Louèrettes ne sont pas indiquées comme but de course sur la carte de la Fédération suisse de ski. De plus, les rares skieurs qui grimpent sur son sommet le font, ce qui est plus court, depuis Super Nendaz (1 733 m) et redescendent du même côté par la belle combe NW des Troutses. Depuis la mise en place du réseau de remontées mécaniques des « 4 Vallées » il est pourtant facile de rentrer le même jour à Super Nendaz par Mâche et la crête de Thyon.

● **Dénivellation** : montée : 1 335 m depuis Super-Nendaz, 830 m depuis la station supérieure du télésiège de Combartseline (2 238 m) ; descente : 1 760 m.

● **Difficulté** : PD.

● **Horaire** : montée : de Super Nendaz : 4-5 h, de Combartseline : 3 h. Descente : 1 h-1 h 30.

● **Période favorable** : décembre à avril.

● **Point de départ** : Super Nendaz (1 733 m) ou Combartseline (2 238 m).

● **Point d'arrivée** : Mâche (1 310 m).

● **Cartographie** : Carte nationale suisse 1/50 000, feuilles nos 283 Arolla et 273 Montana, ou C.N.S. 1/25 000, feuilles nos 1326 Rosablanche et 1306 Sion.

● **Matériel** : couteaux.

● **Itinéraire** : de Super Nendaz (1 733 m), partir par la route du barrage de Cleuson, rive droite de la Printse. Grimper à gauche dans la forêt puis le long du couloir d'avalanches des Troutses. Remonter la combe du même nom jusqu'à un petit col (2 913 m), entre la Pointe de la Rosette (2 965 m) et Les Louèrettes. Traverser ce col ou l'arête N un peu au-dessus et terminer l'ascension par le versant NE.

Du télésiège de Combartseline (2 238 m), partir le long de l'ancien bisse du Chervé puis, en montant légèrement, pénétrer dans la Combe des Troutses vers 2 350 m environ et poursuivre comme précédemment.

Descente : on peut attaquer directement en direction N puis NE dans la Combe de la Rosette ou porter ses skis jusqu'au Col d'Orchèra (3 033 m), et descendre par le glacier du même nom. Aux alentours de 2 600 m, les deux itinéraires se confondent et l'on continue vers Plan Trintsey (2 282 m), bosse arrondie au pied de l'immense pente. Prendre à gauche une combe qui tombe directement sur les chalets d'Orchèra (2 098 m). Traverser le replat vers la gauche et descendre vers Le Louché. Après le passage du torrent la neige se transforme et souvent cette partie du parcours, par La Couta, est en neige de printemps.

Franchir la route de la Grande Dixence puis le pont (1 522 m) sur la rivière et remonter quelques mètres à gauche jusqu'au contour de la route forestière de la rive droite. La suivre puis, par Bertolène et La Lichière, gagner le pont (1 295 m), sur la route Euseigne - Mâche, à 800 m de ce dernier village.

La patronne du café-restaurant des Aiguilles Rouges se fera un plaisir de vous conduire au télésiège des Collons où vous payerez votre billet. Si vous avez un abonnement des « 4 Vallées », elle vous amènera jusqu'à la télécabine de l'Ours, comprise dans le forfait.

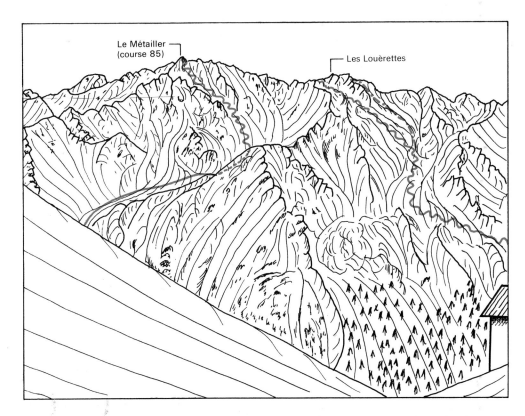

Départ du Pt 3033 dans le versant N des Louèrettes (page ci-contre).
Descente du versant N des Louèrettes (ci-dessous).

37. GRAN PAYS   2 726 m

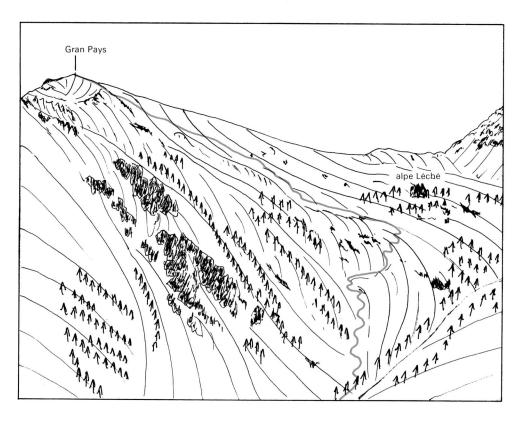

Gran Pays

alpe Léché

Dissimulé dans un recoin du val de Saint Barthélemy, le Gran Pays (2 726 m) dévoile ses champs de neige à celui-là seul qui escalade la Crête de Champorcher (2 656 m), ou s'enfonce profondément dans la Combe Deché, dans l'arrière-pays de Trois Villes (1 391 m). Ces jolis noms chantants signalent une région peu connue de la vallée d'Aoste où le français est resté très vivace et le patois d'usage courant. La Becca d'Avuille (2 623 m) retient toute l'attention lorsqu'on jette un coup d'œil depuis l'autoroute dans les environs de Nus (529 m), et le Gran Pays reste timidement caché, ne découvrant pas ses attraits.

Pour cette raison les skieurs l'ignorent et c'est très dommage car il offre trois magnifiques descentes, chacune dans un petit vallon différent. Le versant W, haut de 600 m, raide et large d'un kilomètre et demi, propose même quelques variantes, orientées du nord-ouest au sud-ouest. Cependant, la traversée du Gran Pays avec l'arrivée à Trois Villes (1 391 m) pose quelques problèmes d'organisation des transports, alors que les descentes vers Lignan (1 633 m) permettent de s'acheminer directement jusqu'aux voitures. La grande combe de l'alpe de Léché, orientée NE, présente la plus grande dénivellation d'une seule pente ; 900 m du sommet du Gran Pays au torrent de Chaleby. En neige poudreuse, c'est la plus belle des trois descentes. Enfin, l'itinéraire par l'alpe Fonlin a des expositions plus variées, du sud à l'est et même nord-est pour un petit tronçon ; il est sûrement plus plaisant en fin de saison, lorsque les conditions de la neige sont plus régulières.

La vue, depuis le Gran Pays, est surtout intéressante sur le Tsaat à l'Etsena (2 971 m) et, tout proche au nord, le Mont Faroma (3 073 m). Entre ces deux montagnes s'ouvre le Col de Saint Barthélemy (2 645 m), et l'on en voit bien l'itinéraire par l'alpe Valchourda (2 392 m). Ce col permet de rejoindre le hameau de Veine (1 200 m) près d'Oyace dans le Valpelline, par la combe escarpée et sauvage de Verdona. Avec le Col de Vessona (2 783 m) et la combe du même nom, ce sont les deux passages les plus pratiques pour les skieurs, entre le val de Saint Barthélemy et celui de Valpelline.

- **Dénivellation** : 1 099 m.
- **Difficulté** : PD.
- **Horaire** : montée : 4 h ; descente : 1 h.
- **Période favorable** : décembre à mars ; les années de fort enneigement, bon en avril.
- **Point de départ** : Clemensod (1 627 m), val Saint Barthélemy.
- **Cartographie** : Carte nationale suisse 1/50 000, feuille n° 293 Valpelline.
- **Matériel** : couteaux.
- **Itinéraire** : de Clemensod (1 627 m) (Clemenceau sur I.G.M.), des deux chemins qui montent dans le vallon de Chaleby, prendre le supérieur. Traverser le torrent et gagner l'alpe Breva (1 770 m) par la forêt. Escalader, à droite, la côte assez raide qui monte à l'alpe Fonlin (1 997 m). De là, passer dans le petit vallon à gauche (SW) et le remonter en direction de l'ouest. Traverser un petit replat (2 246 m) et grimper une combe, abrupte dans le haut, située entre la Becca d'Avuille (2 623 m) et le Gran Pays (2 726 m). Parvenir à la cime, skis aux pieds, par son versant S, moins raide.

Descente : partir le long de l'arête N et tout de suite, à 2 700 m, tourner à droite pour prendre la grande pente qui tombe dans le ruisseau de droite de l'alpe de Léché. Laisser les chalets (2 298 m) à main gauche et descendre soit le long du chemin d'été, soit dans un couloir de la forêt, rive droite du ruisseau cité précédemment. On peut suivre la rive droite du torrent de Chaleby ou celle de gauche jusqu'au pont du chemin qui ramène à Clemensod (1 627 m). Toutes les pentes du Gran Pays sont assez escarpées et les courses sur ce sommet demandent une neige bien stabilisée.

Dans le "Gran Pays" blanc
(page ci-contre).
La trace de nos vies sera-t-elle aussi fugace
que celle de nos skis ?
(ci-contre).

38. **MONT GELÉ   3 518,2 m**

Le Mont Gelé (3 518,2 m) est appelé Mont Gelé de Bagnes dans la vallée de Bagnes. Cela pour le distinguer du Mont Gelé (3 023 m) sis au-dessus de Verbier et bien visible de la plaine du Rhône ou de la route du Grand Saint Bernard. A ma connaissance, ni dans le val d'Ollomont, ni dans celui de Valpelline on ne fait de distinction car il n'y a pas d'autres Monts Gelé dans la région. Celui-ci, situé sur la frontière Suisse-Italie, est très propice au ski de trois côtés. On y pratique même une course de ski-alpinisme qui relie Glacier (1 549 m), dans le val d'Ollomont, à Bionaz-Dzovenno (1 575 m), dans le Valpelline en passant au sud du sommet, par un col dénommé Col du Mont Gelé (3 144 m). Cette course a lieu une année dans un sens, une année dans l'autre.

Par le versant SW, on monte en voiture par Ollomont (1 356 m) et Vaud (1 482 m) jusqu'à Glacier (1 549 m). De là, on grimpe à la Conca dell'Acqua Bianca, par un couloir raide situé à l'est puis au nord-est du hameau. Du replat de cette Conque de l'Eau Blanche, une pente abrupte, au sud-est, conduit au Lago dell'Incliousa (2 420 m), d'où l'on peut monter sur le glacier du Mont Gelé à gauche (NE). Le bivouac fixe de 8 places environ, Nino Regondi (2 590 m), est installé sur une petite crête au nord-ouest du Lago de Leitou (2 538 m). Il facilite l'ascension du Mont Gelé par ce côté. Le glacier du Mont Gelé ne présente pas de difficultés et l'on escalade le sommet, skis aux pieds, sans problème. Quelques rochers forment le point culminant (3 518,2 m).

Du côté suisse, on gravit le Mont Gelé depuis la cabane de Chanrion (2 462 m), en général par le glacier de Crête Sèche et le Col d'Ayace (3 040 m). On évite le col du Mont Gelé (3 144 m)

par la droite pour rejoindre directement les pentes supérieures du glacier du Mont Gelé. A la descente, vers la Suisse, les très bons skieurs empruntent le petit col situé au nord-ouest du point 3347 et dénommé « Col de la Balme ». Le couloir de 500 m, orienté NE, qui tombe sur le glacier de Crête Sèche est absolument superbe, tout spécialement en neige de printemps. Le Mont Gelé est une très belle course pour ceux qui disposent d'un jour lors de leur passage à la cabane de Chanrion, mais il peut aussi s'effectuer en traversée, en lieu et place de celle, par exemple, de la Fenêtre de Durand (2 805 m). Enfin, des deux descentes italiennes, celle sur Ollomont offre de plus beaux panoramas, celle sur Dzovenno davantage de pentes escarpées, techniquement plus difficiles.

De ce belvédère magnifique qu'est le Mont Gelé, la vue vers l'ouest permet de découvrir presque toutes les courses réalisables depuis la Conca di By. Cet extraordinaire amphithéâtre, dont le fond se trouve à 2 000 m et les créneaux à plus de 3 300 m, ne possède pas de cabane sur l'alpage du fond du cirque. Il faut, soit y bivouaquer, soit monter à la cabane Amiante (2 979 m) ou aux deux bivouacs fixes de Regondi (2 590 m) ou de Savoie (2 651 m).

● **Dénivellation** : montée : 1er jour : 1 040 m,

2e jour : 900 m; descente : 1 940 m.
- **Difficulté** : PD.
- **Horaire** : montée : 1er jour : 3-4 h, 2e jour : 3 h-3 h 30; descente : 1 h-1 h 30.
- **Période favorable** : fin février à avril.
- **Point de départ** : Dzovenno (1 575 m) près Bionaz (1 606 m), Valpelline.
- **Cartographie** : Carte nationale suisse 1/50 000, feuille n° 293 Valpelline, ou C.N.S. 1/25 000, feuille n° 1366 Mont Vélan.
- **Matériel** : corde, piolet, couteaux.
- **Itinéraire** : *1er jour* : de Dzovenno (1 575 m) où l'on peut trouver à loger, monter en direction du hameau de Ruz (1 696 m) au nord. Une route carrossable, en général dégagée, grimpe jusque-là, mais les places de parking y sont rares. Continuer dans la même direction entre la forêt et le torrent de Crête Sèche puis franchir le torrent et remonter sa rive gauche jusqu'à un bois clairsemé, à droite (2 100 m environ). Passer la crête boisée et poursuivre par son versant SE. La très moderne et confortable cabane de Crête Sèche (2 410 m) est située sur une sorte d'éperon; elle est malheureusement très souvent fermée et il est préférable de continuer jusqu'au bivouac Spataro (2 615 m), 12 places, un peu plus haut dans la combe, sur un mamelon rocheux.

2e jour : du bivouac Spataro continuer dans la combe en appuyant à gauche. Vers 2 700 m, prendre franchement à gauche, à angle droit, et escalader une pente raide située entre le point 3061 et la Pointe de l'Arolette (3 117 m);

se tenir le long du pied N de cette pointe. On débouche alors sur le glacier de l'Arolette que l'on remonte en direction du Mont de la Balme (3 347 m). Éviter celui-ci par la gauche et grimper en oblique vers le sommet. Quelques rochers marquent le point culminant (3 518,2 m). *Descente :* suivre l'itinéraire de montée jusqu'au glacier de l'Arolette. Là, deux possibilités s'offrent, soit passer le Col de Faudery (3 032 m) et descendre la très belle et très directe combe homonyme, soit continuer par les traces du matin vers le refuge-bivouac Spataro. Dans le

premier cas, on sort de la combe par la gauche pour descendre à Dzovenno, soit directement par la forêt, soit plus à gauche encore le long du torrent de Crête Sèche. Si l'on choisit la deuxième possibilité, on peut très bien, selon l'état de la neige, suivre la rive droite du torrent de Crête Sèche, du bivouac Spataro (2 615 m) à Ruz (1 696 m) et de là à Dzovenno (1 575 m), par les champs.

Au centre, le Mont Gelé vu du glacier d'Otemma (page ci-contre).
Le Mont Gelé vu du sud-ouest (ci-dessus).

39. FLUCHTHORN 3790,5 m

Le Fluchthorn (3 790,5 m) ne fait pas partie des sommets très réputés et il n'est pas escaladé très souvent. La présence trop proche de la série prestigieuse des « 4 000 » de Saas lui porte forcément préjudice. Le Strahlhorn (4 190,1 m), dont il est le vassal direct, a non seulement plus de hauteur, mais aussi plus d'élan. Vu de la cabane Britannia (3 030 m), le Fluchthorn ne semble être qu'une bosse de l'arête NE de son grand-frère. Pourtant c'est un très joli sommet qui offre une descente de plus de 2 100 m de dénivellation à l'orientation générale N-NE. La première partie de 900 m se déroule sur une croupe puis dans une combe glaciaire. La deuxième, après un replat bienvenu, tombe, bien raide, le long de moraines où l'on peut choisir l'orientation de la pente selon l'état de la neige, entre le nord-est et le sud-est, de la poudreuse à la neige de printemps. Enfin pour terminer, 300 m de dénivelée pour 4 km de promenade à travers des bois clairsemés.

De la cabane Britannia (3 030 m), on grimpe au Fluchthorn en 3 h-3 h 30 et c'est une course qui peut se faire par temps incertain. Dans ce cas on ne prendra pas la descente directe, mais on reviendra par l'itinéraire de montée. Au replat précédant la remontée à la cabane, on choisira indifféremment de passer par la rive droite ou la rive gauche du glacier de Hohlaub pour rejoindre l'itinéraire décrit plus loin. Pour qui loge à la cabane Britannia, la descente jusqu'à Saas Almagell (1 673 m) offre un supplément intéressant. On rentre alors par le bus jusqu'à Saas Fee puis par le téléphérique de Felskinn (2 991 m). Une autre descente, moins directement dans la ligne de pente mais très intéressante aussi, passe sur le versant de Mattmark par un petit col, appelé Hangende Gl. Joch (3 300 m). Puis, au-dessous de Schwarzbergalp (2 372 m), on rejoint la route de la rive gauche du lac artificiel et, par un tunnel de celle-ci, le barrage de Mattmark (2 200 m). De là, par la rive droite de la vallée, on retrouve les itinéraires précédents près d'Eiu Alp (1 930 m). Compter 1 h de plus.

- **Dénivellation** : montée : 830 m, descente : 2 120 m.
- **Difficulté** : PD.
- **Horaire** : montée : 3 h-3 h 30 ; descente : 1 h 30-2 h.
- **Période favorable** : mars à mai.
- **Point de départ** : cabane Britannia (3 030 m).
- **Point d'arrivée** : Saas Almagell (1 673 m).
- **Cartographie** : Carte nationale suisse 1/50 000, feuille n° 284 Mischabel, ou C.N.S. 1/25 000, feuilles nos 1328 Randa, 1329 Saas, 1348 Zermatt et 1349 Monte Moro.
- **Matériel** : piolet, corde.
- **Itinéraire** : laisser les voitures à Saas Grund (1 559 m), et prendre le bus jusqu'à Saas Fee (1 800 m). Traverser le village, prendre le téléphérique de Felskinn (2 991 m) et rejoindre la cabane Britannia (3 030 m) par un chemin bien tracé (30-40 mn).

De la cabane, descendre au sud-ouest jusque sur le glacier de Hohlaub (2 960 m environ). Traverser le replat pour gagner la rive gauche du

glacier de l'Allalin, à l'ouest du point 2943. Remonter cette rive gauche en longeant le pied des rochers du Hohlaubgrat. Au pied du point 3837 de cette arête, obliquer légèrement à gauche (S) pour monter en direction du Fluchtpass (3 721 m). Peu avant celui-ci, appuyer à gauche pour remonter le dôme-arête N du Fluchthorn (3 790,5 m).

Descente : par la même arête N, bientôt changée en large croupe, on continue en direction N jusqu'à l'est du point 3451. Obliquer un peu vers le nord-est pour rejoindre la combe à droite

tombant vers le point 3167. Après ce dernier point, reprendre la direction N jusque sur le plateau (2 880 m environ). Traverser ce plateau en évitant quelques crevasses précédant la rive gauche du glacier de l'Allalin. Passer, à droite, entre deux barres de rochers et plonger dans la combe sous le glacier de Hohlaub. On peut aussi suivre les moraines ou prendre la petite combe au-delà de la moraine de gauche. Vers 2 200 m, quelques rochers gênent un peu le passage, surtout par faible enneigement, puis on descend sans autre difficulté jusqu'à la forêt.

Éviter cette dernière par la gauche le long de la paroi de rocher, ou descendre tout droit vers la route que l'on suit jusqu'au pont sur la Saaser Vispa (Viège de Saas) (1 871 m). Traverser le pont et suivre la route par Bord et Zer-Meiggeru (1 740 m), gagner Saas Almagell (1 673 m). Le bus postal ramène à Saas Grund.

Le Fluchthorn se situe
juste au-dessous du Strahlhorn, à gauche.
Au centre, le Rimpfischhorn, à droite l'Allalinhorn
(page ci-contre).
De la poudreuse, encore en avril... (ci-dessus).

40. ALLALINHORN 4 027,4 m

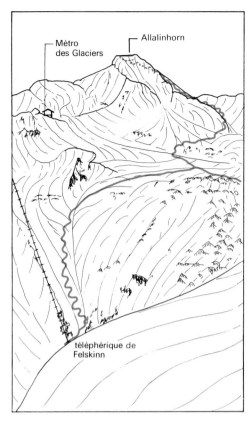

Métro des Glaciers — Allalinhorn

téléphérique de Felskinn

Malgré tout je pense que l'Allalinhorn reste un très beau sommet et que sa descente, 2 200 m de dénivellation jusqu'à Saas Fee, fait partie des plus belles qui soient. En début de saison, il arrive que de la glace vive apparaisse entre le Feejoch (3 826 m) et le sommet, ce qui nécessite l'usage des crampons ; mais habituellement dès la mi-avril on peut grimper à skis jusqu'à l'arête sommitale, à 20 m de la croix qui marque le point culminant.

L'Allalinhorn est de plus un belvédère excellent pour étudier les voies d'accès aux autres « 4 000 » de la région, l'Alphubel (4 206 m), tout proche, le Rimpfischhorn (4 198,9 m), dont on gravit à skis l'épaule W, le Strahlhorn (4 190,1 m), sur la route de Zermatt. On découvre aussi toute la petite chaîne qui, de l'autre côté de la vallée de Saas, s'étend du Fletschhorn (3 996 m) à la belle pyramide du Stellihorn (3 436 m). Des deux « 4 000 » de ce versant, seul le Weissmies (4 023 m) peut être gravi par les skieurs, mais beaucoup d'autres courses peu connues sont à la disposition des alpinistes à l'esprit d'aventure, amis d'une certaine solitude. Au nord, le massif des Mischabel lance ses parois abruptes à l'assaut du ciel et défie le skieur qui voudrait y trouver un itinéraire. Au contraire le massif du Mont Rose, situé plus loin vers le sud, invite à de belles balades sur ses glaciers tourmentés où les parcours ne sont vraiment pas aussi évidents qu'ils en ont l'air.

Le plus fréquenté des joyaux de la couronne de « 4 000 » de la vallée de Saas, l'Allalinhorn (4 027,4 m) doit sa popularité à la relative facilité de son accès et à la beauté de sa forme, élancée mais pas trop escarpée tout de même. Les skieurs-alpinistes qui commencent une haute route à Saas Fee choisissent souvent l'Alla-

linhorn comme course d'acclimatation aux altitudes élevées qu'ils vont rencontrer. Avec la construction d'un « métro alpin » sur le Mittel Allalin à près de 3 500 m, l'Allalinhorn risque de connaître une nouvelle augmentation de sa fréquentation. Il a beaucoup de chances de rejoindre ainsi le Breithorn de Zermatt.

- **Dénivellation** : montée : 1 160 m, descente : 2 230 m.
- **Difficulté** : PD.
- **Horaire** : montée : 4 h-4 h 30 ; descente : 1-2 h.
- **Période favorable** : mars à mai ; très bon encore en juin pour la partie supérieure seule.
- **Point de départ** : restaurant-cabane de Längflue (2 867 m).
- **Point d'arrivée** : Saas Fee (1 800 m).
- **Cartographie** : Carte nationale suisse 1/50 000, feuille n° 284 Mischabel, ou C.N.S. 1/25 000, feuilles n°s 1328 Randa et 1329 Saas.
- **Matériel** : couteaux, piolet, corde ; crampons utiles parfois pour la dernière partie.
- **Itinéraire** : de Saas Fee (1 800 m), monter par la télécabine et le téléphérique à Längflue (2 867 m). Le restaurant de la station supérieure possède des dortoirs et fournit les repas pour un prix raisonnable.

De Längflue partir en direction S et remonter le glacier peu incliné de Fee (Feegletscher). Une piste de ski balisée indique la première partie du parcours. Vers 3 300 m environ, appuyer à droite pour gagner la combe abrupte qui grimpe au Feejoch (3 826 m). Deux ou trois grosses crevasses nécessitent un détour par la droite ou par la gauche, suivant les années et l'enneigement. Du col (3 826 m), monter tout d'abord vers la gauche puis, moins raide, vers la croupe SW, à droite. On rejoint l'arête sommitale à quelques mètres à droite (E-SE) du point culminant (4 027,4 m). Lorsqu'il y a de la glace dans la petite pente qui monte du col (3 826 m), il y en a en général aussi sur la croupe SW et l'on escalade alors cette partie en crampons.

Descente : le long de l'itinéraire de montée, le plus sûr. Dès 3 100 m, on peut choisir de descendre, soit par les pistes de Längflue et Spielboden, soit par celles de Felskinn, A mon avis les secondes sont plus intéressantes, bien qu'un peu plus fréquentées. Par Felskinn (2 991 m) on peut rejoindre facilement la cabane Britannia (3 030 m) par une trace bien marquée. On peut aussi descendre au-dessous de Felskinn, prendre le téléski qui monte à l'Egginerjoch (2 989 m) et gagner la cabane Britannia.

L'Allalinhorn et le glacier de Fee (page ci-contre). Montée de l'Allalinhorn (ci-dessous).

41. **POINTE DE BRICOLA   3 657,6 m**

Le vallon de Moiry n'est guère fréquenté l'hiver car ses accès sont exposés aux avalanches. Mais lors de longues périodes de beau temps, la neige se stabilise suffisamment pour qu'il soit possible d'y pénétrer en plein hiver déjà. Au printemps, il suffit en général de deux ou trois jours de soleil pour que les pentes S soient consolidées, et l'on peut alors gagner la cabane Moiry (2 825 m) sans trop de risques. L'accès de Grimentz (1 572 m) étant long et peu commode à cause des restes d'avalanches et de l'immense mur du barrage, il est préférable de partir de Zinal (1 675 m). On monte alors à la Corne de Sorebois (2 895,7 m) par les installations mécaniques et l'on en redescend par son versant SW directement sur le barrage de Moiry (2 250 m). De là, par la rive droite du lac artificiel, on parvient jusqu'au pied du glacier que l'on escalade rive gauche jusqu'en face de la cabane. Cette dernière s'atteint par une traversée horizontale du glacier, puis par la pente raide à droite d'une petite barre de rochers et enfin, d'une légère descente vers le nord.

L'autre accès commode se fait depuis le val d'Hérens, par le téléski du Tsaté (2 200 m) situé entre La Sage (1 667 m) et La Forclaz (1 727 m). De son point d'arrivée, on peut passer, soit le Col du Tsaté (2 868 m), soit le Col de Bréona (2 915 m), ou même monter du premier sur le deuxième par une traversée escarpée dans le versant N du point 2986.

La Pointe de Bricola (3 657,6 m) est une course peu difficile qui présente pourtant quelques dangers, le glacier de Moiry étant assez crevassé. En début de saison il faut absolument s'encorder au-dessus de la cabane, dès 3 000 m. La vue dont on jouit depuis le sommet de la Pointe de Bricola est très dégagée vers le val d'Hérens au nord-ouest, et porte sur les grands glaciers tourmentés du Mont Miné, au sud, et de Ferpècle, vers l'ouest. Les Dents de Veisi, de Perroc et l'Aiguille de la Tsa pointent leurs crocs acérés et l'on voit, par-delà, se hausser les massifs énormes du Grand Combin et du Mont Blanc, plus lointain. Tout près, au sud-est, le Grand Cornier (3 961,8 m) dont on peut gravir l'épaule N (3 845 m) avec une paire de crampons. A l'est, l'imposante face rocheuse du Weisshorn (4 505,5 m) occupe toute la scène et ne laisse que peu de place au Rothorn de Zinal (4 221,2 m), à l'élégante Épaule Blanche.

La descente de la très belle cuvette du glacier de Moiry représente 1 370 m de dénivellation jusqu'à la route qui longe le lac artificiel, et 2 055 m jusqu'à Grimentz (1 572 m). Sa première partie offre des paysages glaciaires d'une sauvage beauté qui contrastent énormément avec les rives du lac et le barrage. Au printemps, souvent encore à fin mai, on peut descendre sur des névés d'avalanches jusqu'aux environs immédiats de Grimentz.

- **Dénivellation** : montée : 1er jour : 575 m, 2e jour : 832 m; descente : 2 055 m.
- **Difficulté** : PD.
- **Horaire** : montée : 1er jour : 3 h 30-4 h, 2e jour : 4 h; descente : 2-4 h.
- **Période favorable** : mars à juin.
- **Point de départ** : Zinal (1 675 m) - Corne de Sorebois (2 895 m).
- **Point d'arrivée** : Grimentz (1 572 m).
- **Cartographie** : Carte nationale suisse 1/50 000, feuilles nos 273 Montana et 283 Arolla, ou C.N.S. 1/25 000, feuilles nos 1307 Vissoie et 1327 Evolène.
- **Matériel** : couteaux, piolet, corde.

● **Itinéraire :** *1er jour :* de Zinal (1 675 m), monter par le téléphérique à Sorebois, puis par les téléskis à la Corne de Sorebois (2 895,7 m). Passer l'arête S de cette dernière au Col de Sorebois (2 835 m) et attaquer la raide pente W, puis celle, moins abrupte, qui au sud descend par Fâche jusqu'au barrage. Dès 2 350 m environ, commencer à appuyer sur la gauche pour rejoindre la route qui longe le lac artificiel près du point 2254. Suivre cette route de la rive droite, attention aux chutes de glaçons sous la première paroi rocheuse, et parvenir au pied du glacier. Peu avant celui-ci, traverser le torrent et prendre la moraine de la rive gauche du glacier de Moiry. La remonter jusqu'en face de la cabane et traverser alors le glacier sur le replat, à l'altitude 2700 environ. Sans s'approcher trop près des séracs, attaquer la pente raide au sud de la petite barre de rochers située au sud-est de la cabane de Moiry (2 825 m). La gagner depuis la droite par une courte descente vers le nord.
2e jour : de la cabane monter E-SE jusqu'à la courbe de niveau 3000, au-dessous du Col du Pigne (3 141 m), puis prendre à droite où le glacier se fait plus plat. Grimper la rive droite du glacier en suivant la combe qui longe les Bouquetins à l'ouest. On atteint ainsi le grand replat supérieur et, dès 3 500 m, on peut appuyer à droite (W-SE) pour parvenir au Col de Bricola (3 622 m). De là, en quelques minutes, on gagne, en général à pied, le sommet de la Pointe de Bricola (3 657,6 m) par son arête SE.
Descente : on peut emprunter le même itinéraire mais on peut aussi suivre la rive gauche du glacier, au pied de la Dent des Rosses (3 613 m) jusqu'au replat inférieur (3 200 m). Traverser le glacier à droite, vers les rochers qui soutiennent le Pigne de la Lé (3 396,2 m), et rejoindre la cabane par les traces de montée. On peut aussi, lorsque les conditions sont bonnes et l'équipe formée de très bons skieurs, remonter 200 m du replat du glacier au Col du Pigne (3 141 m), passer ce col, et descendre à Zinal par son versant N (voir itinéraire Pigne de la Lé - Zinal, AD +, n° 67).
On peut, les années de bon enneigement, descendre, direction SW, au-dessous de la cabane de Moiry, directement vers le glacier et en longer la rive droite. Sans cela suivre le cheminement de la montée. Au barrage, il faut passer sur le mur et prendre rive gauche de la Gougra. On descend ainsi le val de Moiry par la gauche, pour changer un court instant de rive, entre les ponts cotés 1702 et 1599. L'arrivée à Grimentz (1 572 m) se fait le long de la piste de ski de fond et par la route.

La Pointe de Bricola, à gauche (page ci-contre).
Le glacier de Moiry avec la Pointe de Bricola,
à gauche, et la Dent des Rosses (ci-contre).

42. BÖSHORN 3 267,6 m

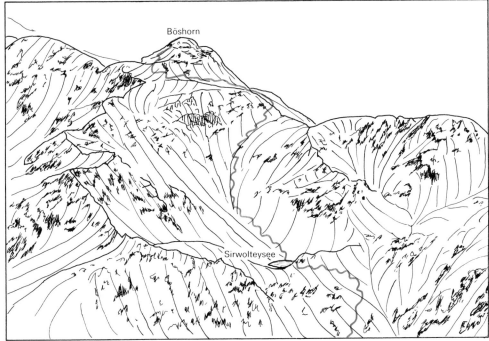

Très peu connu des skieurs-alpinistes de langue française, plus attirés par le classique Monte Leone (3 553,4 m) très à la mode, le Böshorn (3 267,6 m) offre pourtant quelques descentes superbes. Certaines sont même difficiles, comme la face N directe, le passage par le Col de Rossboden (3 148 m), ou celui par le Grissernenhorn (2 970 m) et son versant S. Toutes sont réservées à de très bons skieurs habitués aux pentes abruptes. L'itinéraire proposé ici, le plus parcouru, n'est que peu difficile, mais très varié et offre une dénivellation non négligeable de plus de 1 400 m. Les pentes y sont suffisamment raides pour présenter quelques risques et demander une grande attention, les replats confortables et suffisamment nombreux pour reprendre son souffle, le cadre suffisamment grandiose, avec le petit glacier suspendu de la face N, pour que le Böshorn soit l'une des très belles courses de la région du Simplon.

Du fait que cette région est à cheval sur la crête des montagnes, le climat est influencé tour à tour par les conditions météorologiques régnant au sud ou au nord des Alpes. Il peut arriver que le Col du Simplon (2 005 m), le Spitzhorli (2 726,3 m) et le Monte Leone (3 553,4 m) soient dans les nuages mais qu'il fasse relativement beau au Böshorn (3 267,6 m), et tout à fait beau au Seehorn (2 437,6 m), à l'est - sud-est du village du Simplon (1 476 m). Le contraire est également vrai et très souvent le brouillard monte jusqu'à Alter Spittel (1 850 m), alors qu'au nord tous les sommets sont dégagés. Le Monte Leone d'un côté et le Fletschhorn (3 996 m) de l'autre forment vraiment les deux piliers de cette barrière climatique.

La montée au Böshorn se déroule dans un cadre sauvage, sorte d'hémicycle, incliné fortement et fermé de trois côtés. Les gradins sont formés de barres de rochers que l'on surmonte par des zigzags peu évidents. Au dernier moment seulement on découvre le meilleur passage, celui qui permet de se faufiler, et la vue ne se dégage que lorsque l'on parvient sur l'arête N. La dernière pente (N) et l'ultime crête E permettent alors de jouir du spectacle de toute beauté qu'offrent soit les gorges qui s'enfoncent vers Gondo, soit la muraille immaculée de la face N du Fletschhorn (3 996 m). A droite et derrière soi, les fumées de Brig, escamotées en partie par le Tochenhorn (2 662 m), emplissent la cuvette de la vallée du Rhône, au-delà de laquelle les Alpes bernoises érigent leur crête dentelée. Tout près, de l'autre côté de la vallée, le Breithorn (3 436 m) pointe sa belle face W rocheuse et le Monte Leone (3 553,4 m) étale la blancheur du glacier de son versant S.

- **Dénivellation** : 1 468 m.
- **Difficulté** : PD.

- **Horaire** : montée : 5-6 h, descente : 1 h.
- **Période favorable** : mars à mai.
- **Point de départ** : pont à Klussmatten (1 800 m), près d'Engiloch (1 791 m) sur le versant S du Col du Simplon.
- **Cartographie** : Carte nationale suisse 1/50 000, feuille n° 274 Visp, ou C.N.S. 1/25 000, feuille n° 1309 Simplon.
- **Matériel** : couteaux ; crampons utiles en fin de saison.
- **Itinéraire** : il est possible de garer sa voiture près d'Engiloch (1 791 m) et de rejoindre facilement le pont et Klusmatten (1 823 m). On peut aussi descendre à skis depuis l'hospice du Simplon (1 997 m) jusqu'à Niederalp (1 815 m) où se trouve également un pont. Traverser l'un de ces ponts puis le faux plat qui suit en direction SW ou S. Remonter la grande pente qui tombe du point 2623, au nord du Schilthorn (2 794,8 m). On grimpe tout d'abord jusqu'au replat de Weissboden (2 100 m environ), puis jusque sous la barre de rochers au sud. Attaquer le ressaut vers 2 200 m par une traversée ascendante raide de gauche à droite. Une petite combe moins abrupte continue à droite vers le Sirwoltensattel (2 621 m). On peut la suivre et revenir à gauche plus haut vers le lac W des Sirwolteseen (2 436 m), mais, si la neige est stable, on peut monter directement au lac (E) (2 420 m). Traverser ce dernier en direction S puis escalader la pente raide au-dessous de la barre de séracs en se tenant bien à droite. Contourner par la gauche un affleurement rocheux, vers 2 550 m, et grimper tout droit dans la ligne de pente, jusqu'au moment où l'on peut revenir à droite vers la selle neigeuse au sud-est du point 2820. Par le point 2892, gagner, en appuyant à gauche, l'arête E du Böshorn (3 267,6 m) et terminer l'ascension par la crête.

Descente : par le même itinéraire, plus ou moins près des traces de montée suivant l'état de la neige. Une variante intéressante en neige de printemps consiste à remonter depuis le lac E de Sirwoltesee (2 420 m) jusqu'au petit col à l'est, entre le point 2623 et le Schilthorn. On traverse ce col (2 590 m environ) pour descendre à l'est puis au sud par Rossbodenalp jusqu'à Simplon-village (1 476 m).

Remarque : les cotes et quelquefois les noms varient entre les cartes au 1/25 000 et celles au 1/50 000. Ces variations proviennent du fait que les premières reproduisent la prononciation des noms locaux et que leurs cotes ont été vérifiées très récemment. Cotes et noms cités ici sont en principe ceux de la carte au 1/50 000, utilisée plus couramment.

Le Böshorn et son versant N (page ci-contre).
Denis Bertholet au Böshorn (ci-contre).

43. SEEHORN 2 437,6 m

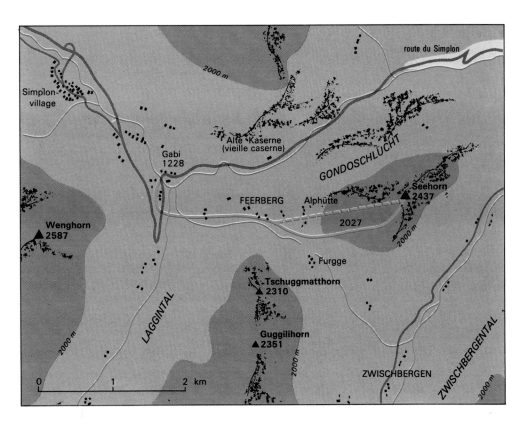

De Simplon-village (1 476 m) ou du grand viaduc de la nouvelle route internationale, au sud-est du village, on aperçoit très bien, dans le prolongement de la vallée, la selle régulière de Furgge (1 871 m). Celle-ci, flanquée à droite du Tschuggmatthorn (2 310,4 m) et à gauche du Seehorn (2 437,6 m), donne directement accès aux chalets éparpillés de Zwischbergen, à la petite chapelle et au restaurant de Bord (1 356 m). Le Seehorn, un peu caché, se présente, d'un peu plus en aval, dans toute sa hauteur. Le beau triangle blanc de son versant SW, appuyé nonchalamment sur l'à-pic rocheux de sa face N, pointe alors sa cime contre le ciel bleu de l'Italie toute proche. Le Seehorn forme le point culminant d'une fantastique pyramide à trois côtés. Deux sont rocheux et tombent à pic dans les gorges de Gondo et du Zwischbergental. La première est profonde de 1 400 m, la seconde de 1 200 m, et l'impression de vide est très forte lorsque l'on se trouve au sommet de la pyramide, tout en haut de la belle pente de neige du versant SW. Ce dernier, le seul praticable à skis du reste, est assez raide dans le haut pour requérir un peu d'attention et de prudence. Son orientation et la structure de son sol facilitent la stabilisation de la neige. Pourtant, après une chute de fraîche, le danger de plaque à vent est grand, car la sous-couche est sûrement dure, gelée, et n'offre que peu d'adhérence à la nouvelle neige. Il faut alors se méfier des pentes concaves et choisir de préférence le sommet des bosses, dégarni par le vent.

La descente des pentes S jusque dans le Zwischbergental par bonne neige de printemps

est de toute beauté, mais la petite route qui rejoint Gondo est fastidieuse. Celle-ci est cependant ouverte assez tôt et, si l'on peut aller en voiture jusqu'à la hauteur du petit lac artificiel, la course par ce versant est aussi très payante. Il faut cependant se renseigner à Gondo, chez les douaniers suisses, ou auprès des employés de l'usine électrique.

Plus tôt dans la saison, lorsque la neige n'est pas encore transformée, on fera plus volontiers cette ascension au départ de Gabi (1 228 m), avec retour par le même versant. La route de Simplon-village est praticable toute l'année et celle du col n'est fermée que lors de fortes chutes de neige. L'accès à Gabi est donc très facile et l'on peut loger à Gondo, Gabi, Simplon-village, ou même au col, chez les moines de l'hospice, ou à l'hôtel.

- **Dénivellation** : 1 210 m.
- **Difficulté** : PD.
- **Horaire** : montée : 4-5 h; descente : 1 h.
- **Période favorable** : décembre-avril.
- **Point de départ** : Gabi (1 228 m), sur la route du Simplon.
- **Cartographie** : Carte nationale suisse 1/50 000, feuille n° 274 Visp, ou C.N.S. 1/25 000, feuille n° 1309 Simplon.
- **Matériel** : couteaux.
- **Itinéraire** : il existe un pont sur le Lagginbach tout près de Gabi (1 228 m), mais on lui préfère celui qui se trouve 300 m en amont, presque en face du petit torrent qui descend de Furgge. Traverser ce ruisseau vers 1 340 m et en remonter la rive droite par Feerberg. Un peu avant le col de Furgge (1 871 m), retraverser le ruisseau et rejoindre le col par une combe, en partie boisée, sur la rive gauche. Au col, tourner à gauche pour grimper dans les bois très clairsemés, en direction (E-NE) d'un petit lac (2 027 m). Appuyer à droite pour gagner le sommet (2 437,6 m) par les pentes situées au sud.
Descente : on peut suivre les traces de montée ou prendre le long de l'arête W, puis plonger directement vers le petit lac cité plus haut (2 027 m). Peu avant le replat de celui-ci, traverser à droite pour enfiler un couloir qui descend dans la forêt vers Alphütte (1 878 m), puis Feerberg où l'on rejoint l'itinéraire de montée.

A la descente, on donne libre cours à sa fantaisie (page ci-contre).
Donald. La neige est bonne, l'avez-vous goûtée ? (ci-contre).

44. BREITHORN 3 436 m
Simplon

L'ascension du Monte Leone (3 553,4 m), le plus haut sommet facilement accessible du Col du Simplon, est, à juste titre, la course la plus réputée de toute cette région. Cependant, la plupart des skieurs s'arrêtent au Breithornpass (3 360 m) et, de plus, le point culminant du Monte Leone ne s'escalade qu'à pied, souvent en crampons, après un parcours horizontal de près de 2 km. Pour toutes ces raisons, je pense que l'ascension du Breithorn (3 436 m), moins connue mais que l'on effectue skis aux pieds, est plus payante pour les skieurs, même si la cime est plus basse de 117 m.

Du Breithorn, trois descentes principales sont réalisables, avec de nombreuses variantes, au gré de la fantaisie des skieurs. La plus fréquentée d'entre elles est certainement celle qui ramène au point de départ, le Col du Simplon (2 005 m), ou mieux, directement à Schallbett (1 933 m), de l'autre côté des galeries de protection de la route. Une descente moins courue mais pourtant très intéressante, car elle se déroule dans un cadre tout différent, est celle qui conduit par Alpjen (1 600 m) à Alte Kaserne (1 160 m), dans les gorges de Gondo. Enfin, par bonne neige de printemps, la plongée par le Hohmattpass (2 872 m) sur Eggen (1 588 m) est absolument fantastique avec ses pentes raides orientées S puis SW. Ces trois itinéraires aboutissent au bord de la route internationale du Simplon, pratiquement ouverte toute l'année à la circulation, et il est judicieux d'aller mettre une voiture au point d'arrivée, ce qui facilite le retour. Cependant, il est aussi possible de remonter au col par le confortable autobus postal qui fait le trajet quelques fois par jour.

Le panorama du Breithorn (3 436 m) est presque aussi beau que celui du Monte Leone (3 553,4 m). Il lui manque seulement la vue sur la vallée italienne de l'alpe Veglia, mais il offre au contraire un meilleur coup d'œil sur tous les itinéraires imaginables, du Fletschhorn (3 996 m) au Sirwoltesattel (2 621 m). Du Bietschhorn (3 934,1 m) au Finsteraarhorn (4 273,9 m), au nord, les Alpes bernoises étalent leur longue mâchoire glacée où pointe la formidable canine centrale de l'Aletschhorn (4 195 m).

- **Dénivellation** : montée : 1 430 m ; descente : 1 500 m.
- **Difficulté** : PD.
- **Horaire** : 5-6 h ; descente : 1 h.
- **Période favorable** : avril-juin.
- **Point de départ** : Col du Simplon (2 005 m).
- **Point d'arrivée** : Schallbett (1 933 m).
- **Cartographie** : Carte nationale suisse 1/50 000, feuille n° 274 Visp, ou C.N.S. 1/25 000, feuilles nᵒˢ 1289 Brig et 1309 Simplon.
- **Matériel** : couteaux, corde, piolet.
- **Itinéraire** : entre Brig et Simplon-village, de

nombreux hôtels et pensions, de toutes caté-
gories, offrent un logement de qualité et, avec
la voiture, on rejoint très facilement le Col du
Simplon (2 005 m). On peut aussi s'adresser à
l'hospice du Simplon (1 997 m), qui dépend de
celui du Grand Saint Bernard, et qui héberge
souvent de grandes colonies de jeunes ou d'étu-
diants. Lorsqu'ils ont de la place, les chanoines se font un plaisir d'accueillir aussi des
touristes, mais il est prudent et nécessaire de
téléphoner à l'avance pour s'annoncer.

Du col, suivre tout d'abord, en direction SE, le
tracé du petit téléski, puis monter le long de
la croupe qui prolonge, vers le bas, l'arête NW
de l'Hübschhorn (3 192 m). Franchir cette crête
par une courte descente oblique, près du
point 2363, gros bloc noir bien visible au pied
des rochers de l'arête. Traverser un large et
raide couloir qui longe les rochers tombant de
l'arête NW, et grimper les pentes plus larges à
l'est jusqu'à une première terrasse (2 500 m
environ). Passer sur le deuxième replat (2 600 m
environ) par la crête d'une petite moraine. Revenir à droite (S puis SE) pour monter vers le Hohmattpass (2 872 m) (C.N.S. 1/25 000 : 2 867 m).
On peut laisser ce col légèrement sur la droite
et poursuivre vers l'est par une petite combe.
Appuyer à gauche (NE) pour traverser le Hohmatten Gletscher jusque tout près de sa rive
droite, puis reprendre la direction E, tout droit
vers le Breithornpass (3 360 m environ). Tourner à angle droit vers la droite (S), passer horizontalement une première combe, puis escalader (SW) la coupole neigeuse qui marque le
sommet du Breithorn (3 436 m).

Descente : suivre plus ou moins les traces de
montée jusque vers 2 600 m. Le Hohmatten
Gletscher ne comporte pas beaucoup de crevasses et l'on évite facilement les plus grosses
d'entre elles, en général bien visibles. Dès 2 600 m,
traverser un peu à droite et descendre directement dans la pente, à droite du point 2415,6.
Appuyer vers la droite pour suivre, jusqu'aux
premiers arbres, une grande croupe qui borde
la gorge du torrent du Kaltwassergletscher.
Franchir une petite crête où poussent quelques
arbres clairsemés et longer la rive gauche de
cette petite gorge. Vers 2 020 m, traverser le torrent à droite et rejoindre le toit des galeries, le
plus loin possible à droite. Au bout des galeries on est à Schallbett (1 933 m), où se trouvent un café-restaurant, des places de stationnement et un arrêt de l'autobus postal.

*Le sommet du Breithorn
(page ci-contre).
Descente du Hohmattugletscher
(ci-contre).*

45. ROFFELHORN 3 563 m
sommet ouest

Les Roffelhörner ou Cresta di Roffel comprennent les sommets peu marqués, à l'est du Schwarzberg-Weisstor (3 609,0 m). Ils forment le tiers le plus élevé de la très longue arête frontière qui s'abaisse du Schwarzberg au Col du Monte Moro (2 868 m), près de 6 km. Vues du Schwarzberggletscher ou même du côté italien du Roffel, ces pointes sont insignifiantes et peu marquées. Pourtant ces « bosses », dédaignées par la plupart des alpinistes, proposent une journée de course très intéressante pour les skieurs. D'une part, le vaste cadre glaciaire, dominé par la face E du Strahlhorn (4 190,1 m), crée une ambiance justifiée de haute montagne. D'autre part, l'arrivée au sommet permet de découvrir l'une des vues les plus impressionnantes des Alpes, l'abîme de 2 000 m qui tombe dans la vallée de Macugnaga (1 307 m) et l'immense, la formidable paroi E du Mont Rose. La descente du Roffelhorn W (3 563 m) au barrage de Mattmark (2 203 m) offre de surcroît un parcours de toute beauté, une dénivellation de 1 350 m sur un glacier large, orienté N-NE, puis des combes où l'on peut chercher la meilleure neige. Enfin, ce qui ne gâte rien, on peut parquer sa voiture au barrage (2 203 m), dès l'ouverture de la route ou près du pont d'Eiu Alp (1 871 m),

où l'on arrive à skis, plus tôt dans la saison. On peut gravir les Roffelhörner, sommet E (3 478,3 m), au départ de trois endroits différents et même quatre si l'on compte la traversée de la cabane Bétemps (2 795 m) par le Stockhornpass (3 394 m) et le Schwarzberg (3 609,0 m) à Mattmark. La cabane Britannia (3 030 m) est le point le plus facilement atteignable depuis la vallée de Saas. On peut alors gagner, presque en ligne droite vers le sud - sud-ouest, le Hangende Gletscher Joch (3 306 m), descendre sur le Schwarzberggletscher, à 2 850 m environ, et remonter ce glacier jusqu'au sommet (5 h).

En venant d'Italie, le Rifugio Citta di Malnate (2 810 m) au Col du Monte Moro est relié à Macugnaga, Staffa (1 307 m), par un téléphérique. Du refuge, on traverse le Monte Moro (2 984,5 m) à pied jusqu'à la Bochetta di Galkerne (2 906 m), puis on continue à skis dans le versant suisse (N) sur les glaciers de Seewjinen et du Schwarzberg (4 h). Cependant, l'endroit le plus approprié pour commencer cette excursion me paraît être le barrage de Mattmark. La route y est ouverte dès mi-mai, et l'on retrouve son véhicule au retour. Cela permet d'effectuer la course dans la journée et de rentrer à Saas Almagell le soir ou alors de camper aux abords

du barrage en vue d'une autre ascension. Le seul inconvénient des courses dans la belle région de Mattmark provient du mauvais entretien du tunnel de la route de la rive gauche du lac. La société électrique exploitante ne fait guère d'efforts pour maintenir les entrées du tunnel ouvertes et il faut absolument se munir d'une pelle et d'un piolet. En outre, l'intérieur est souvent transformé en une véritable patinoire car il semble qu'aucun drainage n'ait été posé sur les bas-côtés. Il s'agit peut-être aussi du manque d'écoulement, lorsque l'entrée aval est bouchée par la neige, et je pense que la commune d'Almagell devrait insister davantage pour que cet accès soit maintenu en bon état. Le haut bassin de Mattmark avec ses vallons solitaires et ses glaciers débonnaires mérite vraiment d'être mieux connu et mieux mis en valeur. On peut même souhaiter qu'un jour un local d'hiver soit disponible au restaurant du barrage ou que la petite cabane privée de Distelalp (2 238 m) soit ouverte au public.

- **Dénivellation** : 1 360 m du barrage de Mattmark (2 203 m) ; 1 700 m depuis la route au-dessous d'Eiu Alp (1 860 m environ).
- **Difficulté** : PD.
- **Horaire** : du barrage au sommet : 5 h (compter 1 h 30 de plus depuis Eiu Alp) ; descente : 45 mn-1 h 30 suivant les conditions.
- **Période favorable** : mai et juin.
- **Point de départ** : barrage de Mattmark (2 203 m).
- **Cartographie** : Carte nationale suisse 1/50 000, feuille n° 284 Mischabel, ou C.N.S. 1/25 000, feuilles nos 1329 Saas, 1348 Zermatt, 1349 Monte Moro. Excellent assemblage touristique de Saas Fee au 1/25 000.
- **Matériel** : couteaux, piolet, corde, pelle.
- **Itinéraire** : au-dessus de Saas Almagell (1 673 m), la route est ouverte toute l'année jusqu'à l'usine électrique de Zer Meiggeru (1 740 m). Au printemps on peut aller parfois 2 km plus loin, jusqu'au-dessous d'Eiu Alp. Si la route est toujours fermée, on laisse la voiture un peu avant le pont et l'on poursuit à pied le long du tracé de la route, sur la rive gauche de la Vispa. Après le point 2033, continuer tout droit jusqu'au mur du barrage dont on suit la base vers la droite. Passer près du restaurant du lac, fermé en hiver, et gagner l'ancrage W. Si la route est ouverte, on peut parquer la voiture près du restaurant. Prendre la route de la rive gauche (W) et, après 200 m, pénétrer dans le tunnel. L'ouverture est souvent bouchée par de la neige, parfois très dure le matin ; ne pas oublier sa pelle en plus du piolet. Après le tunnel, la route traverse un torrent puis bifurque. On peut escalader le névé raide dans le lit du ruisseau et gagner Schwarzbergalp (2 372 m)

d'où l'on rejoint la rive gauche du Schwarzberg-gletscher vers 2 750 m, puis l'on grimpe pratiquement tout droit vers le sommet du Roffelhorn W (3 563 m). C'est l'itinéraire le plus direct. De la bifurcation, 300 m après le tunnel, on peut aussi suivre le tracé de la route supérieure et rallier la grande combe qui monte en tournant vers le bas du Schwarzberggletscher. Remonter cette dépression et prendre pied sur le glacier par la gauche, vers 2 700 m. Continuer par la rive droite jusque peu avant le Grüenbergsattel (3 048 m). Appuyer alors franchement à main droite (SW) pour rejoindre l'itinéraire précédent. Dès 3 200 m, il faut effectuer un mouvement tournant vers la droite pour éviter la barre de séracs et quelques grosses crevasses. On atteint le sommet par sa large arête W.

Descente : suivre plus ou moins les traces de montée. En fin de saison, l'itinéraire de la rive droite du glacier est mieux enneigé et l'on rejoint facilement la route au point 2334. Un talus de neige résiduelle encombre en général la moitié amont de la route et permet de glisser jusqu'au tunnel. Si l'on doit descendre à skis jusqu'à Eiu Alp, il est préférable de suivre, dès le point 2033, la rive droite où la neige reste plus longtemps. Prendre l'ancien chemin quelques dizaines de mètres au-dessus du pont coté 2033.

Les Roffelhörner se situent entre le Mont Rose, à gauche, et le Strahlhorn (page ci-contre). On enchaîne, on enchaîne, inlassablement... (ci-contre).

46. PLATTHORN 3 246,2 m

La Carte nationale suisse mentionne, en Valais, un Plattenhorn (3 324 m), au-dessus de Saas Almagell, un Platthorn (3 344 m), point culminant de toute une crête rocheuse appelée Platthörner dans la région de Zermatt et enfin, le Platthorn qui nous intéresse (3 246,2 m), au-dessus de Grächen. Aucun de ces trois sommets ne figure dans les guides d'excursions à skis et, si cela est compréhensible pour deux d'entre eux, ce l'est moins pour le Platthorn de Grächen. En effet, son magnifique versant W, abrupte pente blanche, large d'un kilomètre et haute d'autant, aurait dû attirer l'attention des skieurs. Peut-être que les fervents de Sankt Niklaus l'avaient déjà remarquée et parcourue bien avant le développement de la station de Grächen, mais ils n'en parlèrent pas aux rédacteurs de cartes et de guides spécialisés. En outre, des champs de neige aussi inclinés ne sont à la mode que depuis une vingtaine d'années et ceux du Platthorn ne sont, de plus, pas visibles de la vallée. Pour les découvrir, il faut monter à la cabane Bordier (2 886 m), peu fréquentée en hiver, ou parcourir le Jungtal plus ignoré encore. A l'heure actuelle, les gens de Grächen ont mis à la portée des skieurs les champs du Seetalhorn (3 037 m) et du Gabelhorn (3 136 m). Cela permet aux mordus du « hors piste » de profiter des deux tiers inférieurs des superbes pentes W du Platthorn. Ce dernier constitue de plus un belvédère intéressant sur les massifs du Balfrin, tout proche, du Fletschhorn, à l'est, avec ses vastes cuvettes de Mattwald et de Gruben ou, à l'ouest, celui du Bruneggorn.

Pour l'amateur de randonnées, une descente peu pratiquée mais de toute beauté permet de dévaler du point culminant du Platthorn (3 246,2 m) jusqu'à Huteggen (1 249,9 m), soit près de 2 000 m de dénivellation. Avec les installations de Grächen, il est maintenant facile d'atteindre la cime en une heure, ce qui représente un effort minime pour un sommet offrant de si bonnes possibilités. En plus de la descente décrite plus loin, on peut en effet plonger dans le versant NE du Seetal et ne rejoindre le torrent de Schweibbach qu'à Färich (2 043 m) ou emprunter le couloir W qui tombe de la Färichlicke (2 885 m) sur le glacier de Ried puis gagner Gasenried (1 659 m) par la rive droite du Riedbach. De la Färichlicke, on peut encore atteindre la cabane Bordier (2 886 m) en descendant sur le Färichgletscher puis en traversant la brèche de Gässi (3 044 m) et le col (3 146 m) au sud-est du Klein Bigerhorn (3 188 m). Par cet itinéraire on rejoint la cabane en 2 h-2 h 30 depuis le télésiège du Gabelhorn, ce qui facilitera certainement l'ouverture de toute la région du Balfrin-Nadelhorn au ski de printemps.

- **Dénivellation** : montée : 380 m ; descente : 1996 m.
- **Difficulté** : PD.
- **Horaire** : montée : 1 h 30 ; descente : 1-2 h.
- **Période favorable** : mars-avril. Les années de bon enneigement, déjà praticable en janvier-février. Possible en mai mais avec montée à pied depuis Gasenried (1 659 m) (5-6 h).

- **Point de départ** : station supérieure du télécabine du Seetalhorn (2 865 m), hors service au mois de mai.
- **Point d'arrivée** : Huteggen (1 249 m).
- **Cartographie** : Carte nationale suisse 1/50 000, feuille n° 274 Visp, ou C.N.S. 1/25 000, feuille n° 1308 St Niklaus.
- **Matériel** : couteaux, pas indispensables.
- **Itinéraire** : de la station de Grächen (1 618 m), prendre les premières bennes de la télécabine du Seetalhorn jusqu'à la station supérieure (2 865 m). On pourrait même monter encore par le télésiège du Gabelhorn jusqu'à 2 900 m, mais, s'il ne fonctionne pas tôt le matin, on ne gagnera pas de temps. De la station supérieure de la télécabine, partir vers le sud-ouest, passer sous le télésiège et continuer en direction S puis SE en montant légèrement jusqu'à l'arête S du Platthorn. On rejoint cette crête vers 3 050 m environ et on la suit jusqu'au sommet (3 246,2 m).

Descente : partir par le versant SW jusqu'à la Färichlicke (2 885 m) puis franchir ce col et rejoindre le glacier homonyme vers 2 700 m. Si la pente sommitale SE est en bonnes conditions, on peut quitter l'arête S peu au-dessous du point culminant, aux alentours de la courbe de niveau 3140 et plonger dans ce versant superbe, directement jusqu'au glacier de Färich 450 m plus bas. Poursuivre par le Färichgletscher jusqu'à sa jonction avec la combe qui vient du Balfringletscher. La gorge devient plus étroite pendant un court instant puis elle s'ouvre à nouveau vers le replat de Färich (2 043 m). Descendre la rive droite du Schweibbach jusque vers 1 800 m et traverser alors, à gauche (NE), vers les chalets supérieurs de Schweibu (1 760 m environ). Suivre la crête jusqu'aux chalets inférieurs (1 679,3 m) et bifurquer à gauche (NW) pour continuer par le tracé du sentier estival. Le parcours qui suit, en forêt, n'est pas facile du tout si la neige est mauvaise. On débouche sur la route de la vallée de Saas 250 m environ en amont de Huteggen (1 249,9 m), arrêt des cars postaux.

Le Platthorn est situé tout à droite,
juste avant la pyramide du Weisshorn,
à gauche le massif des Mischabel
(page ci-contre).
La Färichlicke (ci-contre).

47. PETIT BLANCHEN 3592 m

Aouille Tseuque

Petit Blanchen

Grand Chamen

Le Petit Blanchen (3 592 m) souffre évidemment de la proximité de son grand frère. Il n'est au fond qu'un ressaut de l'arête SW du Grand Blanchen (3 678,7 m). Mais il est situé à un endroit où l'arête fait un coude vers l'ouest, et il est encadré par deux pentes de neige qui montent quasiment jusqu'à sa crête sommitale. C'est pourquoi il a été baptisé du nom de Petit Blanchen sur la carte au 1/25 000 (C.N.S.). Son accès est assez facile bien que les pentes NW et SE soient assez raides. De plus celle du côté suisse est barrée par quelques crevasses, importantes parfois. Malgré cette relative facilité, le Petit Blanchen n'est pas une course très fréquentée. Le petit bivouac fixe italien (2 973 m) n'est qu'un tonneau de quatre places et le refuge-bivouac de l'Aiguillette (3 175 m) est situé très loin des villages habités.

On peut gravir le Petit Blanchen à skis dans la journée, au départ de Chamen (1 715 m), lieu-dit sur la route du barrage de Place Moulin en Valpelline, au pied de la Combe du Grand Chamen. Cette manière de faire est excellente mais la montée comporte 6 ou 7 heures de marche et, de ce fait, elle est réservée aux skieurs-alpinistes très entraînés. S'ils disposent de deux jours, ces derniers peuvent combiner l'ascension du Petit Blanchen avec celle de l'Aouille Tseuque (3 554 m). Le premier jour on escalade le Col d'Otemma (3 209 m) par le Grand Chamen et la Combe de Sassa. Le col est raide et nécessite l'emploi des crampons, parfois même de la corde. Au pied de la pente escarpée qui conduit à la coupole sommitale faire un dépôt des sacs. Gagner le refuge-bivouac de l'Aiguillette (3 175 m), 12 places, au retour du sommet. Cette escalade entraîne un détour supplémentaire de 1 h 30-2 h. Le lendemain, on traverse le Petit Blanchen en remontant le glacier du même nom.

Au sommet, on a une belle vue sur le bas du glacier d'Otemma et sur les sommets qui l'entourent. Dans le fond, le massif du Grand Combin domine toutes les montagnes environnantes de près d'un demi-kilomètre. Vers le nord-est la vue est un peu masquée par le Grand Blanchen et la Singla, mais, par-delà les crêtes de la Becca Vannetta, on aperçoit, en enfilade, le Cervin qui guigne par-dessus l'épaule de la Dent d'Hérens et, plus loin encore, le massif du Mont Rose. Vers le sud, au-delà des premières

crêtes et de la profonde échancrure de la Valpelline, la belle pyramide de la Becca de Luseney (3 504 m) excite la convoitise des alpinistes.

- **Dénivellation** : 1 875 m.
- **Difficulté** : PD +.
- **Horaire** : montée : 6-7 h; descente : 1-2 h.
- **Période favorable** : mars à juin.
- **Point de départ** : Chamen (1 715 m).
- **Cartographie** : Carte nationale suisse 1/50 000, feuilles n⁰ˢ 283 Arolla et 293 Valpelline, ou C.N.S. 1/25 000, feuilles n⁰ˢ 1347 Matterhorn et 1366 Mont Vélan. Pour la variante par le Col d'Otemma, la feuille n⁰ 1346 Chanrion est nécessaire.
- **Matériel** : couteaux, piolet, corde. Crampons pour la variante par le Col d'Otemma.
- **Itinéraire** : la route du barrage de Place Moulin est ouverte tout l'hiver sauf en cas de danger important d'avalanches. Du point 1715, où l'on laisse les voitures, remonter le chemin d'été des pâturages du Grand Chamen (2 018 m).

Poursuivre par le vallon de cet alpage puis tourner à droite dans la Combe de Sassa qui grimpe par le glacier du même nom, vers le col (3 256 m), sans nom sur les cartes. Bifurquer à gauche pour escalader, en arc de cercle de droite à gauche, la pente qui conduit aux rochers de l'arête terminale.

Descente : suivre le même itinéraire. La rive gauche du glacier de Sassa reste souvent en neige poudreuse très longtemps alors que la rive droite permet de trouver de la neige de printemps. Depuis le Grand Chamen (2 018 m), obliquer à main droite pour descendre la forêt qui borde le torrent. Celui-ci est habituellement recouvert de débris d'avalanches et offre une langue de neige skiable tard dans la saison.

Peu de crevasses, mais attention tout de même (page ci-contre).
La Combe de Sassa et, à gauche, le Petit Blanchen (ci-dessous).

48. MONT AVRIL 3 346,9 m

Le Mont Avril (3 346,9 m), dont le « l » ne se prononce ni en patois du val de Bagnes, ni dans celui du val d'Ollomont, n'a rien à voir avec le mois d'avril. Il tire son nom, d'après les études de toponymie alpine de Jules Guex, du latin *Mons apricus,* « Mont ensoleillé ». En effet, vue des pâturages de Chanrion, sa face E reçoit les premiers rayons du matin et, pour les bergers italiens du versant S, cette pyramide frontière est le point culminant d'une conque blanche qui ruisselle littéralement de soleil.

Un petit sentier zigzague en été le long de l'arête frontière (SE) du Mont Avril et ce magnifique belvédère est fréquenté, entre autres, par les touristes qui « font » le tour du Grand Combin. En hiver, en revanche, ce joli sommet n'est pas gravi très souvent. Les skieurs qui parcourent la haute route dans le sens Zermatt-Chamonix passent très fréquemment par la Fenêtre de Durand (2 805 m), mais, pressés de goûter les délices de la vallée d'Aoste, ils négligent cette ascension de 2 h. Ils perdent ainsi un splendide coup d'œil sur tout le versant S du Grand Combin et le haut de la vallée de Bagnes. En outre, la descente, souvent en excellente neige de printemps, est raide et très payante.

Pour les très bons skieurs, on peut signaler une descente intéressante de l'arête E, sur une centaine de mètres, puis du versant N. A 2 740 m, cet itinéraire rejoint celui de la haute route venant de la cabane de Valsorey par le Plateau du Couloir et le Col du Sonadon. Difficile.

● **Dénivellation** : 1 100 m entre la Drance de Bagnes et le sommet. 210 m de la Drance à la cabane de Chanrion.

● **Difficulté** : PD + .

- **Horaire** : montée : de la rivière au sommet : 4-5 h, de la rivière à la cabane de Chanrion : 45 mn ; descente : du sommet à la rivière : 1 h environ, de la cabane 15 mn jusqu'à la rivière.
- **Période favorable** : mars à juin.
- **Point de départ** : cabane de Chanrion (2 462 m).
- **Cartographie** : Carte nationale suisse 1/50 000, feuilles n°ˢ 283 Arolla et 293 Valpelline, ou C.N.S. 1/25 000, feuilles n°ˢ 1346 Chanrion et 1366 Mont Vélan.
- **Matériel** : couteaux ; éventuellement piolets, crampons, cordes.
- **Itinéraire** : de la cabane de Chanrion (2 462 m), descendre, aux premières lueurs de l'aube, jusqu'au bord de la Drance (2 250 m). Partir devant la cabane en direction S, puis obliquer à gauche (SE) pour passer près de la bâtisse cotée 2337 et, toujours vers la gauche, glisser jusqu'au replat précédant la berge. La traversée du torrent peut être un problème si les employés du barrage font fonctionner le « désableur » de la prise d'eau, en amont. Cela est heureusement assez peu fréquent.

Coller les peaux de phoque et remonter la combe jusqu'à la Fenêtre de Durand, col frontière à 2 805 m. Fixer les couteaux, la neige est parfois très dure dans le haut, et grimper jusqu'à un petit replat (2 800 m environ). Une petite combe s'ouvre à droite, la remonter puis escalader la pente raide en quelques zigzags et revenir sur l'arête frontière aux alentours de 3 160 m. Si la neige est vraiment trop dure, chausser les crampons dès le haut de la petite combe, près des rochers cotés 3011.

Descente : le versant E de l'arête se ramollit le premier et on peut l'emprunter normalement dès le sommet. A la hauteur du point 3011, continuer à gauche dans la belle pente qui descend directement sur les moraines du glacier de Fenêtre. Si l'on recherche de la neige poudreuse, on peut alors traverser le glacier et longer le pied de la muraille qui relie le Mont Gelé (3 518,2 m) à la Pointe d'Ayace (3 019,4 m). Autrement, suivre la rive gauche, le long des traces du matin. Le retour à la cabane de Chanrion depuis la Drance de Bagnes prend environ 45 mn.

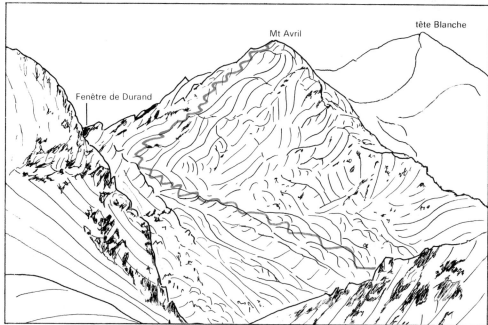

A droite du Mont Gelé, le Mont Avril (page ci-contre).
Le Mont Avril vu de la cabane Chanrion (ci-dessus).

49. BRUNEGGHORN 3833 m

De St Niklaus (1 116 m), le Brunegghorn (3 833 m) apparaît sous son meilleur jour. Sa belle face N, glaciaire, s'élance comme une flèche de cathédrale gigantesque, très haut dans le ciel, 2 700 m au-dessus des toits. Du balcon de Grächen (1 619 m), sur la rive droite de la Viège, Vispa en allemand, sa pyramide élancée n'a déjà plus la même importance. L'imposant Weisshorn (4 505,5 m), flanqué de son acolyte le Bishorn (4 153 m), montre de larges épaules, écrasant un peu le Brunegghorn de sa présence paternaliste. Et il est de fait que, lorsqu'on est sur le glacier de Tourtemagne, le Brunegghorn n'a plus l'air que d'une simple bosse de neige qui en termine la partie supérieure.

Le skieur-alpiniste trouvera pourtant une grande satisfaction à escalader son sommet car la course se déroule dans un cirque à caractère très alpin. Le glacier de Tourtemagne est très tourmenté, surtout en ce qui concerne sa branche W qui tombe en deux cascades de séracs magnifiquement verts. Sa branche E, dénommée sur les nouvelles cartes « Brunegggletscher », avec trois « g » s'il vous plaît, est presque aussi spectaculaire vue de la cabane de Tourtemagne (2 519 m), mais elle apparaît comme beaucoup plus calme lorsque l'on

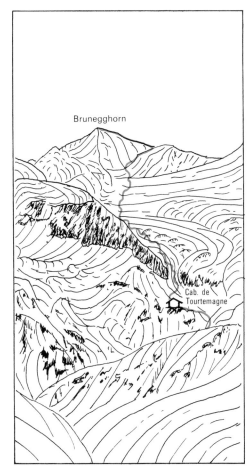

s'élève un peu. Le versant E des Diablons (3 609 m), tout bardé de glaciers suspendus, ne cède en rien en sauvagerie à la longue face NE qui s'étire du Stierberg (3 506,6 m) au Bishorn (4 153 m). De plus, l'arrivée au sommet du Brunegghorn, au flanc d'une pente bien raide, à gauche, et le long d'une série de corniches inquiétantes, à droite, laisse toujours une impression durable. On a la sensation d'avancer sur un balcon qui va en s'étrécissant et qui, de plus en plus, surplombe un abîme sans fond. On ne découvre la vallée, tellement encaissée, qu'en parvenant à la cime. Par-delà le sombre sillon de celle-ci, la brillante couronne des Mischabel pointe ses joyaux de plus de 4 000 m dans le ciel bleu et, en arrière-plan, le massif du Mont Rose semble se draper dans ses longs châles glaciaires.

- **Dénivellation** : 1 314 m.
- **Difficulté** : PD +.
- **Horaire** : 4 h 30-5 h ; descente : 1 h.
- **Période favorable** : fin mars à juin.
- **Point de départ** : cabane de Tourtemagne (2 519 m).
- **Cartographie** : Carte nationale suisse 1/50 000, feuilles n⁰ˢ 274 Visp et 284 Mischabel, ou C.N.S. 1/25 000, feuilles n⁰ˢ 1308 St Niklaus et 1328 Randa.

- **Matériel** : couteaux, piolet, corde, crampons.
- **Itinéraire** : on gagne la cabane de Tourtemagne (2 519 m) par la route d'Oberems (1 341,5 m) que l'on atteint aussi en téléphérique depuis le village de Tourtemagne dans la vallée du Rhône. La montée à la cabane, très fastidieuse, prend 7-8 h. La manière la plus facile de rejoindre la cabane de Tourtemagne est d'utiliser les remontées mécaniques de Saint Luc, val d'Anniviers, et de descendre à Gruben (1 829 m) par le Pas du Bœuf (2 817 m), ou le Meidpass (2 790 m). De Gruben à la cabane, il faut compter environ 4 h. En fin de saison, lorsque les installations de Saint Luc sont arrêtées, la route d'Oberems à Gruben est généralement bien dégagée.

De la cabane de Tourtemagne, traverser la pente raide, presque horizontalement, en direction SE, pour atteindre le pied d'un couloir raide, appelé Gässi sur la carte. Escalader ce couloir, en crampons lorsque la neige est dure, puis gagner la moraine du glacier. Remonter la combe à droite et prendre pied sur le Bruneggletscher au-dessous du point 3071,9. Suivre la rive droite du glacier, en évitant quelques crevasses, pour parvenir au pied de la face NW du Brunegghorn. Prendre la combe qui monte

entre ce sommet et le point 3671. Une barre de séracs encombre le passage et on la franchit généralement à gauche, presque à l'aplomb du sommet. En cas d'impossibilité, il faut faire un détour par la droite, passer sous le Bisjoch (3 543 m), et grimper dans le versant NW à partir du point 3671. Après la selle neigeuse, une petite bosse de l'arête S-SW, cotée 3702 sur la C.N.S. 1/25 000, permet de faire une halte au pied de la dernière pente. Si celle-ci est en glace, chausser les crampons et monter à pied ; si elle est en neige, on peut l'escalader à skis en ne se tenant pas trop près de l'arête à cause des corniches.

Descente : suivre le même itinéraire. La première pente se négocie avec prudence car la face NW a tout de même 300 m de hauteur. De bons skieurs peuvent descendre sans autre difficulté le passage de Gässi, si la neige est ramollie, mais ceux qui ne sont pas sûrs feront bien d'installer une corde fixe et de déraper une centaine de mètres en se tenant à celle-ci.

Le versant N du Brunegghorn (page ci-contre). Les Mischabel et, à droite, le Brunegghorn vus de l'Omen Roso (ci-dessus).

50. DENT D'HÉRENS 4075 m
épaule est

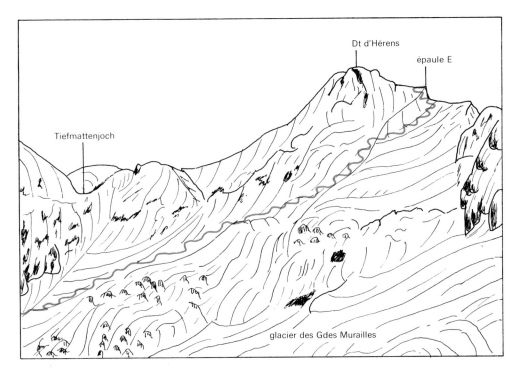

La Dent d'Hérens (4 171,4 m) est un sommet complexe dont on ne gravit pas le point culminant avec les skis. Par la face W-NW que l'on verra plus loin, on peut descendre de quelques mètres au-dessous de l'antécime W, point de jonction des arêtes NW et W. Suivant l'enneigement, on peut chausser les skis à une altitude de 4 060 ou 4 080 m. Par les versants S et E on arrive à skis jusqu'à l'épaule de l'arête E (4 075 m). Certaines années les derniers rochers sont dépourvus de neige et il faut les escalader sur une hauteur de 30 à 50 m. D'autres fois, ces rochers faciles sont suffisamment plâtrés pour qu'il vaille la peine de prendre ses skis jusqu'au sommet de l'épaule E.

Pour les skieurs-alpinistes qui tiennent à « faire » le sommet principal, un troisième itinéraire permet d'y accéder facilement. A la rimaye du versant SW (3 800 m environ), chausser les crampons et monter de biais vers l'arête W que l'on suit jusqu'au sommet.

L'épaule de l'arête E est dénommée « épaule E » pour la distinguer de l'« épaule Neigeuse » (3 957 m), à la jonction de l'Arête des Grandes Murailles avec la Crête Albertini, de l'autre côté de la dernière combe qui monte du Col des Grandes Murailles (3 827 m). Cette épaule E offre un coup d'œil époustouflant dans les abîmes du versant N de la Dent d'Hérens et dans le gouffre profond du Valtournanche au sud-est. Les cubes de béton de Breuil-Cervinia, 2 000 m plus bas, perdent un peu de leur laideur vus de si haut. Avec l'immense réseau des téléphériques, on les prendrait pour des jouets miniatures à la disposition de quelques Lilliputiens égarés dans les montagnes. Au-dessus, la masse élancée et formidable du Cervin (4 477,5 m) emplit presque tout l'horizon; le cirque impressionnant de sa face W retient particulièrement l'attention. Pourtant, vers le nord, la Dent Blanche (4 356,6 m) ne lui cède que de peu. Avec tous les couloirs et toutes les cannelures de neige de sa face SE, elle a vraiment des allures de sommet himalayen.

L'ascension de la Dent d'Hérens, ou de son épaule E, est une course peu difficile mais longue et à caractère très alpin. Elle se déroule à haute altitude, dans un cirque sauvage et éloigné de toute liaison rapide avec les vallées. Il ne faut donc pas la prendre à la légère, bien s'entraîner physiquement et se préparer moralement. Si le mauvais temps ou simplement le brouillard survient lorsque l'on navigue sur le glacier des Grandes Murailles, il est indispensable de pouvoir faire face rapidement. On doit être prêt à tirer de sa poche son croquis de route avec les azimuts et les altitudes exactes, et en mesure d'utiliser ses instruments avec précision.

- **Dénivellation** : montée : 2 070 m ; descente : 2 070 m.
- **Difficulté** : PD +.
- **Horaire** : montée : du barrage de Place Moulin jusqu'à Prarayer : 1 h (possibilité de bivouac rudimentaire), de Prarayer au refuge d'Aoste (2 781 m) : 4 h, du refuge au sommet : 5 h ; descente : 2-3 h + le parcours jusqu'au barrage : 1 h.
- **Période favorable** : mars à juin.
- **Point de départ** : Prarayer (2 005 m).
- **Cartographie** : Carte nationale suisse 1/50 000, feuilles nos 283 Arolla et 293 Valpelline, ou C.N.S. 1/25 000, feuille no 1347 Matterhorn.

N.B. : il manque, sur la C.N.S. 1/25 000, le trajet le long du lac de Place Moulin à Prarayer.

- **Matériel** : couteaux, corde, piolet ; crampons si l'on escalade le sommet principal.
- **Itinéraire** : du barrage, terminus de la route carrossable, un large chemin conduit à Prarayer par la rive droite du lac. De ce hameau abandonné l'hiver, continuer par le fond de la vallée, rive droite du torrent Buthier. S'il n'y a plus de neige ou de danger d'avalanche l'après-midi au-delà du point 2021, traverser le pont suivant (2 070 m), pour suivre la rive gauche, plus enneigée. Remonter le fond du vallon, puis le bas du glacier de Tsa de Tsan. On atteint le refuge d'Aoste (2 781 m) par la gauche ou par la droite, suivant les conditions du moment. Du refuge, traverser la première combe en direction E puis S et remonter la moraine ou la combe qui suit jusque sous les rochers de la Tête de Valpelline. Grimper ensuite par une pente raide, au-dessus du point 3337, et gagner le plateau supérieur. Longer l'arête W de la Dent d'Hérens jusque vers 3 500 m et obliquer à droite (SE) pour se diriger, par un mouvement tournant à droite, vers le Col des Grandes Murailles (3 827 m). Le laisser à main droite et remonter la dernière combe en direction de l'épaule E (4 075 m), sans cote sur la C.N.S. 1/50 000. Escalader les derniers mètres à pied si nécessaire.

Descente : suivre au début le même itinéraire. Dès la fin de la pente raide qui suit le point 3337, appuyer à gauche pour profiter de la magnifique combe qui longe les rochers du point 3160. Si l'on ne repasse pas à la cabane, on peut continuer cette combe jusque dans le fond de la vallée, sur la langue terminale du glacier de Tsa de Tsan. Après le coude de la vallée, on peut skier, certaines années bien enneigées, le long du torrent. Ce parcours, directement dans la gorge étroite, a quelque ressemblance avec celui de la « piste perdue » de Val-d'Isère. De Prarayer, suivre à nouveau le chemin de la rive droite du lac artificiel de Place Moulin. Pour les skieurs qui arriveraient d'une traversée et n'auraient pas de moyens de locomotion pour descendre le Valpelline, je signale que les gardiens du barrage ont un téléphone et que leur accueil est charmant. Le premier endroit où l'on trouve à se loger, et très convenablement, est le hameau de Dzovenno (1 575 m), juste après Bionaz (1 606 m).

Au centre, la Dent d'Hérens
et, à gauche, la Tête de Valpelline (page ci-contre).
La Dent d'Hérens vue du Stockjigletscher (ci-dessous).

51. TÊTE BLANCHE 3724 m

Les immenses champs de neige de la partie supérieure des glaciers de Ferpècle et du Mont Miné se rejoignent et culminent à la Tête Blanche (3 724 m). Cette bosse immaculée, à peine plus élevée que le grand dos bleuté qui marque la jonction des deux glaciers, porte un nom bien adéquat même s'il n'est pas très original. Les bergers des hauts alpages de Bréona, du Tsaté,

pouvaient, au cours de leurs étés laborieux, admirer avec crainte et respect ces énormes masses qui croulent perpétuellement, d'avalanches en chutes de séracs. Il est assez logique qu'ils en aient baptisé le point le plus élevé du nom de tête, la couleur étant donnée par l'orgie de lumière reflétée par ces neiges éternelles. La Tête Blanche est une cime fréquentée par

les skieurs qui parcourent la haute route en passant par Bertol, mais en général ceux-ci s'en vont vers Zermatt ou Arolla. Ils laissent ainsi de côté la très belle descente sur Ferpècle (1 900 m) et Les Haudères (1 452 m). En raison de leur orientation plein N et de leur grande altitude, les glaciers de Ferpècle et du Mont Miné offrent près de 2 000 m de dénivellation dans une neige très longtemps d'excellente qualité. Cette course est réalisable en une journée dès l'ouverture de la route jusqu'à Ferpècle. Plus tôt dans la saison on peut la faire en deux jours en dormant à la cabane de Bertol (3 311 m), au refuge des Bouquetins (2 980 m) ou encore à la cabane de Schönbiel (2 694 m). En revanche, je ne conseillerais pas d'aller coucher à la cabane de la Dent Blanche (3 507 m), la montée depuis

Ferpècle n'étant que d'une heure plus courte que celle qui conduit directement au sommet de la Tête Blanche.

Du point culminant, trois descentes sont possibles en direction de Ferpècle. Toutes trois sont très spectaculaires car elles se déroulent sur des glaciers tourmentés et il faut y faire preuve de beaucoup d'attention. La première, décrite plus loin, passe par Mota Rota (3 253 m), la seconde longe le versant NE du large dos qui sépare les deux glaciers et rejoint la première au-dessous de Mota Rota, vers 2 700 m. La troisième dessine, sur la partie supérieure du glacier du Mont Miné, un large demi-cercle au pied des Dents de Bertol et de l'Aiguille de la Tsa. Ce troisième parcours présente un danger important de crevasses, tout spécialement dans le replat qui précède la grande barrière de séracs, entre 2 900 et 2 700 m.

- **Dénivellation** : montée : 1er jour : 1 310 m d'Arolla à la cabane de Bertol, 2e jour : 500 m ; descente : 1 825 m jusqu'à Ferpècle, 2 270 m si l'on va jusqu'aux Haudères.
- **Difficulté** : PD +.
- **Horaire** : montée : 1er jour : d'Arolla à la cabane de Bertol : 5-6 h, 2e jour : 2 h 30-3 h ; descente : 2-3 h.
- **Période favorable** : mars à juin.
- **Point de départ** : Arolla (1 998 m).
- **Point d'arrivée** : Les Haudères (1 452 m).
- **Cartographie** : Carte nationale suisse 1/50 000, feuille n° 283 Arolla, ou C.N.S. 1/25 000, feuilles nos 1327 Évolène et 1347 Matterhorn.
- **Matériel** : couteaux, piolet, corde.
- **Itinéraire** : *1er jour :* à Arolla, ne pas parquer les voitures dans les parages de l'usine de la Grande Dixence, mais un peu avant celle-ci, si la route n'est pas ouverte au-delà. Remonter le fond du vallon puis le Bas Glacier d'Arolla. Attention, le front de ce glacier avance et présente une pente courte mais raide. Prendre pied sur le glacier par la moraine rive droite, plus court, ou rive gauche, moins raide, au gré des conditions de neige. Suivre la rive droite du Bas Glacier d'Arolla, le plus près possible des rochers tombant du point 2615,6 pour éviter autant que faire se peut les avalanches qui balaient la face N du Mont Collon. Tourner autour du point 2615,6 pour gagner les Plans de Bertol (2 664 m), où se trouve un bivouac rudimentaire. De là, s'élever en direction NE jusque vers les rochers à l'aplomb de la cabane (3 000 m environ). Monter le long de ces rochers, de préférence à droite, puis traverser la dernière pente raide en direction du Col de Bertol (3 279 m). Escalader les échelles conduisant à la cabane (3 311 m) par le versant E du Clocher de Bertol.

2e jour : du Col de Bertol, descendre légèrement

(SE) vers le point 3229, puis remonter le grand plateau jusqu'aux environs du Col des Bouquetins (3 357 m). Appuyer à gauche (E) et grimper sur le sommet par une combe, puis, vers 3 640 m, par un mouvement tournant de gauche à droite. *Descente :* partir en direction NE, vers le Col d'Hérens (3 462 m). Laisser celui-ci à main droite et poursuivre vers le Plateau d'Hérens que l'on traverse vers la droite (NE). Un rognon rocheux, Mota Rota (3 253 m), forme une grosse bosse glaciaire ; l'éviter par la droite (E). On peut alors, suivant les conditions du glacier, tourner à gauche (W) et descendre une combe raide, au pied des rochers de Mota Rota, ou traverser, à droite, entre deux bancs de rochers, pour gagner le glacier des Manzettes. Descendre ce glacier vers la droite et, aux environs de 2 700 m, retraverser horizontalement à gauche par des vires inclinées qui ramènent au glacier de Ferpècle, où l'on rejoint l'itinéraire précédent. Descendre ce glacier près de son milieu, puis s'enfiler dans la petite gorge qui tombe sur le bas du glacier du Mont Miné. En fin de saison ou par faible enneigement, ce passage peut être délicat. De Ferpècle on peut soit descendre la route, rive droite de la Borgne, jusqu'aux torrents de Bréona, puis par Seppec (1 660,8 m), rejoindre Les Haudères (1 452 m), soit suivre la rive gauche qui est plus enneigée mais aussi plus boisée.

Montée à la Tête Blanche, dans le fond les Bouquetins d'Arolla (page ci-contre). La cabane et le Clocher de Bertol (ci-dessus).

135

52. MONT ROSE
6 "4000" dans la journée

Zumsteinspitze (4 563 m), Signalkuppe (4 554,0 m), Parrotspitze (4 432 m), Ludwigshöhe (4 341 m), Corno Nero (4 321 m), Piramide Vincent (4 215 m) : une course fabuleuse, 6 sommets de « 4 000 » dans une seule et même journée. Quel alpiniste n'a pas rêvé, lors de l'étude de cartes, guides ou autres manuels, d'une moisson aussi riche en si peu de temps ?. Mais ce projet grandiose requiert une condition physique de tout premier ordre et surtout une bonne accoutumance à la haute altitude. On peut soit l'inscrire à la fin d'une semaine préalable d'entraînement, soit le considérer comme le bouquet final d'une saison bien remplie. Immanquablement il faut compter avec une journée longue et très astreignante, même si ces courses ne sont pas bien difficiles prises individuellement.

Il y a différentes façons de réaliser cette « balade des dieux ». Toutes sont belles et fatigantes, toutes remplissent ceux qui la parcourent d'un sentiment de plénitude, toutes se déroulent, à partir d'un certain moment, dans une ambiance de rêve, dans l'idée que l'on ne redescendra plus, que l'on a enfin atteint le « Nirvana » du skieur-alpiniste. Cette euphorie provient peut-être du fait que sur les deux premières pointes on rencontre beaucoup de monde, puis de moins en moins, à mesure que le jour s'écoule et parce que les derniers sommets sont très peu fréquentés. En commençant par les plus élevés, on glisse de l'un à l'autre, au retour, en évitant de longues marches épuisantes. Oh ! bien sûr lorsque l'on remet les peaux de phoque et que l'on attaque la grimpée suivante, il y a toujours un instant de flottement, d'hésitation, d'envie de renoncer. Mais après quelques foulées on retrouve le rythme, et l'esprit se libère des contingences du corps. Le parcours d'une arête blanche ou d'un dôme immaculé, si haut perché dans le ciel, tellement au-dessus des nuages, tellement hors du monde, enchante et grise littéralement l'être humain, lui permet de s'envoler en pensée, comme des pilotes de planeurs qui parfois viennent tournoyer silencieusement autour des grands sommets.

Pour entreprendre ce parcours on peut commencer de Zermatt, d'Alagna ou de Gressoney. De Zermatt on partira, soit du téléphérique du Petit Cervin (3 820 m), soit de celui du Stockhorn (3 405 m), pour rejoindre la cabane Bétemps (2 795 m). Le deuxième jour la montée est très longue et la traversée complète avec de plus le retour à Zermatt en fait une course disproportionnée. Il faut donc raisonnablement compter trois jours au départ de Zermatt et passer une nuit supplémentaire à la cabane Margherita (4 554,0 m). De très bons skieurs-alpinistes peuvent améliorer encore cet itinéraire

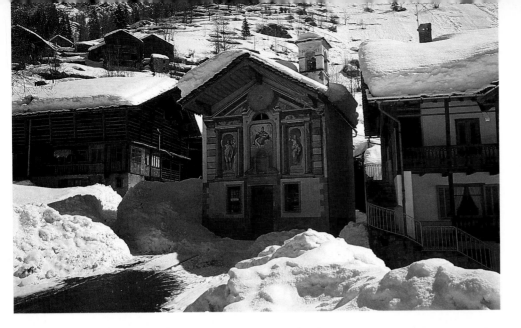

en partant du Petit Cervin, avec par exemple, la traversée de Pollux (4 092 m) et Castor (4 228 m) le premier jour. Après une nuit à la cabane Quintino Sella (3 585 m), ils pourront traverser très tôt le « Nez du Liskamm » et coucher à la cabane Margherita après l'escalade des deux sommets les moins élevés du groupe qui nous intéresse. Le troisième jour permet de réaliser sans trop se presser l'ascension des autres cimes. Mais de Gressoney en hiver ou d'Alagna, cette « balade des dieux » peut se faire en deux jours par la cabane Gnifetti (3 611 m), grâce au téléphérique de Punta Indren (3 260 m).

- **Dénivellation** : 1er jour : 350 m de Punta-Indren à la cabane Gnifetti, 2e jour : 1 468 m en comptant tous les six sommets; descente : 3 216 m jusqu'à Staval - Gressoney; 1 776 m jusqu'à Punta Indren; 3 846 m jusqu'à Alagna - Valsesia.

- **Difficulté** : PD +.

- **Horaire** : montée : 1er jour : 1 h 30, 2e jour : 4 h-4 h 30, jusqu'au 1er sommet; descente y compris les remontées intermédiaires : 4-6 h jusqu'à Punta Indren et 1 h de plus pour Staval - Gressoney.

- **Période favorable** : mars à juin.

- **Point de départ** : Gressoney la Trinité (1 624 m) ou Alagna Valsesia (1 190 m).

- **Cartographie** : Carte nationale suisse 1/50 000, feuilles nos 284 Mischabel et 294 Gressoney.

- **Matériel** : couteaux, piolet, corde, crampons.

- **Itinéraire** : *1er jour* : de Gressoney la Trinité (1 624 m), par les remontées mécaniques, gagner le Col d'Olen (2 881 m) puis descendre à skis par la combe du Sasso del Diavolo jusqu'à Alp. Oltu (1 825 m), gare intermédiaire du téléphérique de la Punta Indren (3 260 m). De la station supérieure de cette installation, traverser le glacier d'Indren en direction NW pour passer la crête rocheuse qui tombe de la Piramide Vincent (4 215 m) à l'altitude 3380 environ. Par la gauche, prendre pied sur le glacier supérieur et atteindre la cabane Gnifetti (3 611 m) par l'est. *2e jour* : de la cabane, remonter le glacier de Lis en longeant le versant W de la Piramide Vincent et traverser le dos d'âne coté 4252 à l'est du Lisjoch (4 153 m). Poursuivre par une légère descente en direction NE vers la grande combe du glacier de Grenz, et monter au Col Gnifetti (4 452 m) d'un mouvement tournant par la droite. Du col on grimpe au sommet de la Zumsteinspitze (4 563 m), en 20 mn à crampons par

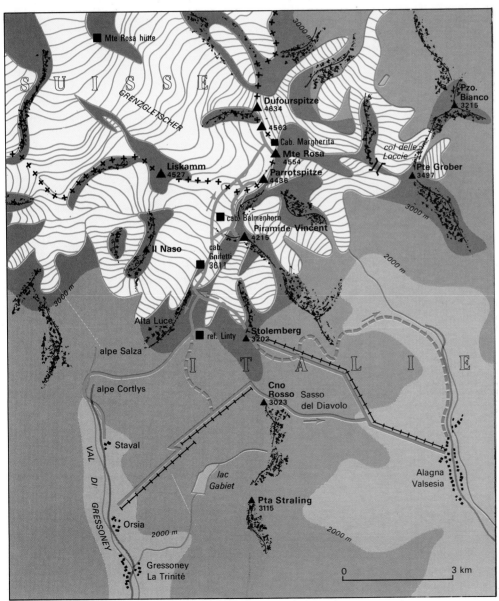

Descente dans le vallon de Bors (page ci-contre).
Petite chapelle et maison "Walser"
à Pedemonte-Alagna (ci-dessus).

l'arête frontière facile. On escalade ensuite la Signalkuppe (4 554,0 m), la plupart du temps à skis jusqu'au sommet où se trouve la cabane Margherita, la plus haute cabane des Alpes. Si la dernière pente est en glace, il faut chausser les crampons pour les 50 derniers mètres.

La descente ne pose guère de problème et l'on continue celle-ci jusqu'à la courbe de niveau 4200 au pied de la Parrotspitze (4 432 m). Mettre à nouveau les peaux de phoque et monter sur son sommet, en 1 h environ, par la combe qui la sépare de la Ludwigshöhe (4 341 m) et par son arête W. Au retour de la Parrotspitze, on grimpe très facilement à pied sur la Ludwigshöhe par son versant N, en portant les skis. Pour gravir le Corno Nero (4 321 m), il faut descendre directement au sud-ouest dans la selle qui le sépare de la Ludwigshöhe. De ce petit col, appelé Zurbriggenjoch (4 279 m), mais sans nom sur la C.N.S., on escalade le Corno Nero par la droite, par une pente raide et enneigée, sorte de couloir, et quelques rochers au point culminant. Les skieurs qui veulent éviter ce sommet miniature — il est pourtant dommage de ne pas compléter la collection — passeront par la droite (W) et descendront directement sur le Col Vincent (4 087 m), sans nom également sur la C.N.S. De là, en une demi-heure environ, une large croupe neigeuse conduit au sommet de la Piramide Vincent (4 215 m).

Descente : par l'itinéraire de montée puis ensuite directement par la combe qui tourne autour de la « pyramide » par l'ouest pour rejoindre la cabane Gnifetti.

De la cabane on descendra à Gressoney par les ruines du Rifugio Linty (3 080 m). Puis on ira, soit par l'alpe Gabiet (2 345 m) et les pistes de la télécabine, soit par la superbe combe de l'Alpe Salza (2 321 m) jusqu'à Staval (1 820 m) où l'on retrouve la route au pied des installations de remontées mécaniques. Pour rejoindre Alagna (1 190 m), on gagnera tout d'abord Punta Indren (3 260 m), et on continuera en suivant les pistes, ou par le téléphérique lorsque la neige a disparu. Si l'on couche à la cabane pour profiter de la bonne qualité de la neige de printemps, on descendra le matin vers l'Alpe de la Balma (2 207 m), puis vers celle de Bors (1 829 m), et le fond du vallon. Ce parcours est un peu plus difficile (AD pour le passage au-dessous de l'Alpe Bors).

Montée à la cabane Margherita,
vue sur la Parrotspitze (ci-contre).
Entre le Lago di Cian et la Fenêtre de Cian
(page ci-contre).

53. DÔME DE CIAN 3 351 m

Le Dôme de Cian (3 351 m) est bien connu des alpinistes italiens qui parcourent le val d'Aoste en tous sens, mais il l'est moins des skieurs-alpinistes des autres pays. Son sommet arrondi, avec un petit plateau neigeux qui supporte les quelques rochers du point culminant, est pourtant bien visible du Haut Glacier de Tsa de Tsan sur le parcours de la haute route. Du même endroit, on en découvre également toute la des-

cente du côté N par la sauvage et belle combe de Valcournera. Cette combe, remplie de restes d'avalanches, peut être parcourue très tard dans la saison, au départ d'un bivouac dans un chalet de Prarayer (2 005 m), tout au bout du lac artificiel de Place-Moulin. Un bivouac fixe avait du reste été construit au pied du glacier tombant de la face N du Dôme de Cian, mais il fut détruit par une avalanche en 1980. Le cha-

let de l'Alpe Valcournera (2 166 m) est en ruine et le bivouac y est beaucoup moins confortable qu'à Prarayer. Il est vraiment très dommage que le Club alpin italien ne puisse pas construire une cabane dans cet endroit charmant où l'on peut aussi planter sa tente dans les premiers gazons en fleurs. De Prarayer en effet, de nombreuses courses à skis sont possibles, par exemple le Château des Dames (3 488 m) ou le Col de Bella Tza (3 047 m) et le Col Valcournera (3 066 m) que l'on peut combiner en traversée, ou bien encore la Becca di Guin (3 760 m), au début des Grandes Murailles. Sur l'autre versant, le Mont Brûlé (3 585 m), par le Braoulé et le glacier du même nom.
Le Dôme de Cian peut aussi être gravi depuis le val de Torgnon au sud. Là, le bon petit bivouac fixe du Lago di Cian, 9 places (2 480 m),

à 4 h environ de Torgnon (1 489 m), facilite une escalade par le Col de Chavacour (2 978 m) ou directement par la combe au sud-ouest de la Pointe de Cian (3 320 m). Cette combe raide est un très bel itinéraire de descente (AD) par bonne neige de printemps. Il existe également un bivouac fixe confortable, Rivolta, au Col de Fort (2 906 m), 12 places ; et l'on grimpe au Dôme de Cian du côté E par un couloir très raide et la brèche située entre la Pointe et le Dôme. De ce côté-là aussi, très belle descente (AD) sur le lac artificiel de Cignana (2 158 m), d'où un chemin, difficile et à déconseiller l'hiver, permet de gagner Paquier - Valtournanche (1 493 m). Du Col de Fort (2 906 m), il est encore possible de rejoindre Breuil - Cervinia (2 006 m) par le Col de Vofrède (3 130 m) et le glacier du même nom. Toute cette région est sauvage, très peu parcourue en hiver, et seulement par de rares cordées au printemps. Les pentes y sont raides, exposées aux avalanches et il n'y a pratiquement pas de courses faciles. Les bivouacs fixes ne sont pas nombreux, ni bien grands, et seules de petites équipes peuvent trouver à s'y loger.

- **Dénivellation** : 1 350 m.
- **Difficulté** : PD +.
- **Horaire** : montée : 6-7 h ; descente : 1 h.
- **Période favorable** : mai, juin.
- **Point de départ** : Prarayer (2 005 m).
- **Cartographie** : Carte nationale suisse 1/50 000, feuille n° 293 Valpelline.
- **Matériel** : couteaux, piolet, corde ; crampons parfois utiles dans la dernière pente avant le plateau sommital.
- **Itinéraire** : du barrage de Place Moulin (1 950 m), suivre le bon chemin de la rive droite du lac artificiel. On bivouaquera dans les pâturages aux environs de l'ancien hôtel de Prarayer (2 005 m) ou dans un chalet d'alpage. A l'est de Prarayer, traverser le torrent Buthier sur un cône d'avalanche, et revenir sur la rive opposée, gauche, jusqu'à la forêt. Remonter celle-ci par une pente raide puis par une petite combe et gagner l'Alpe Valcournera (2 166 m). Rester rive droite du torrent de Valcournera et traverser quelques pentes raides pour prendre pied dans le fond du vallon vers 2 220 m. Poursuivre par le fond du vallon, assez plat, sur un kilomètre et demi environ puis appuyer à droite pour escalader la combe raide qui tombe du glacier de Cian. Remonter ce glacier et laisser à main droite le Col de Chavacour (2 978 m). Longer un instant l'arête NW de la Pointe de Chavacour puis traverser la grande pente raide vers la gauche pour gagner le replat au-dessus de quelques rochers. Continuer par ce replat et, par une très courte descente, atteindre une petite combe que l'on traverse pour attaquer la

Dôme de Cian   Pte de Chavacour

pente raide finale par la droite. Escalader cette pente, en crampons si la neige est très dure, et prendre pied sur la calotte sommitale que l'on traverse en direction NE pour atteindre les rochers du point culminant (3 351 m).

Descente : par le même itinéraire. La pente raide du départ demande une grande concentration si elle est en neige dure. A l'exception de celle-ci, la descente ne présente pas de difficultés majeures et l'on descend à skis, encore en juin, jusqu'au torrent Buthier. De là, en une heure environ, on rejoint, à pied, les voitures au barrage de Place Moulin.

*Le versant N du Col de Chavacour (page ci-contre).
Le Dôme de Cian vu de la Becca Vannetta (ci-contre).*

54. BREITHORN 4164 m
Zermatt

Breithorn

Pollux

Rif. Mezzalama

donjon de la Pointe Dufour. Du Breithorn on voit les « 4 000 » de Saas, le puissant Weisshorn et même les pointes élancées du Rothorn de Zinal, de l'Obergabelhorn et de la Dent Blanche, mais aucune montagne n'en impose autant que le Mont Rose. Seul le Cervin, par sa silhouette particulière et la hauteur incroyable de sa pyramide, attire pareillement les regards admiratifs et envieux des alpinistes.

Heureusement les trois quarts des « vainqueurs » du Breithorn redescendent vers les pistes du Petit Cervin et le Col du Théodule. Les autres s'en vont en majorité vers le Col du Schwarztor pour rentrer à Zermatt par la délicate mais superbe descente du Schwarzgletscher. Aussi très peu de skieurs se lancent-ils en direction de Saint Jacques (1 689 m) dans le val d'Ayas. Et c'est très bien ainsi car l'on retrouve très vite le silence et la solitude. Il faut dire que les communications sont longues et compliquées pour qui doit retourner à Cervinia ou même à Zermatt ; il lui faudra alors presque certainement passer une nuit en chemin. Pour les bons skieurs-alpinistes, rapides, une possibilité intéressante consiste à traverser le Col de Bettaforca, de Saint Jacques à Gressoney par les remontées mécaniques et les pistes. On continue de même vers le Col d'Olen et les téléphériques d'Alagna à Punta Indren (3 260 m) pour enfin grimper à la cabane Gnifetti (3 611 m). Le lendemain, on rentre à Zermatt en faisant l'ascension de la Signalkuppe (4 554 m) et la descente du Grenzgletscher.

Plus prosaïquement, on prend sa voiture jusqu'à Saint Jacques et l'on grimpe au Breithorn en allant coucher à la cabane O. Mezzalama (3 004 m).

● **Dénivellation** : montée : 1er jour : 1 315 m, 2e jour : 1 160 m ; descente : 2 475 m.
● **Difficulté** : PD + .
● **Horaire** : montée : 1er jour : 4 h 30-5 h, 2e jour : 4 h 30-6 h ; descente : 2-3 h.
● **Période favorable** : mars à juin.
● **Point de départ** : Saint Jacques (1 689 m). Val d'Ayas.
● **Cartographie** : Carte nationale suisse 1/50 000, feuille n° 294 Gressoney.
● **Matériel** : couteaux, corde, piolet ; crampons parfois utiles pour parvenir au sommet.
● **Itinéraire** : *1er jour* : de Saint Jacques (1 689 m), suivre le tracé de la route forestière jusqu'à Pian di Verra supérieur (2 382 m), en coupant naturellement tous les virages où cela est possible. En juin, la route est souvent libre de neige et l'on peut se faire monter en voiture, sur tout ou une partie du trajet. Se renseigner à Saint Jacques. Des bâtisses cotées 2382, escalader la combe, assez raide dans le haut, qui conduit jusqu'au Petit Glacier de Verra, et

Le Breithorn (4 164 m) est certainement à l'heure actuelle le plus connu des « 4 000 » de toutes les Alpes. Depuis la construction du téléphérique du Petit Cervin (3 820 m), avec son ascenseur touristique sur la fine pointe elle-même, à 3 883,5 m, le Breithorn est à portée de spatules. Un certain nombre de skieurs, attirés par cette proximité et par le prestige attaché aux « 4 000 », louent un équipement de randonnée et grimpent sur sa cime. Quelques-uns n'arrivent pas jusqu'au point culminant, soit par manque d'adaptation à l'altitude, soit à cause d'une plaque de glace intempestive dans la dernière pente. Mais lorsque les conditions sont bonnes, il y a foule au sommet car on y parvient facilement, skis aux pieds, par la pente S et l'arête W. Le panorama dont on jouit depuis la calotte sommitale justifie à lui seul la petite heure et demie d'efforts consentis pour son ascension. Le vaste glacier du Gorner coule comme un fleuve, avec tous ses affluents tombant en cascades figées jusque dans son lit. Le versant NW du massif du Mont Rose se dresse comme une énorme forteresse avec ses fossés emplis de neige, ses courtines de glace surplombant de sombres remparts et ses tours où domine le

remonter celui-ci jusqu'à la hauteur de la cabane O. Mezzalama (3 004 m). Revenir à gauche au-dessus des rochers sur lesquels se trouve le refuge pour l'atteindre par la traversée d'une pente escarpée.

2ᵉ jour : de la cabane, partir en direction N et prendre pied sur le Grand Glacier de Verra. Remonter ce dernier par une trace en arc de cercle en évitant quelques grandes crevasses. Dès que possible, aux environs de l'altitude 3550, tourner à gauche en direction du Col du Schwarztor (3 731 m). Pour cela, surmonter un passage plus raide, coupé de crevasses et de petits murs de glace ; rejoindre le plateau au-

dessous du col et obliquer encore une fois à gauche pour longer (NW) horizontalement le pied de la Roccia Nera (4 075 m) et celui de la longue crête du Breithorn. Après un kilomètre environ, monter en biais vers le Col du Breithorn (3 824 m). Tourner alors à droite, pour monter franchement N en direction du sommet W du Breithorn (4 164 m), le plus élevé ! La dernière pente s'escalade de droite à gauche (attention rimaye) pour atteindre la croupe W, plus facile, que l'on suit vers la droite. Si cette dernière pente raide est en glace, on grimpe de 3 960 m à 4 076 m, en direction du sommet E du Breithorn (4 159 m). A la selle cotée 4076, un peu

au-dessous ou un peu au-dessus suivant les conditions, on laisse les skis pour monter au sommet principal en crampons.

Descente : l'itinéraire suit celui de la montée. Par très fort enneigement, j'ai déjà vu des traces de skis qui, évitant la cabane O. Mezzalama, suivaient la rive droite du Grand Glacier de Verra et descendaient directement à Pian di Verra inférieur par la combe du glacier.

Près du sommet du Breithorn (ci-dessus).

143

55. GRANDE TÊTE DE BY   3 587,8 m

Le val d'Ollomont pénètre comme un coin dans un immense cirque de montagne, arène presque parfaite de 8 à 9 km de diamètre. La vallée, profonde de 2 000 m, débouche dans le Valpelline par une gorge si resserrée qu'elle ne laisse rien apercevoir du fantastique amphithéâtre qui la caractérise. Les habitants de l'Himalaya, très portés vers la spiritualité, auraient sûrement baptisé un tel endroit, où toutes les lignes, toutes les pentes et toutes les eaux convergent vers un seul point, du nom de sanctuaire. La couronne de sommets qui entoure ce stade géant culmine à l'ouest au Mont Vélan (3 731 m) et à l'est au Mont Gelé (3 518,2 m). Au nord, légèrement décalé sur la droite de l'axe de la vallée, le Grand Combin (4 314 m) se dissimule derrière la Grande Tête de By (3 587,8 m). Celle-ci domine une immense combe orientée vers le sud, la Conca di By qui doit son nom à l'alpage plat situé à son pied, à 2 000 m. Les trois combes qui ferment au nord le val d'Ollomont offrent de nombreux itinéraires à skis. Ceux-ci, aux pentes en majorité très abruptes,

se parcourent de préférence au printemps, lorsque la neige est bien stabilisée. Parmi ces courses intéressantes et relativement peu fréquentées, l'ascension de la Grande Tête de By est une des plus belles et des plus payantes.
De son sommet, dominé par l'imposant massif du Grand Combin (4 314 m), la vue plonge au sud dans le val d'Ollomont. Tout près, le mur déchiqueté des Aiguilles de Valsorey cache une partie du glacier homonyme qui tombe en une cascade de séracs tourmentés de la cime du Mont Vélan (3 731 m). Vers le nord-est, les vastes champs de neige immobiles du glacier d'Otemma invitent à parcourir leur solitude, lorsqu'on est en route de Zermatt à Saas Fee. De la Grande Tête de By, on peut rejoindre, par le glacier du Mont Durand, la cabane de Chanrion (2 462 m), sur le trajet de la haute route. On peut aussi rallier, avec plus de difficulté, la cabane de Valsorey (3 030 m) par le Plateau du Couloir, et même celle de Panossière (2 669 m). La plus belle descente, cependant, conduit à Glacier (1 549 m), par le Col d'Amiante (3 308 m).

Les superbes pentes qui tombent de la cabane Amiante (2 979 m) ou du glacier de By vers les chalets du même nom, sont orientées S ou SE. Larges et raides, elles font partie de ces rares côtes dont rêvent les skieurs de printemps.
- **Dénivellation** : montée : 1er jour : 1 430 m, 2e jour : 609 m; descente : 2 039 m.
- **Difficulté** : PD +.
- **Horaire** : 1er jour : 5 h 30-6 h 30, 2e jour : 2 h 30-3 h; descente : 2-3 h.
- **Période favorable** : avril à juin.
- **Point de départ** : Glacier (1 549 m), val d'Ollomont.
- **Cartographie** : Carte nationale suisse 1/50 000, feuille nº 293 Valpelline, ou C.N.S. 1/25 000, feuille nº 1366 Mont Vélan.
- **Matériel** : couteaux, piolet, corde.
- **Itinéraire** : *1er jour :* le hameau de Glacier (1 549 m) marque le terminus de la route carrossable qui vient de Valpelline (960 m) par le village d'Ollomont (1 356 m) et l'agglomération de Vaud (1 482 m). De Glacier, suivre le chemin muletier qui, au nord, grimpe par Les Grot-

144

tes (1 733 m) à l'alpage de By (2 048 m). De ces chalets, l'emplacement de la cabane Amiante (2 979 m) est bien visible, mamelon rocheux à droite (SE) de la Punta Garrone (3 290 m). Du fond de la petite plaine, remonter, à gauche, une côte qui grimpe en direction du glacier de By. Vers 2 600 m appuyer à droite pour prendre le couloir qui longe à l'ouest l'éperon rocheux supportant la cabane Amiante (2 979 m). On l'atteint par une traversée vers la droite.

2e jour : de la cabane, monter en direction N puis NW, sur un terrain plus facile vers le Col d'Amiante (3 308 m). Le col présente une dernière pente, escarpée et coiffée parfois d'une corniche ; passer au mieux, généralement par la gauche (NW). Une courte descente (NE), 50 m de dénivelée, permet d'éviter quelques séracs sur la gauche pour grimper ensuite, direction NW, vers le Col de Sonadon (3 504 m). Peu avant ce col, obliquer à gauche (SW) pour gagner le Sonadon (3 578 m) et de là, par la facile arête NW, la Grande Tête de By (3 587,8 m).

Descente : suivre l'itinéraire de l'ascension jusqu'au Col d'Amiante (3 308 m). De là, on peut soit poursuivre par la cabane Amiante (2 979 m) et les traces de montée, soit traverser le Col Garrone (3 240 m environ) pour gagner le glacier de By. Passer au pied des Luisettes pour rejoindre une pente absolument unique de 1 100 m de dénivellation, orientée SE. On peut aussi descendre par la belle combe de la branche méridionale du glacier de By, orientée SW, puis SE dès la fin du glacier. Ces descentes sont raides et ne doivent pas être entreprises par neige instable ou trop ramollie, mais le fait que la cabane Amiante soit haut perchée permet d'être de bonne heure au sommet et d'en redescendre dans la matinée déjà. En fin de saison, il y a encore très souvent de la neige dans le couloir situé à l'est de Glacier (1 549 m). Pour le prendre on suit la route forestière, de By (2 048 m) à Balme (2 128 m), puis on traverse le torrent d'Acqua Bianca. Entrer dans le couloir vers 2 100 m, à l'ouest et au-dessous des chalets cotés 2149. Cette variante n'est pas plus courte mais elle est payante et l'on peut s'assurer de son enneigement le jour de la montée à Glacier.

La Conca di By avec le massif du Grand Combin (page ci-contre).
Pentes raides et neige vierge,
joies de l'excursion à skis (ci-contre).

56. ULRICHSHORN 3 925 m

L'Ulrichshorn (3 925 m) est le plus facile de tous les sommets qui entourent le bassin du glacier de Ried. Il lui manque 75 m pour être un « 4 000 », et il n'a pas l'allure d'un très grand sommet. Pourtant, situé tout en haut d'une merveilleuse conque glaciaire encore très peu parcourue, il est la première cime que l'on gravit lorsque l'on passe quelques jours à la cabane Bordier (2 886 m). Il offre, d'une part, l'avantage d'une situation centrale d'où l'on peut bien se familiariser avec la région et, d'autre part, une pointe terminale que l'on peut escalader avec les skis jusqu'au point culminant. Il est, à mon avis, très séduisant de pouvoir gravir un sommet avec les

skis et quand celui-ci s'affine et devient toujours plus aérien, c'est même un enchantement. L'impression créée par le vide qui se creuse de tous côtés, donne un sentiment de contrôle de soi-même extraordinaire. Est-ce dû au fait que l'on surplombe les glaciers, les vallées et même parfois quelques nuages, ou simplement à l'excitation engendrée par la peur de l'abîme que l'on maîtrise ? Les deux raisons doivent sûrement s'additionner car il y a une évidente volupté à tracer ainsi son chemin dans une matière immaculée et cristalline. On grimpe au flanc d'une aiguille de neige qui se perd quelque part, là-haut dans le bleu profond du ciel

et l'on s'éloigne à chaque pas des brumes et des soucis des plaines. Les sensations sont plus vives sur certaines montagnes plus effilées que d'autres, et l'Ulrichshorn fait partie à coup sûr de cette catégorie.

La descente de l'Ulrichshorn puis du glacier de Ried laisse des souvenirs tout aussi forts et inoubliables. Les premiers virages requièrent forcément une grande attention mais bientôt la pente s'élargit et l'on peut mieux se laisser aller. Un superbe « schuss » sur le Riedpass (3 565 m), et le replat qui le prolonge, permet de se griser de vitesse. L'air froid fouette le visage et siffle dans les branches des lunettes de soleil, les skis chuintent dans la poudreuse ou tambourinent sur la croûte dure et par un long virage l'élan s'en vient mourir au pied du Balfrin. Plus loin, quelques séracs et un corridor escarpé demandent à nouveau de la concentration, puis de belles combes ouvertes descendent vers la cabane. Au-dessous, le glacier plus tourmenté et les couloirs d'avalanches qui le menacent créent une ambiance plus sévère qui contraste avec

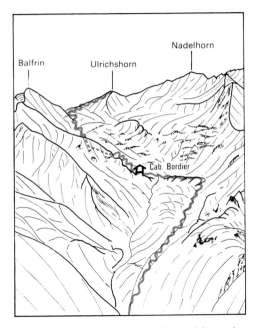

Balfrin   Ulrichshorn   Nadelhorn

Cab. Bordier

le haut. Enfin, l'arrivée dans les prairies et les premières fleurs complète l'inventaire des sensations que peut livrer la montagne printanière.

- **Dénivellation** : montée : 1er jour : 1 230 m, 2e jour : 1 040 m; descente : 2 270 m.
- **Difficulté** : PD +.
- **Horaire** : montée : 1er jour, jusqu'à la cabane Bordier : 4 h-4 h 30, 2e jour : 4 h; descente : 2-3 h.
- **Période favorable** : fin mars à juin.
- **Point de départ** : Ried ou Gasenried (1 659 m), près de Grächen.
- **Cartographie** : Carte nationale suisse 1/50 000, feuilles nos 274 Visp et 284 Mischabel, ou C.N.S. 1/25 000, feuilles nos 1308 St Niklaus et 1328 Randa.
- **Matériel** : couteaux, piolet, corde; crampons utiles par faible enneigement.
- **Itinéraire** : *1er jour* : à l'entrée de Sankt Niklaus, un pont (1 083 m) marque la bifurcation de la route principale avec celle de Grächen. Suivre cette dernière jusqu'à Nieder Grächen (1 478 m), où l'on tourne à droite pour monter, par une route plus étroite mais toujours carrossable, à Ried (1 659 m). De là, suivre horizontalement jusqu'au Riedbach le chemin qui longe le bisse inférieur. Traverser le torrent et prendre, à droite, le sentier qui grimpe à travers bois, par le point 1739, vers Alpja (2 099 m). Poursuivre par la rive gauche du glacier de Ried que l'on traverse, dès l'altitude 2760, en direction E. La cabane Bordier (2 886 m) est bien visible sur le promontoire et on l'atteint en montant vers le nord-est puis le nord. Lors d'un réchauffement brusque ou après une chute de neige, cette partie de l'itinéraire, depuis Alpja, est très exposée aux avalanches.
2e jour : de la cabane, partir en direction du

Kl. Bigerhorn et, vers 2 950 m, obliquer à droite pour atteindre la moraine N du glacier de Ried et la remonter jusqu'à la cote 3084. Traverser la pente raide pour prendre pied sur le glacier; à 3 250 m environ, mettre le cap au sud vers le bord (rive droite) de la petite chute de séracs. Escalader celle-ci près des rochers par un corridor escarpé. Dès le point 3376, prendre la direction S-SE vers le Riedpass (3 565 m), l'éviter par la droite et rejoindre la pente sommitale triangulaire pour en remonter le bord gauche. Quelques zigzags, puis un passage dans le versant NW amènent au sommet (3 925 m).
Descente : suivre l'itinéraire de montée. Il est possible d'éviter de repasser à la cabane Bor-

dier en restant sur la rive droite du glacier, près de la moraine.
Remarque : depuis la construction, en 1984, d'une télécabine de Grächen au Seetalhorn (3 037 m), on peut accéder à la cabane Bordier par cette installation et une descente en oblique, direction S, des pentes de Riedberg jusqu'au bord du glacier de Ried (2 200 m environ). Traverser le glacier en montant vers le point 2406 de sa rive gauche où l'on rejoint l'itinéraire décrit plus haut.

Les Mischabel vues du sommet du Balfrin.
A gauche, le beau triangle de l'Ulrichshorn (page ci-contre).
Descente du glacier de Ried (ci-dessus).

57. **MITTELRÜCK 3363,1 m**

Mittelrück

⌂ Almagetteralp

L'Almagellertal est un vallon encaissé, sauvage et retiré, invisible du village de Saas Almagell (1 673 m). Des pentes excessivement abruptes forment les bords relevés de ce gigantesque tricorne, incliné vers la vallée principale. En hiver, le vallon est plongé dans une solitude glacée, presque parfaite. Le gibier lui-même abandonne ses flancs dénudés, battus par d'énormes avalanches, et se réfugie dans les bosquets clairsemés qui égayent la gorge étroite de son entrée. Pour atteindre ce paradis de solitude un bon petit sentier grimpe en lacets la forêt escarpée qui domine Saas Almagell à l'est. Deux couloirs balafrent cette forêt de leurs tranchées blanches, restes des avalanches hivernales et voies évidentes de descente au retour des courses de printemps. Il est, en effet, déconseillé de faire des courses dans l'Almagellertal avant la fin mars lorsque toutes les plus grosses avalanches sont descendues. L'hôtel d'Almagelleralp (2 194 m) est fermé à l'exception de deux mois l'été et il est impossible d'en obtenir la clé. Par contre, une toute nouvelle cabane du C.A.S. a été inaugurée en 1984, au pied des Dri Horlini et du Zwischbergenpass, à 2 894 m. Cette cabane n'offre qu'un petit local d'hiver, avec 6 couchettes seulement mais une jolie cuisine, installée et approvisionnée en bois. Il faut espérer que la cabane elle-même, 80 places, très confortable, soit ouverte au printemps car elle offre la possibilité de gravir le Weissmies (4 023 m), le Portjengrat, sommet N (3 630 m), et le Mittelrück (3 363,1 m). On peut également traverser les cols de Zwischbergen (3 268 m) vers Gondo, du Weissmiessattel (3 406 m) vers Gabi ou Simplon-village enfin, le Steintällisattel (3 226 m), un peu plus difficile, pour gagner l'Augstkummenhorn (3 419 m) et le Furggtälli. Par ce dernier itinéraire, il est possible d'envisager le tour du Portjengrat (ou Pizzo d'Andolla) (3 653,8 m), avec descente du glacier de Bottarello, une nuit au refuge Andolla du C.A.I. (2 052 m) et retour par le Passo d'Andolla (2 485 m) et le Zwischbergenpass (3 268 m). Ce circuit difficile présente un caractère alpin très net avec un peu d'escalade à la descente du couloir entre l'Angstkummenhorn (3 419 m) et le Cimone di Camposecco (3 398 m) et plusieurs pentes très raides. Par bonne neige de printemps, bien stabilisée, c'est un tour formida-

ble dans une nature sauvage et peu connue. Le Mittelrück (3 363,1 m) est une bosse plus élevée parmi d'autres sur l'arête qui va du Portjengrat au Sonnighorn. Il offre par opposition à l'itinéraire précédent une course peu difficile et sympathique. La montée depuis le refuge des Dri Horlini (2 894 m) est facile, sauf dans la dernière pente un peu plus escarpée. Du sommet on jouit d'une magnifique vue sur les Mischabel, le versant S du Weissmies, le Portjengrat tout proche ou la vallée profonde et solitaire de Loranco. La descente est très belle avec un départ raide et une pente soutenue dans les 150 premiers mètres. Le glacier de Rotblatt est plus débonnaire et, en suivant le fond du vallon puis sa rive gauche, on descend généralement, encore en juin, jusqu'au pont de Chuelbrunnji (2 053 m). De là une petite marche d'un quart d'heure conduit au grand couloir de Spissgrabe très longtemps recouvert de débris d'avalanches. Celui-ci tombe jusqu'à l'entrée N de Saas Almagell (1 660 m), soit une dénivellation totale de 1 310 m jusqu'au pont ou de 1 700 m jusqu'au village.

- **Dénivellation** : montée : 1er jour : 1 220 m, 2e jour : 470 m ; descente : 1 690 m ou 1 310 m jusqu'à Chuelbrunnji.
- **Difficulté** : PD +.
- **Horaire** : 1er jour : 4 h 30, 2e jour : 2 h ; descente : 1-2 h suivant les conditions.
- **Période favorable** : avril à juin.
- **Point de départ** : Saas Almagell (1 673 m). Parc de voitures à l'entrée N du village à 1 660 m. Deuxième jour de la cabane Dri Horlini (2 894 m).
- **Cartographie** : Carte nationale suisse 1/50 000, feuille n° 284 Mischabel, ou C.N.S. 1/25 000, feuille n° 1329 Saas. Carte touristique de la vallée de Saas, 1/25 000, vendue auprès des offices du tourisme ou dans les librairies de la vallée. Excellent assemblage.
- **Matériel** : couteaux, piolet, corde.
- **Itinéraire** : *1er jour :* on peut partir du centre de Saas Almagell (1 673 m), à l'arrêt des cars postaux, en traversant le village vers l'est pour prendre en oblique à gauche le chemin qui monte dans la forêt. Il est aussi possible de parquer sa voiture à l'entrée du village, le long de l'Almageller Bach et partir tout de suite par le chemin bien indiqué de la cabane Dri Horlini.

Les deux chemins se rejoignent très tôt et le sentier grimpe en lacets dans la forêt. Lorsqu'il y a suffisamment de neige, au début d'avril par exemple, on peut remonter cette forêt pas trop fournie à skis. Il n'y a guère d'intérêt à prendre le télésiège de Furggstalden (1 893 m) et redescendre ensuite de 100 m. Une première traversée à gauche amène dans le grand couloir de Spissgrabe et une seconde traversée, toujours vers la gauche, permet de franchir en diagonale une petite barre de rochers. Si l'on désire monter à pied sec jusqu'à l'hôtel d'Almagelleralp (2 194 m), on traverse le pont de Chuelbrunnji (2 053 m), à la sortie du bois, pour suivre la rive droite du vallon. A skis, on suivra plus volontiers la rive gauche du torrent où la neige reste beaucoup plus longtemps. Dès l'hôtel d'Almagelleralp (2 194 m), il est préférable de suivre la rive gauche jusqu'à l'altitude 2320 environ et là traverser le torrent pour monter rive droite, en direction du pied de la moraine à Roti Blatte. Tourner alors à gauche à angle droit et grimper en biais une pente raide jusque vers le point 2561. Remonter la combe du Wysstal en appuyant encore une fois à gauche dès l'altitude 2700. On débouche ainsi sur des pentes plus douces, en vue de la cabane Dri Horlini (2 894 m). Cote encore non officielle à l'heure actuelle (1986).

2e jour : on quitte la cabane par une traversée pratiquement horizontale et qui passe un peu au-dessous des points 2936,7, puis 3007. Gagner le Rotblattgletscher et le remonter en direction de la plus basse dépression de l'arête cotée 3228. Il n'est pas nécessaire de monter jusqu'à celle-ci car, dès 3 200 m environ, on peut appuyer à droite pour attaquer la pente sommitale que l'on gravit au mieux par quelques zigzags près de l'arête N du Mittelrück (3 363,1 m). *Descente :* on peut partir le long des traces de montée ou, suivant les conditions, le long de l'arête W-NW puis directement dans la pente NW. Dès le glacier de Rotblatt, on appuyera à gauche pour rejoindre les pentes faciles qui viennent du Sonnigpass (3 147 m). On continuera tout droit dans la ligne de plus forte pente, jusqu'à Roti Blatte. Je conseille l'itinéraire par le fond du vallon et les versants E du Kanzilti (3 308,0 m) et de l'Almagellhorn (3 327,2 m), beaucoup plus vite ramollis par le soleil. En restant sur la rive gauche, descendre le long du torrent jusqu'aux premiers arbres et au pont de Chuelbrunnji (2 053 m). Suivre alors le sentier en direction du couloir de Spissgrabe et, s'il y a suffisamment de neige, le dévaler jusqu'à Dörfli (1 660 m) à l'entrée N de Saas Almagell (1 673 m).

En poudreuse, les "entrechats" se transforment en "entrelacs" ! (ci-dessous).

58. MONT FALLÈRE 3061 m

Certainement l'un des belvédères les plus dégagés et des mieux situés de la partie W du val d'Aoste, le Mont Fallère (3 061 m) propose également aux skieurs quelques descentes intéressantes. Celles-ci sont assez escarpées dans leur partie supérieure et tous les couloirs qui partent de la crête sommitale sont étroits, raides et difficiles. Seul le versant S-SE présente une pente plus ouverte et, passé les rochers du point culminant, plus aisée aussi. Les premiers 800 m de dénivellation, jusqu'à l'alpage de Morgnoz, ne peuvent pourtant pas être considérés comme faciles, car l'inclinaison est soutenue sur toute la hauteur.

L'itinéraire du versant NE tombe dans la grande combe d'Arsy et offre généralement une neige poudreuse de très bonne qualité jusqu'en avril. Le départ du sommet s'effectue, suivant les conditions, par l'arête E et, dès que possible, on plonge dans la pente N, très raide. De même, les couloirs de la crête rocheuse NW sont très abrupts. Ceux de la face N ne sont guère praticables à cause des rochers; au contraire, ceux qui dégringolent à l'ouest vers le lac Mort (2 638 m), peuvent être parcourus, malgré leur exiguïté, les années de fort enneigement.

L'ascension du Mont Fallère se combine très bien avec diverses traversées. Point culminant d'un petit massif d'où descendent sept ou huit vallons et combes importantes, il offre un grand nombre de possibilités. Par exemple, on peut partir de Vetan (1 671 m) et rejoindre la cime en passant par le lac des Grenouilles (Lago di Rane) (2 375 m), et la pente S-SE, puis descendre à Cevino (1 233 m) par la Combe d'Arsy. Ou bien encore traverser d'Etroubles (1 264 m) à Villa su Sarre (1 212 m) en franchissant la Combe Flassin, le Col Finestra (2 729 m) et un couloir du versant SW, puis, de la cime, plonger dans le val Clusella au sud-est.

Pour l'instant, on ne trouve pas de refuge, ni même de bivouac fixe, dans toute cette région. Il faut donc se résigner à entreprendre ces courses au départ des vallées ou passer une nuit pas trop confortable dans un chalet d'alpage plein de neige. Ces solutions présentent pourtant toutes deux l'avantage de pouvoir s'entraîner dans des lieux peu fréquentés où l'on choisira son itinéraire en fonction de sa forme physique et de son équipement, en plus des conditions de la neige et de la météo. Ces dernières tiennent une place importante dans l'ascension du Mont Fallère car les pentes sommitales, souvent de neige soufflée, peuvent présenter un grand danger de plaques à vent.

- **Dénivellation** : montée : 1 390 m ; descente : 1850 m.
- **Difficulté** : PD + .
- **Horaire** : montée : 5 h ; descente : 1 h 30.

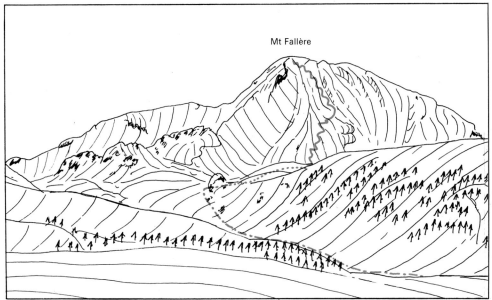

Mt Fallère

vers 2 440 m pour continuer l'escalade, toujours à droite, par la pente raide, entrecoupée de quelques rochers. On parvient sur le point culminant du Mont Fallère (3 061 m) par son arête E que l'on prend un peu sur la droite.

Descente : reprendre les traces de montée jusque vers 2 600 m environ puis appuyer à gauche (E) pour dévaler une très jolie combe en direction des chalets de Chaz de Morgnoz (2 271 m). Suivant l'état de la neige, prendre soit à gauche les pentes qui tombent directement dans le torrent de Clusella, soit à droite, sous l'arête W-NW de la pointe de Becca France (2 312 m), celles de la combe de Frumière. Descendre vers cet alpage (2 063 m), puis passer à droite dans une autre petite dépression qui débouche sur Arpi (1 770 m environ). A l'entrée de la forêt, rejoindre le chemin presque horizontal qui traverse à gauche vers le hameau de Touraz (1 652 m). Au XVIe siècle, celui-ci a été déplacé et reconstruit sur son promontoire actuel après avoir été entièrement détruit, avec ses habitants, par un éboulement. De Touraz, selon l'enneigement, on descend soit par le chemin qui passe par Chalençon (1 423 m) à l'est, soit directement au sud-ouest par une pente raide et un sentier qui mène à la route, tout près de Villa su Sarre (1 212 m). On peut retrouver sa voiture déposée à cet endroit avant la course ou prendre le bus (peu fréquent) pour Aoste.

Le versant S du Mont Fallère (page ci-contre).
Le versant N du Mont Fallère vu de l'alpe d'Arsy (ci-dessus).

● **Période favorable** : janvier à mars ; possible en avril avec descente (D) dans la vallée du Grand Saint Bernard.
● **Point de départ** : Vetan (1 671 m), au-dessus de Saint Nicolas (1 196 m).
● **Point d'arrivée** : Villa su Sarre (1 212 m).
● **Cartographie** : Carte nationale suisse 1/50 000, feuilles nos 292 Courmayeur et 293 Valpelline.
● **Matériel** : couteaux, crampons utiles près du sommet par neige dure.
● **Itinéraire** : on atteint Vetan (1 671 m), par la route. Celle-ci grimpe depuis Saint Pierre par

Saint Nicolas (1 196 m), dont la belle église, perchée sur un promontoire, est bien visible de toute la région d'Aoste. De Vetan, partir tout d'abord vers le N-NW pour passer près des chalets des alpages de Toules (1 919 m) puis de Grand'Arpilles (2 120 m). Obliquer alors à droite (NE) pour gagner la cote 2200 que l'on suit horizontalement jusqu'au premier ruisseau. Reprendre la montée, vers la droite pour atteindre les grands replats supérieurs. Se diriger au nord puis, dans une petite combe, au nord-est vers le lac des Grenouilles (2 375 m environ). De là grimper à droite (E) sur la crête et la franchir

151

59. **TRIFTHORN** 3 728,3 m

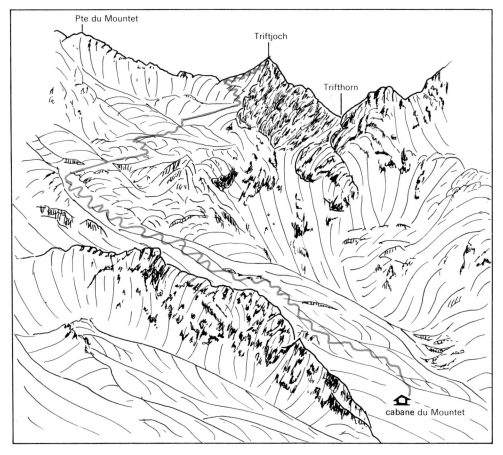

Pte du Mountet

Triftjoch

Trifthorn

cabane du Mountet

Vu de la cabane du Mountet, le Trifthorn semble être une pyramide dont la moitié droite serait rocheuse et la moitié gauche blanche et neigeuse. Lorsqu'on est au sommet, le regard s'arrête d'abord sur le Rothorn de Zinal (4 221,2 m) et la Wellenkuppe (3 903 m), tout proches. Puis, par-delà la vallée de Zermatt, on découvre l'espace qui va des Mischabel au Mont Rose. Mais, d'émerveillé on se fait incrédule, si l'on ramène ses yeux au point où l'on se trouve. Du haut de cette cime effilée, la vue ne rencontre que des pentes abruptes qui semblent plonger dans des à-pics infranchissables ; une descente à skis paraît impossible.

Celle-ci, pourtant, est réalisable par la partie sommitale de la face N. L'entreprise reste, évidemment, difficile : à main droite en descendant, une corniche borde l'arête ; à main gauche, une impressionnante pente convexe aboutit à un sérac vert sombre. Il faut savoir garder un juste milieu afin de ne pas tomber dans le vide et adopter un rythme particulier à la pente. Rapidement on enchaîne un court virage à gauche et un virage plus large à droite, suivi d'un dérapage assez long, et on recommence. Cette espèce de danse où un mouvement long suit deux mouvements brefs, dessine sur la neige une trace bien spéciale. Il est plaisant de voir d'en bas ce serpentin oblique, formé d'une quantité de longs Z inclinés et arrondis, mis bout à bout sur la pente.

Juste après le Col du Mountet (3 658 m), une vire glacière assez raide, partant sur la gauche, permet de rejoindre une combe aux pentes plus douces. On emprunte cette combe qui descend sur la droite en direction du glacier du Mountet. En passant sous la Pointe du Mountet (3 877 m), il faut prendre garde à d'éventuelles chutes de glace, des blocs se détachant du sérac de temps à autre.

Sous son apparence débonnaire, le glacier est traître et cache de nombreuses crevasses. On l'abordera donc avec de la prudence et quelques précautions. Il faut, soit se tenir près de la trace de montée, soit skier dans les endroits qu'on aura repérés à l'aller comme étant les moins tourmentés et les moins dangereux.

On peut terminer la descente à la cabane du Mountet ou à Zinal, selon le temps dont on dispose. Pour rejoindre la cabane (2 886 m), on retraverse la moraine abrupte, au printemps souvent dépourvue de neige. Pour continuer sur Zinal (1 675 m), on longe la rive droite du glacier, sous la cabane, en se tenant près des rochers. Suivant la couverture neigeuse, on a plus ou moins de facilité à zigzaguer dans deux endroits particulièrement accidentés. Certaines années, il est même nécessaire de traverser sur la rive gauche du glacier, qui présente des zones moins crevassées.

- **Dénivellation** : montée : 1 200 m jusqu'à la cabane et 840 m jusqu'au sommet ; descente : 2 040 m.
- **Difficulté** : AD – .
- **Horaire** : montée : de Zinal à la cabane Mountet : 5-6 h, de la cabane au sommet : 3-4 h ; descente : 2-3 h.
- **Période favorable** : avril et juin.
- **Point de départ** : Zinal (1 675 m).
- **Cartographie** : Carte nationale suisse 1/50 000, feuille n° 283 Arolla, ou C.N.S. 1/25 000, feuille n° 1327 Evolène.
- **Matériel** : corde, piolet, crampons.
- **Itinéraire** : à Zinal, la route carrossable est ouverte jusqu'au pont (1 675 m). Franchir ce pont et poursuivre par la rive gauche de la Navisence jusqu'au fond de la plaine. Généralement on peut remonter le fond du vallon, en traversant le torrent tantôt à gauche, tantôt à droite sur des ponts de neige formés par les avalanches. Les années de peu de neige on empruntera le chemin d'été par le Vichiesso (1 862 m). Lorsque la vallée s'ouvre, le terrain devient plus facile et l'on monte sans problème jusqu'à l'altitude 2400. Il faut prendre alors la rive droite du glacier, franchir un premier ressaut de celui-ci par quelques zigzags et poursuivre, toujours rive droite, jusqu'au pied de la première chute de séracs. Escalader les pentes raides à main gauche directement en direction de la cabane (2 886 m) (chemin d'été).

Quitter la cabane par une marche de flanc pratiquement horizontale, tourner autour de la moraine et gagner le glacier, toujours à la même altitude. Celui-ci s'escalade en direction du pied du rognon rocheux, à l'ouest du point 3877 ou Pointe du Mountet. Quelques zigzags pour éviter les zones crevassées et une marche en demi-cercle permettent d'atteindre la combe qui monte vers le Col du Mountet (3 658 m). Ce dernier ne peut s'atteindre directement. Une grande cassure du glacier oblige de faire un détour par la droite et de rejoindre le col par une vire glaciaire assez raide et nécessitant parfois l'usage des crampons. D'autres fois, il est possible de déchausser et de monter tout droit sur une cinquantaine de mètres, puis de remettre les skis jusqu'au sommet (3 728,3 m). La dernière pente, raide, demande une grande maîtrise dans la pratique des conversions et surtout une neige sûre et non glacée. En cas de neige dure ou soufflée on préférera garder les crampons.

Descente : avec précautions vers le Col du Mountet puis le long des traces de montée jusque dans la combe au-dessous. Cette combe est très souvent en neige poudreuse et cela jusque tard au printemps. Il y a cependant quelques crevasses, certaines importantes et bien visibles, d'autres cachées et dangereuses, et l'on ne se laissera pas gagner par une trop grande euphorie. Sur le glacier du Mountet, il vaut mieux suivre la trace faite à la montée jusqu'au moment où l'on traverse à droite pour rejoindre des pentes moins crevassées. Ceux qui sont passés une fois en été dans cette région comprendront plus facilement pour quelles raisons j'insiste sur une grande prudence. Les crevasses sont orientées dans tous les sens et les trous sont très profonds.

Le Trifthorn vu du glacier du Mountet (page ci-contre).
Descente du glacier du Mountet (ci-dessous).

60. SILBERSATTEL 4 515 m

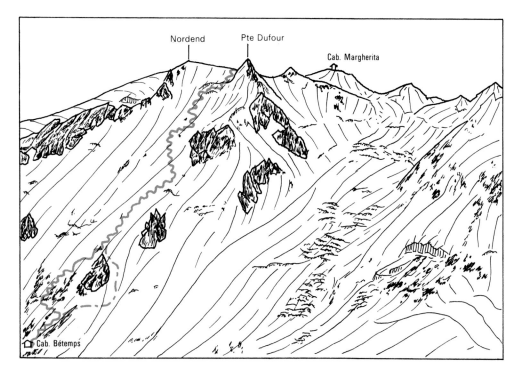

Nordend   Pte Dufour   Cab. Margherita

Cab. Bétemps

Le Silbersattel (4 515 m), autrement dit la « Selle d'argent », porte quelquefois, dans la vallée italienne d'Anzasca, au pied S du Mont Rose, le nom de Colle Marinelli. Ce col marque la plus basse dépression entre les pointes de la Nordend (4 609 m) et du Grenzgipfel (4 618 m), à deux pas de la Pointe Dufour (4 633,9 m), le plus haut sommet de Suisse. Il n'est pas utilisé comme passage entre le Valais et l'Italie car, sur son versant méridional, il tombe excessivement raide dans le couloir Marinelli et sur le glacier du Belvédère. Ce versant E du Mont Rose, pente de glace et de rocs de près de 2,500 km de profondeur, constitue la plus formidable et la plus haute paroi des Alpes.

Les skieurs-alpinistes qui gravissent le Silbersattel ne s'arrêtent en général pas au col, mais ils y déposent leurs skis et grimpent, en crampons, sur la cime de la Nordend (4 609 m) — attention aux corniches. Le sommet le plus septentrional des six de plus de 4 000 m que compte la partie suisse du Mont Rose, offre une vue saisissante sur toute cette face E citée précédemment. Mais le profond gouffre de Macugnaga ne représente que l'aspect le plus frappant du

vaste panorama. L'immensité brumeuse de l'Italie d'où pointent seuls quelques îlots, crêtes les plus élevées des montagnes secondaires, contraste avec la profusion de cimes et de chaînes que l'on découvre à l'ouest et au nord. La descente à skis depuis le Silbersattel à Zermatt (1 615 m) présente une dénivellation de 2 900 m pour un parcours de plus de 20 km. Une bonne moitié de celui-ci se déroule au milieu des glaciers tourmentés, parsemés de crevasses, entourés de séracs menaçants. C'est l'une des plus belles glissades des Alpes, dans un décor absolument fantastique, fait de sommets prestigieux comme le Liskamm, les Jumeaux, le Breithorn, etc. La pente y est suffisamment soutenue pour être intéressante, sauf, bien entendu, sur le grand plateau du glacier du Gorner, où l'on a enfin le temps d'admirer tout spécialement le Cervin dont on se rapproche en un superbe « travelling ».

En fin de saison, lorsque la neige commence à faire défaut dans la partie inférieure du trajet, on termine en général la descente à Furi (1 864 m), station du téléphérique Zermatt – Petit Cervin.

- **Dénivellation** : montée : 1 720 m ; descente : 2 900 m.
- **Difficulté** : AD – .
- **Horaire** : pour rejoindre la cabane Bétemps : 2-4 h, pour monter au Silbersattel : 6-7 h et 1 h supplémentaire pour le sommet de la Nordend ; descente 2-3 h.
- **Période favorable** : fin mars à juin.
- **Point de départ** : Zermatt (1 615 m). Cabane Bétemps (2 795 m).
- **Cartographie** : Carte nationale suisse 1/50 000, feuille n° 284 Mischabel (ou Zermatt – Saas Fee de l'édition de la F.S.S.), ou C.N.S. 1/25 000, feuille n° 1348 Zermatt.
- **Matériel** : couteaux, corde, piolet, crampons.
- **Itinéraire** : plusieurs itinéraires s'offrent à l'alpiniste qui, de Zermatt, veut rejoindre la cabane Bétemps (2 795 m) ou cabane du Mont Rose. A l'heure actuelle, on ne monte plus à pied depuis Zermatt et l'on emprunte soit le chemin de fer du Gornergrat et, éventuellement, les téléphériques du Stockhorn, soit le téléphérique du Petit Cervin. En bref voici quelles sont les principales variantes :

– De la station de Rotenboden (2 815 m) du chemin de fer du Gornergrat, emprunter le sentier d'été généralement libre de neige. Chausser les skis peu avant le glacier du Gorner et se diriger directement vers la cabane (S-SE). On l'atteint par une traversée ascendante, de droite à gauche, de la moraine E du Grenzgletscher (glacier de la frontière !).

– De la station supérieure du téléphérique du Stockhorn (3 405 m), poursuivre par la crête W du sommet (3 532,0 m) et éviter celui-ci par la gauche (N). Descendre dans la même direction au Col du Stockhorn (3 394 m), puis à droite, à angle droit, rejoindre la rive gauche du glacier du Gorner. Passer au pied du bastion NW de la Nordend, point 3197, puis du point 3263,9 de la petite crête qui lui fait suite. Franchir cette crête au nord de ce point, à 3 120 m environ et descendre 50 m en portant les skis (varappe facile). De là, en direction SE, puis SW et enfin W, rallier Plattje vers 2 980 m d'où l'on descend à la cabane. C'est l'itinéraire le moins fatigant pour gagner la cabane Bétemps.

– Du Petit Cervin, station à 3 820 m, partir horizontalement en direction S puis E pour atteindre le Col du Breithorn (Breithornpass) (3 824 m), d'où il est possible d'escalader le Breithorn (4 164 m) en 1 h environ. Éviter ce sommet par le sud et gagner le Col du Schwarztor (3 731 m). Descente pas toujours évidente, ni très facile, jusqu'au glacier du Gorner (2 560 m environ) et remontée à la cabane, direction E.

– Du Petit Cervin (3 820 m), il est aussi possible de descendre directement jusqu'au bord du glacier du Gorner (2 440 m) par le glacier du Théodule (Unterer Theodulgletscher), d'abord rive droite, au-dessous du Petit Cervin, puis rive gauche. Montée à la cabane par la rive gauche du glacier du Gorner.

De la cabane Bétemps (2 795 m), remonter la combe à gauche de la moraine du glacier de Grenz (Grenzgletscher) jusqu'à 3 100 m, puis gravir une pente raide entre deux petits éperons rocheux cotés 3277,3 et 3303. Sur le glacier du Mont Rose la pente est moins forte et l'on suit tout d'abord une sorte de grand dos d'âne. Dans le premier replat du glacier, tourner à gauche (E-NE) pour aller prendre une combe qui monte jusque vers 3 900 m. Appuyer alors vers la gauche et rejoindre le deuxième replat (4 000 m environ). En évitant quelques grandes crevasses, monter ensuite en direction de la Nordend par quelques zigzags dans une pente raide. Ces grandes crevasses évoluent d'une année à l'autre et parfois il est plus avantageux de grimper 150 m en direction de la Pointe Dufour (4 633,9 m), avant d'appuyer à gauche à nouveau sous le Silbersattel. Quelquefois il faut escalader en crampons un ou deux brefs ressauts. Le col s'atteint par une combe plus débonnaire au-dessus de 4 400 m.

Descente : suivre le même itinéraire. A 3 380 m, sitôt après une zone aux crevasses orientées dans tous les sens, il est possible de prendre, à gauche, la branche du glacier qui tombe sur le Grenzgletscher. Se tenir au départ près des rochers situés au-dessus du point 3277,3. Dès la cabane Bétemps, partir en direction W et descendre la rive gauche du glacier du Gorner. A la fin de celui-ci, marqué par une pente raide qui s'enfonce dans la gorge, rester le plus haut possible à gauche sous les rochers et continuer par la rive gauche, mieux enneigée. On rejoint la piste qui vient de Furgg (2 432 m), peu après le torrent de Furggbach. Lorsqu'il n'y a plus de neige après le glacier, prendre rive droite un sentier, puis, dès la prise d'eau, une petite route, jusqu'au pont (1 945 m) que l'on traverse pour rejoindre l'itinéraire de la rive gauche vers Furi (1 864 m). Se rendre de Furi à Zermatt par la piste de l'Aroleid.

Au Mont Rose, la Nordend dans le fond (ci-contre).

61. TOSSENHORN 3 225,2 m

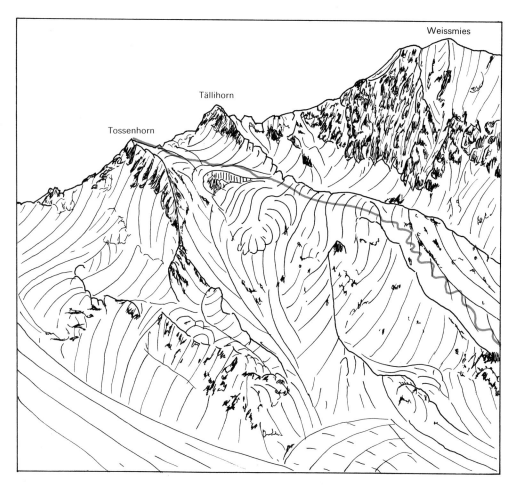

Weissmies

Tällihorn

Tossenhorn

En patois haut valaisan, Tossen signifie « tête rocheuse » et le Tossenhorn (3 225,2 m) tire son nom de deux éminences rocailleuses de son versant N, le Mittlentossen (2 610,2 m) et le Muttetosse (2 590 m). C'est donc un nom assez déconcertant car de ce côté-là le Tossenhorn apparaît comme une belle coupole neigeuse. Ses autres flancs, ceux-ci rocheux, sont presque invisibles. On ne voit ses petits flancs NE et S que de la région du Balmahorn (2 870 m) et du haut Zwischbergental. Le Balmahorn se laisse aussi gravir à skis mais, de la route du Simplon, il cache avec le Grauhorn (2 636,5 m) toute la moitié supérieure du Laggintal. De plus, le Zwischbergental est une étroite vallée, aussi longue que son nom est compliqué. Elle débute à Gondo (855 m), sur la route du Simplon, et se termine au Zwischbergenpass à 3 268 m. Elle

est peu connue, très peu parcourue et d'accès peu commode, l'auberge de Zwischbergen (1 356 m) étant fermée en hiver. A cette saison le haut de la vallée est absolument désert.

Vu depuis le Weissmies (4 023 m), son puissant voisin, le Tossenhorn (3 225,2 m), apparaît comme une simple bosse sur l'arête qui sépare les profonds sillons de Laggin et de Zwischbergen. Ce n'est donc pas lui qui attire le regard des alpinistes mais bien plutôt les beaux champs de neige des glaciers du Weissmies et de Tälli. Ce vaste cirque immaculé incliné vers le nord se termine par de superbes combes blanches qui s'enfoncent dans la sombre coupure du Laggintal. On a vraiment envie de le découvrir. Pourtant, lorsqu'on décide enfin de mettre son projet à exécution, on se rend compte très vite que cette région est fort éloignée, perdue à

l'autre bout du Valais, loin de bonnes communications rapides. Pour cette raison, je conseille de mettre le Tossenhorn (3 225,2 m) à la fin d'un programme d'une semaine dans la région. On peut soit effectuer son ascension depuis Gabi (1 228 m), sur la route du Simplon, soit passer par son sommet lors d'une traversée, de la cabane Dri Horlini (2 894 m) à Gabi. La première solution exige un gros effort de 7 à 8 h pour la montée alors que la seconde permet une approche beaucoup plus courte (2 h 30-3 h) par le Zwischbergenpass (3 268 m), le Weissmiessatel (3 406 m) et le tour du Tällihorn (3 448 m). Voir la course n° 57 Mittelrück, pour la montée à la cabane Dri Horlini. Il existe une troisième possibilité, celle d'aller coucher au refuge-bivouac de Laggin (2 410 m), en montant depuis Simplon-village (1 476 m) par le Wänghorn (2 587,0 m). Cette montée est raide et longue, compter 4 h 30 pour le Wänghorn et 1 h 30 de là au bivouac fixe. Le lendemain, on grimpe au Tossenhorn en 3 h environ.

Tous ces itinéraires traversent à l'occasion des pentes très abruptes ou passent au pied de couloirs très exposés, ils requièrent donc des conditions de neige absolument sûres.

- **Dénivellation** : 1 997 m.
- **Difficulté** : AD.
- **Horaire** : montée : 7-8 h ; descente : 1-2 h.
- **Période favorable** : avril-mai. En juin, en général bon au-dessus de 2 000 m.
- **Point de départ** : Gabi (1 228 m) entre Gondo et Simplon-village.
- **Cartographie** : Carte nationale suisse 1/50 000, feuilles n°s 274 Visp et 284 Mischabel, ou C.N.S. 1/25 000, feuilles n°s 1309 Simplon et 1329 Saas.
- **Matériel** : couteaux, piolet, corde.
- **Itinéraire** : de l'hôtel de Gabi (1 228 m), au bord de la route internationale du Simplon, on peut monter en voiture (1 km) jusqu'à l'embranchement de la petite route du Laggintal. Parking pas toujours possible. Cette bifurcation se trouve à 200 m en amont du grand virage de la route principale. Remonter le vallon par la rive gauche jusqu'à Laggin (1 492 m), puis gagner Altstafel (1 566 m) sur l'autre rive. Continuer par le fond du vallon et grimper, entre les deux ruisseaux, la pente raide qui, par Bidemji (1 990 m), conduit au replat de Galji (2 400 m) (Wysse Bode, point 2407 sur la carte au 1/25 000). Compter 4 h 30 de Gabi jusqu'à ce replat. Ensuite, partir en direction S, par une pente un peu moins soutenue. Traverser une crête vers 2 740 m et rejoindre une petite combe qui se perd dans le flanc NE du point 3014. Prendre pied sur le Tälligletscher et, par un crochet vers la droite puis à angle droit à gauche SE, rallier le Tällijoch (3 178 m). En 10 mn, en empruntant

la large arête arrondie SW, on gagne le point culminant (3 225,2 m).

Descente : on peut emprunter le même itinéraire, en suivant la crête au nord du point 3014 pour aller prendre la grande pente qui tombe sur Wysse Bode (Galji au 1/50 000) depuis son sommet, point 2978. On profite alors d'une dénivelée de 720 m, toujours dans la ligne de pente, jusqu'à la cassure qui tombe sur Bidemji (1 990 m). Entre l'altitude 2250 et Bidemji, il faut se faufiler entre des barres de rochers, sur une pente raide. C'est là le passage le plus délicat de la descente et l'on est très heureux de l'avoir reconnu à la montée. Continuer par le fond du vallon vers Altstafel (1 566 m) et Laggin (1 492 m) où l'on reprend la rive gauche et le chemin de Gabi (1 228 m). Naturellement, il est aussi possible de descendre sur Simplon-village (1 476 m) en traversant le col (2 498 m) au sud-ouest du Wanghorn (2 587,0 m). Cette contrepente demande 45 mn de remontée.

Après une longue montée,
la descente est toujours une récompense
(ci-dessous).

62. ROTHORN 3108 m
Hohsaas-Rothorn

Dans les Alpes, on rencontre de très nombreux « Rothörner » et, pour distinguer celui qui nous intéresse ici, j'ai adopté la suggestion du *Guide des Alpes valaisannes* de Marcel Kurz et de Maurice Brandt. Les pâturages élevés de Hohsaas s'étendent bien sur tout le versant SE de cette montagne. Celle-ci est située sur la rive gauche du Lagginthal, vallon encaissé et sauvage, au sud-ouest de Gabi (1 228 m), sur la route du Simplon. En fait le Hohsaas-Rothorn (3 108 m) est un petit satellite du Fletschhorn (3 993 m), au pied de son arête E. La carte au 1/50 000 et le *Guide des Alpes valaisannes* portent la cote 3103,7, mais j'ai adopté pour cette course les nouvelles cotes de la carte au 1/25 000, plus récente.

Notre sommet n'est pas une cime altière que l'on aperçoit de loin à la ronde. Au contraire, il se cache vraiment dans l'ombre de son grand voisin et rien ne le désigne à l'attention des touristes. Il est même totalement invisible de la route du Simplon. Cependant, les skieurs-alpinistes qui étudient la carte, à la recherche de courses peu fréquentées, peuvent remarquer la magnifique dénivelée de 1 600 m de son versant NE. Le Bodmergletscher tombe de 800 m sur le petit lac gelé de Blauseewji (2 320 m), puis une pente abrupte de 400 m dégringole en deux bonds dans le Lauigraben, le fossé aux avalanches, près du point 1923. Enfin, un parcours très agréable dans une forêt clairsemée conduit à la dernière combe peu inclinée qui amène doucement au village de Simplon (1 472 m). Cette excellente descente peut très bien être combinée avec une traversée du Hohsaas-Rothorn, en partant du refuge-bivouac de Laggin (2 410 m) ou même en venant de la cabane Dri Horlini (2 894 m) par le Zwischbergenpass (3 268 m) et le Weissmiessattel (3 406 m). Un itinéraire de Saas Almagell (1 673 m) à Simplon-village (1 472 m) en trois jours peut donc être conçu comme suit : 1er jour, montée à la cabane Dri Horlini (2 894 m) ; 2e jour, ascension du Weissmies (4 023 m) par le Zwischbergenpass et traversée par le Weissmiessattel au refuge-bivouac de Laggin (2 410 m) ; 3e jour, escalade du Hohsaas-Rothorn (3 108 m) par le couloir S de la brèche cotée 3018, au pied de l'arête E du Fletschhorn (3 993 m). Ce couloir se gravit, en crampons, en 30 mn, puis la montée en 15 mn, au point culminant (facile). Du sommet (3 108 m), on jouit d'une vue intéressante sur toute la haute vallée de Laggin et l'on peut rêver d'autres excursions à skis. Le Tossenhorn (3 225,2 m) et sa coupole étincelante ou le Balmahorn (2 870 m), par exemple. L'ascension de ce dernier se conçoit par la Balmalücke (2 773 m) et la descente de son sommet E (2 863,8 m) par le superbe versant N. Celui-ci offre 1 000 m d'un saut jusqu'au cirque étonnant d'Oberstafel (1 868 m). De là, on peut aussi gravir le Galihorn (2 577,0 m) et descendre soit sur Gabi (1 228 m), soit, en neige de printemps, directement sur Zwischbergen (1 395 m) au sud-est.

- **Dénivellation** : 1 630 m.
- **Difficulté** : AD − .

Rothorn

● **Horaire** : montée : 6 h; descente : 1 h.
● **Période favorable** : mars à mai; en juin on descend encore jusqu'à Blauseewji (2 320 m), parfois même jusqu'au point 1923.
● **Point de départ** : Simplon-village (1 472 m).

● **Cartographie** : Carte nationale suisse 1/50 000, feuille n° 274 Visp, ou C.N.S. 1/25 000, feuille n° 1309, Simplon.
● **Matériel** : couteaux, piolet, corde; crampons utiles si la neige est dure.
● **Itinéraire** : de Simplon-village (1 472 m), remonter au nord-ouest la combe à gauche du petit skilift. Cette combe longe la forêt jusqu'aux chalets de Liegje (1 712 m) puis l'on pénètre à gauche dans le bois. Par le chemin, gagner les clairières débonnaires de Bodme (1 836 m) puis rejoindre le couloir très raide de Lauigraben. Traverser celui-ci près du point 1923 pour escalader en face la rive droite de sa branche SE. Quelques mélèzes rabougris parsèment cette pente escarpée. A 2 100 m, un replat bienvenu permet de reprendre son souffle et d'étudier la suite du parcours. Il faut grimper presque jusqu'au sommet de la pente suivante pour pouvoir traverser à droite (NW) entre deux barres de rochers. De tout l'itinéraire, c'est à mon avis l'endroit le plus exposé aux planches de neige; la pente, légèrement concave au-dessus du petit mur aval, peut facilement se détacher. On rejoint le replat du petit lac de Blauseewji (2 320 m) où bifurque le chemin du très joli belvédère du Wenghorn (2 587,0 m) et celui du refuge-bivouac de Laggin (2 410 m). (Ce refuge, démoli par une avalanche, a été reconstruit. Ses coordonnées sont 646850/112700.) Du petit lac, on peut soit traverser la moraine au nord-ouest

pour aller prendre pied sur le Bodmergletscher, soit escalader la combe à l'ouest - sud-ouest pour franchir cette même moraine vers la cote 2620. A la montée, le détour par le glacier est souvent préférable parce que moins raide; la descente directe est, en revanche, plus payante. Tout en haut du Bodmergletscher, on parvient à la brèche (3 018 m) qui sépare le Rothorn (3 108 m) du Fletschhorn (3 993 m). Monter au sommet du Rothorn par le versant NW.
Descente : suivre l'itinéraire de montée. Le parcours du Lauigraben, directement sur Simplon-village (1 472 m), n'est pas à conseiller, sauf les années de très grandes avalanches. Par contre, on peut descendre sur la rive droite du Lauigraben en direction de Weng (1 673 m). Pour cela traverser tout de suite à droite, sous les rochers situés au-dessous du replat coté 2100. De Weng, on poursuit par le sentier puis par quelques champs jusqu'au pont de l'ancienne route (1 460 m). Je dois avouer que la descente par Bodme (1 836 m) et Liegje (1 712 m) a un côté plus sympathique, carrément bucolique lorsque les dernières taches de neige coïncident avec les premiers crocus.

Simple contrefort du Fletschhorn,
le Rothorn et son versant N (page ci-contre).
Descente du Rothorn vers Simplon-village (ci-dessus).

63. MONT DURAND   3 712,6 m

Le Mont Durand (3 712,6 m) est plus connu sous son appellation française que sous son nom allemand d'Arbenhorn. Dans le val de Zinal il fait partie intégrante de la royale couronne de sommets qui entoure l'amphithéâtre du Mountet. Dans la vallée de Zermatt au contraire, l'Arbenhorn est un peu caché et surtout il est rejeté dans l'ombre par ses puissants voisins de 4 000 m et plus, dont le Cervin (4 477,5 m) est le roi incontesté. Juste en face de la formidable face N de ce géant, un petit val encaissé et raide monte en direction de l'Ober Gabelhorn (4 062,9 m). Au pied de la face S de celui-ci, blotti contre les rochers, se trouve le refuge-bivouac d'Arben (3 224 m), le meilleur relais pour l'ascension du Mont Durand.

On peut naturellement choisir aussi comme point de départ la cabane, plus basse, de Schönbiel (2 694 m) ou inclure l'escalade du Mont Durand dans une traversée de la cabane du Mountet (2 886 m) à Zermatt par le Col Durand (3 451 m). Le premier itinéraire n'est pas très commode à la montée, pour prendre pied sur le plateau du Hohwänggletscher, mais le deuxième est une façon très élégante de quitter le cirque du Mountet ou d'y pénétrer. Vu du Mountet, le Mont Durand a fière allure malgré son altitude moins élevée que son grand voisin, l'Ober Gabelhorn. Dominée par de dangereux séracs, sa face N, large de près de 1 km et haute de 600 m, lui donne un air à la fois imposant et rébarbatif.

Ce qui fait surtout le charme d'une course au Mont Durand, c'est le cadre exceptionnel dans lequel elle se déroule. Lorsque l'on vient de la cabane du Mountet, l'ambiance est imposante, très solitaire. Mais plus que tout, lorsque l'on émerge dans la lumière du Col Durand (3 451 m), après la rude escalade des derniers 100 m de son versant N, on a le souffle littéralement coupé, une seconde fois, par la beauté et la force de l'élan colossal du Cervin. Toute pro-

che, de l'autre côté du glacier de Zmutt que l'on surplombe déjà de 1 000 m, son écrasante silhouette nous domine encore une fois d'un kilomètre. Les alpinistes qui débouchent pour la première fois sur ce balcon éblouissant en restent cois pendant quelques minutes. La montée depuis Zermatt est aussi très belle et le paysage majestueux, mais on s'habitue à cette présence presque palpable et qui accapare tous les regards : le Matterhorn. Mais il n'y a pas de transition brusque, pas de surprise, plus l'on monte et plus le Cervin se dégage, plus il se hisse lui-même. L'ascension du Mont Durand est la course d'où l'on a la vue la plus étonnante sur ce sommet prestigieux, unique. Pendant deux jours on peut se remplir les yeux à satiété, d'éclairages changeants, de jeux de nuages, d'atmosphères variables : d'humeur capricieuse pourrait-on dire en personnifiant LA montagne tant on subit une sorte d'envoûtement.

Le parcours de l'arête W en forme de croupe jusque vers le point 3611 offre heureusement d'autres coups d'œil intéressants qui viennent rompre un peu le charme. La dernière pente, assez raide, nécessite parfois les crampons et l'on grimpe légèrement vers la droite pour gagner le bord SW de la grande bosse neigeuse que forme le sommet du Mont Durand (3 712,6 m).

- **Dénivellation** : montée : 1er jour : 1 000 m, 2e jour : 490 m ; descente : 2 100 m jusqu'à Zermatt ou 1 860 m jusqu'à Furi.
- **Difficulté** : AD −.
- **Horaire** : montée : 1er jour : depuis Schwarzsee : 4-5 h, 2e jour : 3 h ; descente : 1-2 h.
- **Période favorable** : avril et mai ; juin les années de fort enneigement.
- **Point de départ** : station du téléphérique de Schwarzsee (2 583 m). Descente à Stafelalp jusqu'à la cote 2222.
- **Point d'arrivée** : Zermatt (1 614 m) ; Furi (1 864 m) lorsqu'il n'y a plus assez de neige.
- **Cartographie** : Carte nationale suisse 1/50 000, feuilles nos 283 Arolla et 284 Mischabel, ou C.N.S. 1/25 000, feuilles nos 1347 Matterhorn et 1348 Zermatt. Assemblage Zermatt et environs au 1/50 000.
- **Matériel** : couteaux, piolet, crampons, corde.
- **Itinéraire** : *1er jour* : on peut monter par le téléphérique de Schwarzsee (2 583 m) et descendre par les pistes de Stafelalp, en traversant assez haut à gauche, pour glisser jusqu'au pont coté 2222 à l'ouest de l'usine de pompage de la Grande Dixence. Prendre la route qui passe à l'ouest du bassin de compensation et la suivre jusque sur la moraine N du glacier de Zmutt (2 330 m environ). Remonter le vallon d'Arben par la combe de droite, à l'est de la moraine d'Arbengandegge. A l'altitude 2 900 m, traver-

ser dans la combe de gauche et prendre pied sur le glacier d'Arben à gauche encore. Dès lors, le passage n'est pas chaque année identique et il faut zigzaguer entre quelques petits murs de glace pour grimper jusqu'à un éperon rocheux de la face S de l'Ober Gabelhorn. Les derniers rochers de cet éperon s'enfoncent comme un coin dans l'Arbengletscher et portent, à 3 224 m, le refuge-bivouac de l'Arben.

2e jour : remonter l'Arbengletscher en direction SW, vers la selle cotée 3413. Franchir cette selle et, après une courte descente de 140 m de dénivelée, remettre les peaux pour grimper au Col Durand (3 451 m) par la rive droite du glacier de Hohwäng. Il n'est pas absolument nécessaire d'aller jusqu'au col et l'on peut très bien rester à droite dans la combe qui monte, de plus en plus abrupte, vers le sommet. Cependant, la vue que l'on découvre en escaladant la grande croupe W vaut le petit détour. Du point 3611 ou d'un peu au-dessous déjà, prendre à droite pour grimper en oblique vers l'arête S du Mont Durand et la suivre jusqu'au point culminant (3 712,6 m). Crampons utiles parfois pour monter, tout droit, du point 3611 à l'arête sommitale.

Descente : partir le long de l'arête S puis emprunter la grande combe SW. Suivre la rive droite du Howänggletscher et se diriger, tout à droite, vers le point 3150. Il n'est pas nécessaire de remonter par le chemin d'été pour rejoindre la brèche (3 209 m) qui donne accès à la combe de Kumme. Ce passage est exposé et peut être difficile en hiver (crampons). Il vaut mieux longer les séracs du glacier de Hohwäng, rive droite, et, dès 3 950 m, prendre à droite les pentes très escarpées qui tombent sur Hohle Bielen (2 429,3 m). Ces pentes, orientées à l'est, dégèlent très tôt et sont superbes à skier. Par temps très doux il faut s'en méfier, et il est alors préférable de reprendre l'itinéraire de montée par le vallon d'Arben. Dès l'usine de pompage (2 179 m), on peut suivre la route jusqu'à Furi (1 864 m) mais celle-ci est dégagée et parfois « sablée ». Il est préférable de remonter 7-8 mn jusqu'à l'auberge de Stafel (2 199 m) où l'on retrouve un bon petit fendant et les pistes qui descendent à Furi (1 864 m) et à Zermatt (1 614m).

Le Cervin vu du Col Durand (page ci-contre).

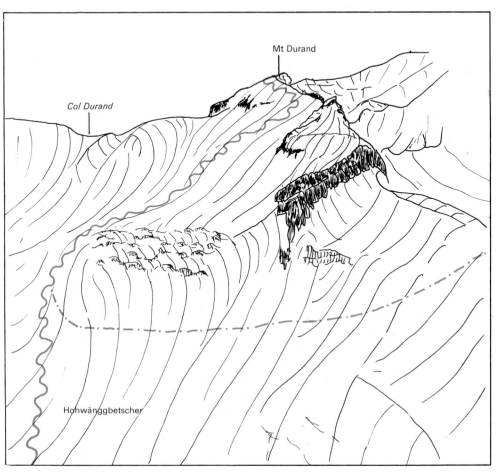

64. COL DE VESSONA 2 783 m
traversée

Reliant deux régions peu fréquentées en hiver, le val de Saint-Barthélemy au sud et le Valpelline au nord, le Col de Vessona (2 783 m) est une excursion de toute beauté. Par sa solitude, ses contrastes, ses difficultés et la grandeur sauvage des sites parcourus, cette traversée mérite d'être mieux connue. Cependant, au cœur de la mauvaise saison, le versant SE du col et toute la Combe de Vessona sont très exposés aux avalanches. On ne s'y aventurera donc pas lors d'un fort redoux ou peu de temps après une chute de neige. En plein hiver, il est possible de faire de très jolies courses dans la région de Lignan (1 633 m), dans le val Saint-Barthélemy, mais il vaut mieux attendre le printemps pour traverser le Col de Vessona. En mars et même au début d'avril, la neige reste poudreuse dans toute la partie supérieure de la Combe de Vessona. De plus, la clairière du Cliou, très à l'ombre, conserve un bon enneigement qui permet de glisser très tard jusqu'au pont sur le torrent Buthier à 1 359 m.

Cette descente, dans une combe étroite, enserrée entre des parois hautes de plus de 1 000 m et ravinées de couloirs tortueux et menaçants, contraste grandement avec la montée depuis Lignan (1 633 m). Le val Saint-Barthélemy, aux belles forêts et aux combes plus douces, est le point de départ d'excellentes petites courses d'entraînement comme le Mont Morion (2 709 m), la Crête de Champorcher (2 656 m), le Gran Pays (2 726 m), par exemple. La montée au Col de Vessona (2 783 m) par ceux très rapprochés de Fontaney (2 568 m) et de Chaleby (2 683 m) commence aussi par des champs peu inclinés, des forêts clairsemées et des croupes larges et arrondies. Pourtant, au Col de Chaleby le Mont Faroma (3 073 m) surgit soudain, avec tous ses couloirs, ses goulottes serrées qui lui donnent un air himalayen. C'est un avant-goût somptueux des décors du reste de la course. La vire qui précède le Col de Vessona, inclinée sur le vide entre deux parois de rochers sombres et à pic, crée l'ambiance et l'on n'a guère envie de regarder le paysage, magnifique et très ouvert, à gauche et derrière soi. Il faut attendre le balcon du col pour vraiment pouvoir admirer la profondeur brumeuse de la vallée d'Aoste et l'éclatant scintillement des montagnes qui la bordent au sud. A gauche, au sudouest, un beau triangle blanc s'élance vers le ciel, tentation à laquelle on ne saurait résister d'autant plus qu'il n'est pas très haut (160 m), ni bien raide. Les rochers qui forment sa pointe (2 950 m environ) marquent également le début de l'arête NE du mont Faroma (3 073 m). De là, il est possible d'observer la descente de toute la Combe de Vessona, jusqu'aux environs du chalet de l'Arnou (1 788 m), ou de contempler la chaîne au nord du Valpelline, du Mont Berrio (3 075 m) à la Singla (3 714 m).

La descente s'attaque par la droite et la combe qui plonge jusqu'aux chalets de l'Ardamun (2 206 m). On a vraiment l'impression de s'enfoncer dans un entonnoir, et plus l'on descend, plus l'on se sent prisonnier des hautes

murailles qui se resserrent. La Combe de Vessona tourne légèrement à l'ouest dans le fond et, à mi-parcours, ce virage masque la sortie. Celle-ci se fait par le tracé du chemin d'été, dans la forêt et la clairière du Cliou. On suit l'une des rives du torrent Buthier pour arriver à Oyace et l'on trouve, à Veine (1 241 m), ou à Oyace même (1 390 m), un restaurant pour se désaltérer et manger d'excellents spaghetti.

● **Dénivellation** : montée : 1 150 m; descente: 1 510 m, avec 160 m supplémentaire si l'on grimpe à l'arête du Mont Faroma.

● **Difficulté** : AD −.

● **Horaire** : montée : 4 h 30-5 h; descente : 1 h-1 h 30.

● **Période favorable** : mars, avril.

● **Point de départ** : Lignan (1 633 m), val Saint Barthélemy.

● **Point d'arrivée** : Veine (1 241 m) près d'Oyace, Valpelline.

● **Cartographie** : Carte nationale suisse 1/50 000, feuille n° 293 Valpelline.

● **Matériel** : couteaux.

● **Itinéraire** : on atteint Lignan (1 633 m) par la route du val Saint Barthélemy qui part de Nus (529 m), 11 km à l'aval (E) d'Aoste. De là, deux itinéraires sont possibles. Le premier passe par l'alpe de Fontaney (2 079 m) et les cols de Fontaney (2 568 m) et de Chaleby (2 683 m) ; le second, plus court d'une demi-heure, grimpe directement par le vallon et l'alpe de Chaleby (1 940 m). Ces deux routes se rejoignent près du lieu dit Plan Piscina, point 2544, et traversent ensuite à gauche, ouest puis sud-ouest, la longue vire inclinée qui mène au Col de Vessona (2 783 m). On peut grimper en une demi-heure jusqu'à l'arête du Mont Faroma (2 950 m environ). L'itinéraire par le Col de Fontaney est le plus long mais, à mon avis, le moins fatigant et le plus beau. Le paysage y est plus ouvert et la vue plus dégagée.

Descente : longer le pied des rochers, à droite (NE), pour gagner la superbe combe qui plonge dans la cuvette de l'Ardamun. Les chalets de l'alpage (2 206 m) sont abrités sous des rochers et une vire entre deux barres permet de traver-

ser, à droite (NE), vers la Combe de Vessona proprement dite. Celle-ci se descend sur sa rive droite jusqu'aux chalets de l'Arnou (1 788 m)où l'on emprunte le pont pour passer sur l'autre rive. Suivre alors le tracé du chemin d'été dans la forêt, à gauche (W), pour atteindre la clairière du Cliou que l'on dévale jusqu'au pont coté 1359. On peut alors le franchir et descendre à pied par la rive droite ou même remonter, en face du pont, jusqu'aux prairies à l'amont du village d'Oyace (1 390 m). Lorsqu'il y a encore suffisamment de neige sur la rive gauche du torrent Buthier on peut suivre à skis le tracé du sentier estival pour descendre jusqu'au deuxième pont (1 270 m environ). On traverse celui-ci, 200 m en amont du hameau de Veine (1 241 m) que l'on rejoint par le chemin de la rive droite.

*Au centre le Mont Faroma
et la Combe de Vessona (page ci-contre).
Le Mont Faroma et la Becca di Nona
vus de la Combe de Crête Sèche (ci-dessous).*

65. COL BUDDEN 3582 m

Le Col Budden (3 582 m) se cache entre la Punta Budden (3 630 m) et la Becca di Guin (3 760 m) tout au fond du Valpelline. Très discret, il n'a même pas de nom sur la carte et ne sert de passage que pendant la saison estivale. Son versant SE est un à-pic rocheux qui tombe de 800 m sur l'éperon du refuge Bobba (2 770 m) et n'est pas praticable à skis. L'immense iceberg affalé du glacier des Grandes Murailles est très tourmenté, très éloigné et peu commode d'accès. Il n'est pratiquement pas fréquenté par les skieurs, sauf au printemps pour l'ascension de la Dent d'Hérens (4 171,4 m) tout au nord. Pour faciliter l'escalade des innombrables gendarmes, pointes et autres donjons de cette longue « muraille » la Société des guides du Cervin a érigé deux bivouacs fixes à ses extrémités. L'un au Col des Grandes Murailles (3 827 m) et l'autre au Col Budden (3 582 m). De plus, un tout petit bivouac à la Tête des Roèses (3 216 m) pourrait inciter les alpinistes-skieurs à venir plus fréquemment visiter la région; ce n'est guère le cas pour le moment. Avec la « popularisation »

toujours croissante des itinéraires classiques et la vogue des sommets de 4 000 m, il semble logique que les « coins perdus » et sans prestige comme le glacier des Grandes Murailles attire de plus en plus les amoureux d'une nature moins encombrée. Un certain nombre de courses y sont imaginables. Outre la Dent d'Hérens, que l'on gravit depuis le refuge Aosta (2 781 m) (course n° 50) et le Col Budden décrit ci-après, on peut encore envisager l'ascension du col des Cors (3 721 m) ou même le couloir NW des Jumeaux (3 872 m); de quoi bien occuper un week-end prolongé de 4 jours.

La Becca di Guin (3 760 m) est bien visible de Prarayer (2 005 m) et l'on peut grimper à skis vers son sommet jusqu'à l'altitude 3680. C'est un complément intéressant à l'itinéraire du Col Budden. A son pied, le Bivacco Paoluccio sur le col en est la base de départ idéale, mais elle est située à 7-8 h du barrage de Place Moulin (1 950 m). Cette petite construction, véritable nid d'aigle, n'est donc pas envahie par les visiteurs. Tard au printemps et les années de fort

enneigement, même encore en juillet, on peut envisager d'y passer la nuit pour grimper sur la Becca di Guin au lever du jour et profiter d'une neige encore excellente pour la descente.

La vue depuis le col, ou un peu au-dessus, vers la Becca di Guin, est absolument époustouflante. L'abîme du val Tournanche, profond de 1 600 m, fait apparaître les maisons de Breuil-Cervinia comme des jouets d'enfants. Les formes bizarres de certains bâtiments renforcent encore cette impression avec leurs allures de jeu de construction. Il est tellement dommage qu'elles ne s'intègrent pas mieux au paysage grandiose des parois gigantesques des Grandes Murailles et du Cervin. Les champs de neige du Théodule et de la Gobba di Rollin (3 899 m) étincellent au soleil et paraissent presque plats vus d'ici. La descente s'effectue normalement le long de la rive gauche du glacier des Grandes Murailles, puis, dès l'altitude 2800, par les versants W et SW de la Tête de Bellatza (2 907 m). On peut également quitter le glacier plus bas (2 700 m) et passer sur la rive droite du torrent pour se faufiler entre les barres rocheuses aux abords d'un deuxième torrent. Le fond de ces ravins est parfois suffisamment enneigé pour être descendu à skis, mais généralement des amas de glace ou de petites cascades gênent le parcours. Dès le point 3266 on peut traverser, à droite, le grand balcon horizontal du glacier des Grandes Murailles. Un peu au-dessus de la Tête des Roèses (3 216 m) et après une brève montée, on prend la courbe de niveau 3300, pour la suivre jusqu'au point 3337, au-dessus du Tiefmattenjoch (3 565 m). On a le choix alors soit de descendre à la cabane Aosta (2 781 m), soit de franchir le Tiefmattenjoch (difficile) pour gagner Zermatt. De la cabane Aosta, on rallie Arolla par les cols de la Division (3 314 m) et du Mont Brûlé (3 213 m).

- **Dénivellation** : 1 580 m.
- **Difficulté** : AD − .
- **Horaire** : montée : 6 h 30-7 h; descente : 1 h-1 h 30.
- **Période favorable** : mai-juin; parfois encore au début de juillet.
- **Point de départ** : Prarayer (2 005 m).
- **Cartographie** : Carte nationale suisse 1/50 000, feuilles nᵒˢ 283 Arolla et 293 Valpelline, ou C.N.S. 1/25 000, feuille n° 1347 Matterhorn (cette deuxième carte ne porte ni Prarayer ni le premier kilomètre du parcours).
- **Matériel** : couteaux, piolet, crampons, corde.
- **Itinéraire** : au départ de Prarayer (2 005 m), suivre la rive droite du torrent Buthier, jusqu'au pont coté 2021. Passer alors sur la rive gauche et prendre, à droite (E), la rive gauche du ruisseau auxiliaire venant de Bellatza. Monter vers

le chalet de Deré la Vieille (2 240 m), puis escalader, à droite, les pentes qui grimpent vers les ruines de l'alpage de Bellatza (2 480 m environ). Obliquer à gauche (N-NE) pour gravir en écharpe les vires inclinées et raides qui conduisent au bord du glacier des Grandes Murailles, vers 2 800 m. Remonter la rive gauche de ce glacier jusque vers 3 200 m puis le milieu de la combe qui s'élève vers le Col (3 582 m) et la Becca di Guin (3 760 m).

Descente : par l'itinéraire de montée, absolument superbe par son cadre et sa raideur soutenue. Le passage des vires, où l'on se faufile entre les barres de rochers pour gagner l'alpe de Bellatza, demande cependant une grande attention sur neige dure, une chute à cet endroit serait fatale. Des névés emplissent longtemps la cuvette au sud de Deré la Vieille et l'on descend sans problème jusqu'au fond de la vallée. Les restes d'avalanches sont généralement plus

nombreux sur la rive gauche du torrent Buthier et l'on peut glisser souvent jusqu'à mi-distance de Prarayer (2 005 m).

Le Col et la Punta Budden.
A gauche la Becca di Guin
(page ci-contre).
Une bonne technique
permet de profiter des pentes les plus raides
(ci-dessus).

66. DENTS DE BERTOL 3 524 m
pointe sud, versant ouest

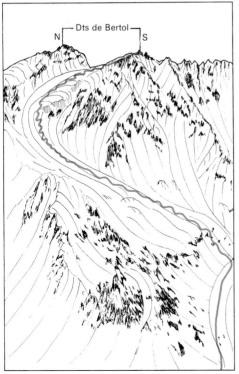

Les Dents de Bertol sont des « sommets oubliés » par excellence. Trop proches de la cabane de Bertol, ces dents n'attirent ni le regard ni la convoitise des alpinistes ou des skieurs engagés sur la haute route.

Du côté N, elles ne dépassent le glacier que de 200 m et paraissent ainsi trop débonnaires et sans intérêt. Le versant N de la pointe S (3 524 m) n'est visible que dans sa partie supérieure, la plus plate, et le versant W est vraiment bien caché. On l'aperçoit depuis la cabane des Vignettes, par-delà le glacier d'Arolla, mais il est trop éloigné pour qu'on lui prête attention. En montant d'Arolla au refuge des Bouquetins, on n'y attache que peu d'importance, impressionné que l'on est par la proximité écrasante du Mont Collon, ou par l'élégance et l'élan des Bouquetins.

Du chemin de la cabane de Bertol, on ne peut apercevoir ni les dents, ni les pentes qui en descendent, celles-ci sont cachées par l'arête de Bertol. Mais ce sommet S, dédaigné, est un des seuls qui permettent aux skieurs de contempler, tout à leur aise, les draperies de glace du Mont Brûlé, qui ferment la vallée au sud.

La descente du versant W est des plus intéressantes. La partie sommitale est peu raide, ouverte : grosse bosse arrondie que l'on peut entreprendre, semble-t-il, de tous les côtés. Cependant, la descente n'est aisée qu'en apparence : les crevasses abondent et l'endroit réclame de la prudence. C'est pourquoi, même si la combe semble d'abord assez douce, on ne se laisse pas aller à la vitesse.

Bientôt le glacier se fait de plus en plus raide, on est saisi d'une certaine appréhension : devant nous il semble que la pente finisse dans le vide. A un moment donné, la combe oblique à l'ouest et se resserre. A droite se dresse une paroi rocheuse, à gauche un sérac nous rejette dans le couloir. Ce passage est le plus difficile de la course, car on doit évoluer entre des crevasses, fort nombreuses à cet endroit. Puis on quitte le glacier et l'on skie sur des pentes soutenues qui descendent en direction du sud-ouest. Ceux qui désirent alors rejoindre le refuge des Bouquetins, auront avantage à tourner plein S dès 2 900 m environ. Il leur faudra ensuite traverser à main gauche en tâchant de rester le plus haut possible en dessous du point 2837,8. Pour continuer jusqu'à Arolla il faut prendre à main droite. On descend ainsi en direction de la prise d'eau qui se trouve au fond du Haut Glacier d'Arolla. Là le Mont Collon dresse sa masse imposante. Des avalanches de séracs peuvent s'en détacher et il faut se montrer méfiant. La prudence est de rigueur, spécialement aux alentours de la prise d'eau. Le Bas Glacier d'Arolla ne présente pas de difficultés et offre de magnifiques coups d'œil : à gauche sur les séracs du glacier du Mont Collon ou les à-pics de Vuibé et, derrière nous, sur la dangereuse face N du Mont Collon.

- **Dénivellation** : 1 500 m jusqu'à Arolla.
- **Difficulté** : AD.
- **Horaire** : montée : d'Arolla à la cabane de Bertol : 5-6 h ; de la cabane au sommet : 1 h 30 ; descente : 1-2 h suivant les conditions.
- **Période favorable** : mars à juin.
- **Point de départ** : Arolla (1 008 m).
- **Cartographie** : Carte nationale suisse 1/50 000, feuille n° 283 Arolla, ou C.N.S. 1/25 000, feuille n° 1347 Matterhorn.
- **Matériel** : couteaux, corde, piolet.
- **Itinéraire** : d'Arolla (2 000 m), suivre le fond du vallon en empruntant plus ou moins le chemin d'été, puis le bord de la Borgne d'Arolla. Continuer sur la rive droite du Bas Glacier d'Arolla jusqu'au pied de la face N du Mont Collon. Se tenir aussi près que possible des rochers à main gauche pour éviter d'être exposé trop longtemps aux avalanches (parfois énormes) pouvant tomber dans le grand couloir central. Passer près de la prise d'eau puis tirer franche-

ment à gauche (N) pour atteindre les Plans de Bertol et la petite cabane (2 664 m), environ 3 h jusque-là. Traverser à gauche vers le fond du vallon en suivant à peu près le même cheminement qu'en été. Sur le glacier de Bertol, on peut passer à droite ou à gauche du rognon rocheux situé entre 3 000 m et 3 100 m, puis escalader la crête de ce rognon jusque vers 3 200 m et enfin traverser à droite, au-dessous du rocher de la cabane, pour rejoindre le Col de Bertol. Une bonne échelle remplace maintenant les chaînes et permet de gagner facilement la cabane (3 311 m). De cette dernière on redescend chausser les skis, laissés au col, et l'on part en direction SE puis E. Le parcours est horizontal et même légèrement descendant jusqu'à 3 220 m environ où l'on quitte le tracé de la haute route se dirigeant vers Tête Blanche. En appuyant à droite, on monte en évitant quelques crevasses vers le col situé entre les deux Dents de Bertol. Une pente courte, raide, parfois ourlée d'une corniche, en rend l'accès peu aisé. Du col, le parcours est facile dans le versant NE du sommet S.

Descente : suivre approximativement la trace de montée jusqu'au col, puis obliquer à gauche et descendre la combe dans son milieu, souvent moins crevassé que le bord droit, sous les rochers du sommet N. Entre les altitudes 3300 et 3200, la combe se resserre pour former un large couloir raide et très crevassé. En appuyant à main droite, la descente est moins difficile et les ponts généralement plus sûrs, mais les conditions varient souvent d'une année à l'autre. Au-dessous de cette partie scabreuse, une belle pente, raide à souhait, conduit sur le replat coté 2910. La combe à gauche mène facilement jusque sur le Haut Glacier d'Arolla . En franchissant une crête à droite, on retrouve une autre combe plus directe, coupée d'une barre de rochers vers 2 780 m. Celle-ci peut se franchir à droite, mais on fera bien d'étudier le passage depuis la prise d'eau, en montant à la cabane. On retrouve les traces du jour précédent aux alentours de la prise d'eau et on les suit pratiquement jusqu'à Arolla.

Le Col de Bertol et les Douves Blanches vus du sommet S des Dents de Bertol (page ci-contre).
La "matière" source de tant de joies (ci-dessous).

67. PIGNE DE LA LÉ 3 396,2 m
versant nord

Pigne de la Lé

Col du Pigne

Très certainement, le Pigne de la Lé (3 396,2 m) est l'un des plus beaux points de vue de tout le val d'Anniviers, qui pourtant ne manque pas de belvédères superbes et d'endroits enchanteurs d'où l'on découvre de magnifiques paysages. Situé au milieu d'un cirque impressionnant de glaciers et de sommets, le Pigne de la Lé offre un coup d'œil extrêmement varié sur les montagnes de la partie supérieure du val d'Anniviers. La couronne des « 4 000 », qui va du Bishorn à la Dent Blanche en forme le joyau central, compose un tableau de grandes pyramides sombres drapées de glaciers suspendus, bleus et blancs. En hiver, le fond du val de Moiry est encore très sauvage, peu fréquenté et, du sommet du Pigne de la Lé, on n'y découvre que très peu de signes de civilisation. A droite, à gauche, ce ne sont que champs de neige immaculés, rochers abrupts et sauvages, couloirs de glace fuyants et terribles. Et pourtant, le Pigne de la Lé n'a pas la réputation d'être une ascension difficile, loin de là. Au départ de la cabane de Moiry, c'est même une balade de famille et l'on voit souvent, en été, des enfants de dix ans faire leurs premiers pas en montagne, leur première « course encordés ». Les champs de neige du versant S de la montagne sont débonnaires et faciles ; seules quelques crevasses, généralement bien couvertes, exigent un minimum de prudence. Le versant N est, par contraste, très abrupt et plonge de 1000 m sur l'alpage de la Lé. La descente directe des premiers 200 m devrait être possible par bonnes conditions de neige. Avec un groupe de clients, j'ai préféré descendre le versant NW jusqu'un peu au-dessus du Col du Pigne et entrer dans la pente N à cet endroit (3 200 m). Cette pente a une largeur de près de 800 m et présente, sur une dénivellation de 600 m, une inclinaison d'environ 45°. Tournée plein nord, elle offre en général des conditions excellentes de neige poudreuse et l'on peut y aligner, avec délices, plusieurs séries de cent virages. Après qu'une longue période de beau temps a permis à la neige de se stabiliser, on virevolte dans une féerie de cristaux, qui s'envolent, bruissent, chuintent et coulent en petites avalanches. Sur l'alpage de la Lé, l'inclinaison est beaucoup plus faible mais, souvent, la neige reste encore parfaite. Au-dessus du Petit Mountet, on rejoint des pentes

tournées à l'est en plein soleil, et, avec un peu de chance, en neige de printemps, gros sel, dégelées à souhait. La descente du dernier vallon se fait presque toujours sur des restes d'immenses avalanches avec parfois l'inconvénient de troncs, de terre et de rochers éparpillés. Sur la rive droite, plus ou moins cachés dans la forêt, des chamois paissent tranquillement, à peine surpris de voir passer des skieurs. On arrive à Zinal en longeant la piste de fond et on a besoin de toute son énergie pour glisser sur les 3 km de plat jusqu'au village. Ici se termine la « petite boucle » décrite plus bas.

- **Dénivellation** : descente : 1 000 m jusqu'à l'alpage de la Lé, puis encore 720 m jusqu'à Zinal.
- **Difficulté** : AD, par le Col du Pigne ; TD, si l'on part directement du sommet N.
- **Horaire** : montée : jusqu'à la cabane : 4-6 h, de la cabane au sommet : 2 h 30-3 h ; descente : 1 h-1 h 30.
- **Période favorable** : mars à mai.
- **Point de départ** : Zinal (1 675 m), Corne de Sorebois (2 895 m) par les remontées mécaniques, barrage de Moiry (2 250 m) ou La Forclaz sur Les Haudères (1 700 m), le Tsaté (2 164 m) par le téléski, Col de Bréona (2 915 m), glacier de Moiry (2 600 m environ).
- **Cartographie** : Carte nationale suisse 1/50 000, feuilles nos 273 Montana et 283 Arolla.
- **Matériel** : corde, piolet.
- **Itinéraire** : deux possibilités s'offrent à l'alpiniste pour atteindre la cabane de Moiry (2 825 m), deux possibilités dont dépendra le choix entre la « grande boucle », ou la « petite boucle ». Toutes deux sont réalisables en deux jours. Si l'on choisit la « petite boucle » on part de Zinal, on monte à la Corne de Sorebois (2 895,7 m) par les installations mécaniques, puis on a une belle descente de 600 m de dénivelée sur le barrage de Moiry. On monte enfin en 3-4 h à la cabane de Moiry (2 825 m). La « grande boucle » débute à La Forclaz sur Les Haudères, monte au Col de Bréona et redescend sur le glacier de Moiry, en face de la cabane. Le lendemain, la « petite boucle » se termine à Zinal, alors que la « grande boucle » nécessite la descente sur Grimentz, la montée au Bec de Bosson par les installations mécaniques, la traversée du Pas de Lona et la descente sur Eison.

La « petite boucle » représente 1 145 m de dénivellation à peaux de phoque et 1 220 m par les remontées mécaniques ; en descente, une première fois 645 m et une seconde 1 720 m. Si l'on choisit la « grande boucle », pour une montée de 3 020 m avec les moyens mécaniques et de 1 610 m à peaux de phoque, on jouira d'une immense descente de 4 675 m de dénivellation, partagée en trois longs parcours et un plus court. Pour effectuer cette « grande boucle », on laisse la voiture au pied du téléski du Tsaté à La Forclaz et, si le groupe dispose de plusieurs voitures, on peut en mettre une à Eison pour le retour. Sinon, il est toujours possible de s'adresser au café d'Eison pour louer une voiture. La montée au Col de Bréona s'effectue soit par l'alpe de Bréona, soit par le Col du Tsaté. Pour gagner la cabane de Moiry, on remonte la rive gauche du glacier jusqu'en face de la cabane pour atteindre celle-ci par la droite, plus au sud que l'itinéraire indiqué sur les cartes de la F.S.S. La montée par le chemin d'été est absolument déconseillée.

L'ascension du Pigne de la Lé, que l'on atteint par le sud-ouest, ne présente pas de difficulté. Seules quelques crevasses, parallèles à la ligne de marche, peuvent être dangereuses, en début de saison ou lors des années de peu de neige. *Descente* : du sommet (3 396,2 m), on revient quelques mètres sur ses pas pour prendre la

pente W, qui demande un peu d'attention au passage de la rimaye, puis NW en direction du Col du Pigne (3 141 m). Légèrement au-dessus de celui-ci, on traverse à droite pour entrer dans l'immense pente N. L'endroit le plus favorable est constitué, en général, par une petite corniche qui va mourir dans la pente à droite. On peut alors, soit partir encore plus à droite et descendre le glacier, soit revenir à gauche, sous le Col du Pigne. Cette deuxième solution me paraît plus favorable au ski. Lorsque la pente devient moins raide, sur l'alpage de la Lé, on recherche la neige poudreuse en tirant à droite, sous la face N, ou la neige de printemps, à gauche, sous le Col de la Lé. A la hauteur du Petit Mountet (2 142 m), la neige est d'habitude très bonne et reste excellente jusqu'au fond du vallon. On suit alors carrément le lit de la rivière,

qui offre le meilleur passage pour rejoindre le grand replat de Zinal. Les années de peu de neige, cependant, il est nécessaire de remonter légèrement en suivant le chemin qui passe par Le Vichiesso (1 862 m).

Après une halte bien venue, on repart pour la « grande boucle » en montant à la Corne de Sorebois par les installations. Beaucoup de monde, l'ambiance de la course change radicalement. Descente sur Grimentz par le barrage de Moiry et la rive gauche de la Gougra, ou par Tsirouc (1 959 m), plus directement. Remontée, encore une fois dans la foule, par les télésièges et téléskis jusqu'au Bec de Bosson. Une demi-heure d'escalade à peaux de phoque vers le sud-est permet d'atteindre un petit col, sans nom sur la carte, près du point 2974. La descente sur Eison par le Pas de Lona est facile et

en général en bonne neige, même l'après-midi, car il est possible de trouver des pentes tournées à l'ouest. Une possibilité de rejoindre Evolène s'offre du Pas de Lona par Les Cliosses, Volovron, mais le parcours est presque toujours à flanc de coteau et il n'y a souvent plus de neige dans la dernière partie, trop ensoleillée. Avec 1 h 30 de remontée supplémentaire, on peut, depuis le lac de Lona, gagner le Col de Torrent (2 918 m) et descendre directement sur Villa. Cependant, la journée me paraît déjà bien remplie et la descente du col de Torrent en plein sud s'effectuerait, en fin d'après-midi, certainement dans de la neige lourde et pourrie.

Le Pigne de la Lé versant de Moiry (ci-dessus).

68. SASSENEIRE 3 254,0 m
versant nord

Sasseneire, le rocher noir, est le sommet le plus élevé sur la partie inférieure de la longue crête qui va de la Dent Blanche (4 356,6 m) au Bec des Bossons (3 148,8 m). De la cabane de Moiry, Sasseneire apparaît comme une pyramide régulière qui flanque la rive gauche du vallon et domine le lac artificiel et les alpages du même nom. Isolée, en retrait des grands sommets, elle attire le regard et la convoitise de l'alpiniste car il imagine, justement, le panorama très étendu que l'on découvre de sa cime. Vers le nord, par-delà la tranchée profonde de la vallée de Rhône, souvent estompée par une brume légère, la chaîne des Alpes bernoises a usurpé son nom car elle est située aux trois quarts sur sol valaisan. Tout près, la masse noire du Bec des Bossons domine les champs de neige des alpages de Lona et de la montagne d'Eison et sépare les deux sillons, verts au printemps, des vallées d'Anniviers et d'Hérens. Au fond de cette dernière, le son d'une cloche à l'église des Haudères (1 436 m) fait immanquablement penser à la célèbre chanson de Gilles. C'est du reste bien ici, dans cette vallée d'Hérens où les anciennes cou-

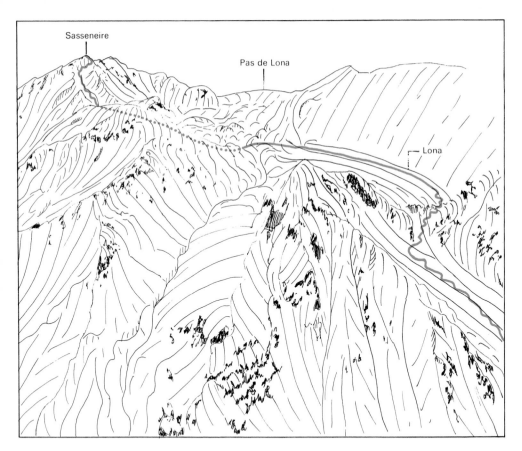

Sasseneire

Pas de Lona

Lona

tumes sont encore si vivaces, que le poète a composé quelques-unes de ses plus belles chansons, et la plus populaire d'entre elles, *Les Cloches*. A la bifurcation des vals de Ferpècle et d'Arolla, les formes élancées des deux Dents de Veisivi leur donnent l'allure de sentinelles à l'entrée du monde de la haute montagne, du royaume des glaces et des neiges éternelles. Elles sont le centre d'un diadème superbe qui dresse vers le ciel ses joyaux effilés, des Aiguilles Rouges d'Arolla aux Pointes de Mourti. Vers le sud - sud-est, la vue est fermée par les vastes étendues de neige qui supportent la Tête Blanche (3 724 m) et que domine de sa masse imposante la Dent Blanche (4 356,6 m). Vers le sud-ouest et l'ouest, les chaînes et les vallées se succèdent en plans bien délimités jusqu'au massif du Mont Blanc. De l'autre côté du val de Moiry, le géant de Zinal, le Weisshorn (4 505 m), le Rothorn (4 221,2 m), l'Obergabelhorn (4 062,9 m), bouchent l'horizon vers l'est.

Du sommet de Sasseneire, trois descentes principales sont possibles. En neige de printemps, soit après la mi-mars environ, le versant du point 3139 qui tombe sur Villa (1 742 m), orienté plein sud, est de loin le plus beau. A l'inclinaison soutenue sur une dénivellation de 1 400 m, il permet sans conteste le meilleur parcours, toujours dans la ligne de pente. Par neige poudreuse, on peut choisir de descendre vers Grimentz par

l'alpe et le barrage de Moiry, mais par neige sûre il est plus « payant » de dévaler vers les grands replats de l'alpe de Lona (2 600 m), puis la superbe pente N du Sex de Marinda. On peut aussi traverser le Pas de Lona (2 787 m) et descendre par l'A Vielle (2 368 m) (et non La Vielle), jusqu'au village d'Eison (1 650 m).

● **Dénivellation** : montée : 100 + 550 m depuis le téléski de Bendolla, 1 000 m depuis le barrage de Moiry, 1 500 m de Villa (val d'Hérens) ; descente : 1 655 m jusqu'au pont sur la Gougra, coté 1599, à quelques minutes du village de Grimentz (1 572 m).

● **Difficulté** : AD.

● **Horaire** : montée : depuis les téléskis de Bendolla (2 874 m) : 2 h 30-3 h, depuis le barrage de Moiry (2 250 m) : 3 h 30, depuis Villa (1 742 m) : 5 h 30 ; descente : 1 h-1 h 30.

● **Période favorable** : Noël à mi-mai.

● **Point de départ** : Grimentz, télésièges de Bendolla puis des Crêts, enfin téléski de Lona (2 874 m).

● **Cartographie** : Carte nationale suisse 1/50 000, feuilles nos 273 Montana et 283 Arolla, ou C.N.S. 1/25 000, feuilles nos 1307 Vissoie et 1327 Evolène.

● **Matériel** : couteaux.

● **Itinéraire** : du sommet des installations de Grimentz-Bec de Bosson, coller les peaux de phoque et monter en direction S vers une brè-

che de l'arête E du Bec de Bosson, brèche cotée 2974. Descendre vers le Pas de Lona (2 787 m), puis en direction SE, jusqu'à l'altitude 2 700 environ, au-dessus du lac de Lona. Remettre les peaux de phoque et se diriger plein sud. Passer à droite (W) du point 2942 et gagner le pied d'une première côte puis, par un replat, le petit col à droite (W) du point 3037 sur la côte E de Sasseneire. On peut, suivant l'enneigement, grimper entre ces deux côtes puis, par le versant NE, atteindre l'arête N un peu au-dessous du sommet. Lorsqu'il y a doute sur la stabilité de la neige, on préférera l'itinéraire un peu plus long mais plus sûr passant par la gauche du point 2942 puis le col, coté 2899 et dénommé Basset de Levron sur la carte au 1/25 000. Descendre environ 100 m jusqu'au premier replat puis traverser à droite et remonter au Col de Torrent (2 918 m). Suivre alors la crête SE en évitant par la gauche, dans le versant S, les corniches les plus dangereuses. Il faut parfois enlever les skis pour certains passages.

Descente : suivre l'itinéraire du versant NE qui tombe sur le replat au nord du point 3037 puis continuer en direction E sous le Basset de Levron, puis sous le versant NW du Diablon (3 053 m). Une jolie combe descend vers le grand replat de Lona (2 600 m). A la prise d'eau, il faut prendre à gauche, pour suivre la rive gauche du torrent de Lona pendant une centaine de mètres, puis on traverse celui-ci et l'on peut rejoindre un peu plus bas à droite les magnifiques champs de neige du versant N du Sex de Marinda. On peut aussi éviter d'aller jusqu'à la prise d'eau et traverser à droite à l'altitude 2600 pour prendre une large vire inclinée et raide qui rejoint la grande pente N vers 2 500 m déjà. Vers la cote 2100 il faut tirer à droite, sous les rochers de l'arête NE du Sex de Marinda et prendre la pente qui tombe jusqu'à la forêt du lieu dit Le Mayen. Attention au passage de la route, le mur amont peut être haut. Cette deuxième partie de la descente, depuis Lona, est très avalancheuse et l'on ne s'y lancera qu'après l'avoir étudiée soigneusement depuis Grimentz ou Bendolla et par neige absolument stable.

Sasseneire vu de la cabane de Moiry (page ci-contre).

69. ROSABLANCHE 3 336,3 m
versant sud-ouest

La Rosablanche à skis par le glacier du Grand Désert est une course très classique depuis plus d'un demi-siècle déjà. En effet, de la cabane du Mont Fort (2 457 m), par les cols de la Chaux (2 940 m) et de Momin (3 003 m), on gagne facilement le sommet de la Rosablanche, en 4 h-4h 30. La descente sur le lac artificiel de Cleuson (2 186 m) puis sur Super Nendaz (1 733 m) est payante en neige de printemps ou en poudreuse légère, mais trop plate en cas de neige profonde ou collante. Il faut alors pousser sur ses bâtons pratiquement tout le long du trajet. Le versant SW offre, au contraire, une descente plus difficile et beaucoup moins fréquemment parcourue, par le vallon de Severeu. Le dernier couloir présente souvent un amoncellement de débris d'avalanches peu commode à skier et, bien sûr, est exposé à ces mêmes avalanches. Le danger est particulièrement grand après une chute de neige ou lors d'un réchauffement important. Cependant cette descente est superbe par son isolement — contraste agréable avec les foules qui montent en avion ou en hélicoptère à la Rosablanche — et la sauvage beauté du cirque dans lequel on s'enfonce. Presque chaque fois il est possible d'y faire la rencontre d'un troupeau de bouquetins ou de chamois. Il m'est même arrivé de me trouver nez à nez avec un renard aussi surpris de ce face à face que notre groupe de skieurs.

La Rosablanche offre un panorama splendide où le massif des Combins s'impose par la majesté de ses glaciers et où le Cervin ne semble guère s'élever plus haut que la Dent d'Hérens. Au nord, par-delà le profond sillon de la vallée du Rhône, les Alpes vaudoises et bernoises découpent leurs silhouettes familières et caractéristiques. Loin vers le sud, les montagnes d'Italie, de la Vanoise et même du Dauphiné, s'estompent dans une brume gris et rose. Les bons marcheurs, que ne rebute pas une heure et demie supplémentaire, peuvent passer du Col de Cleuson (3 018 m), sur le glacier de Severeu, puis, par une vire vers 3 060 m, sur celui du Parrain, et grimper jusqu'au petit sommet du même nom à 3 259,3 m. Lorsqu'on aborde l'arête terminale, peu avant le sommet un couloir s'ouvre dans le versant S du Parrain, et permet de plonger vers Fionnay (1 490 m). Par le Plan des Lires, l'alpage du Crêt et le couloir de la Dent, cette descente de 1 700 m de dénivellation est l'une des plus fantastiques qui soient, en neige de printemps particulièrement, PD +.

● **Dénivellation** : montée : 517 m jusqu'au Col de la Chaux (2 940 m), puis 570 m du lac du Petit Mont Fort (2 764 m) au sommet de la Rosablanche ; descente : 1 840 m.

● **Difficulté** : AD.

● **Horaire** : montée : de la cabane du Mont

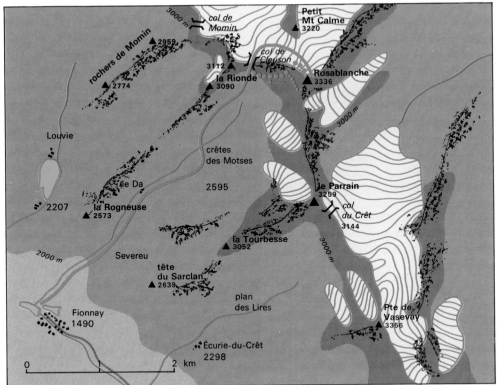

Verbier, les Attelas-I ou II. Après une journée de ski sur les pistes de la grande station bagnarde ou sur celles de Super Nendaz, il est encore plus aisé de rejoindre la cabane depuis le Col des Gentianes. Naturellement il est possible de faire cette course en quittant Verbier par la première télécabine du matin. On risque cependant d'être trop tard pour avoir de bonnes conditions de neige et même de s'exposer à une avalanche dans le dernier couloir au-dessus de Fionnay. Enfin, de très bons skieurs peuvent descendre du sommet du téléphérique du Mont Fort dans la pente SE puis NE sur le glacier du Petit Mont Fort et rejoindre le pied du glacier du Grand Désert vers 2 700 m. L'inconvénient de cette approche reste l'arrivée relativement tardive de la première benne au sommet du Mont Fort.

De la cabane du Mont Fort, remonter les pistes de ski jusqu'à l'aplomb du Col des Gentianes puis continuer tout droit vers le Col de la Chaux (2 940 m). Enlever les peaux de phoque pour une courte descente jusqu'au lac du Petit Mont Fort (2 764 m). Rechausser et grimper une petite combe vers le sud-est; dans le replat tourner à gauche et gagner le glacier du Grand Désert par le Col de Momin (3 003 m). Traverser ce glacier vers le Col de Cleuson puis monter au sommet de la Rosablanche par la gauche (haut du glacier de Prafleuri).

Descente : on peut longer l'arête NW de la Rosablanche et emprunter la pente W vers 3 200 m, ou descendre par le glacier jusqu'au Col de Cleuson (3 018 m). Le versant S du col est assez raide et, parfois encore gelé, il nécessite quelque attention dans sa partie supérieure. De belles combes dégringolent vers Crêtes Motses (2 708 m), le chalet du Dâ (2 365 m) et l'alpage de Severeu (2 116 m). Suivant les conditions de neige, on suivra la rive gauche ou la rive droite du vallon. Environ 100 m au-dessous des chalets de Severeu, la combe s'étrangle et se transforme en couloir. Encore 100 m de dénivelée et ce couloir devient vraiment raide et encaissé. Parfois il est encombré de blocs de neige dure, on a alors peine à y skier allègrement. Enfin, les 200 derniers mètres se parcourent généralement rive gauche du torrent, en direction du bassin de compensation. A Fionnay (1 490 m), l'un des deux cafés-restaurants est toujours ouvert, et un service de bus postal assure la liaison avec Le Châble.

Fort au sommet : 4 h-4 h 30 y compris la petite descente du Col de la Chaux au lac du Petit Mont Fort; descente : 1-2 h.
- **Période favorable :** décembre à avril.
- **Point de départ :** cabane du Mont Fort (2 457 m).
- **Cartographie :** Carte nationale suisse 1/50 000, feuille n° 283 Arolla, ou C.N.S. 1/25 000, feuille n° 1326 Rosablanche.
- **Matériel :** couteaux, corde et piolet pour le glacier du Grand Désert.
- **Itinéraire :** on gagne facilement la cabane du Mont Fort par une longue traversée au départ de la gare des remontées mécaniques du

L'arrivée au sommet de la Rosablanche et vue sur le glacier du Grand Désert (page ci-contre).
La descente vers Severeu (ci-dessus).

70. TOURNELON BLANC 3 707 m
versant sud-est

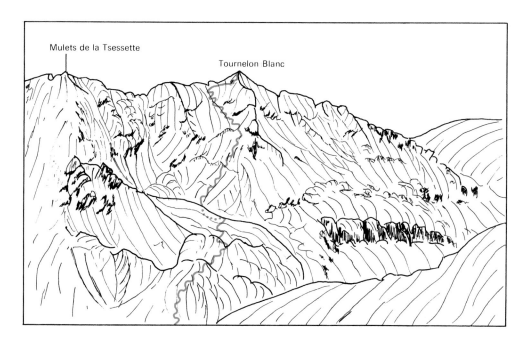

Mulets de la Tsessette

Tournelon Blanc

Le Tournelon Blanc (3 707 m) n'est pas une montagne connue, ni réputée, car elle souffre de la proximité de son grand voisin, le Grand Combin. Pourtant cette cime, qui paraît n'être qu'une petite borne blanche aux yeux des touristes de Verbier, offre aux skieurs-alpinistes trois descentes de grande classe. La première, qui est aussi le chemin d'accès le plus court et le plus facile, rejoint la cabane de Panossière (2 669 m). Les deux autres tombent dans le fond du val de Bagnes, tout au bout du lac de Mauvoisin.

Au sommet du Tournelon Blanc, la vue est superbe et mérite que l'on s'y arrête quelques minutes. Tout proche, au sud, imposant par son énorme masse et ses courtines de glace, le Grand Combin occupe la place du roi. Les falaises sombres du versant E, verticales sur plus d'un kilomètre, contrastent violemment avec la blancheur ourlée de « vert sérac » des glaciers en cascades du versant N. A gauche, par-delà le profond entonnoir des gorges de Mauvoisin, les glaces de la Ruinette et du Mont Blanc de Cheilon brillent dans le soleil matinal. Plus loin encore, toutes les Alpes valaisannes, de la Dent d'Hérens si effilée au majestueux Weisshorn, guignent par-dessus la crête. A droite, l'immense fleuve figé du glacier de Corbassière

coule imperceptiblement vers les profondeurs bleutées de la vallée de Bagnes, au-dessus de laquelle flottent, irréelles dans la brume qui monte de la vallée du Rhône, les Alpes vaudoises et les géants de l'Oberland bernois.

La grande coupole de neige si caractéristique du sommet, côté N, du Tournelon Blanc est très tentante pour les skieurs. Sa pente, en direction du col (3 365 m) qui précède la Becca de la Lia (3 457 m), paraît débonnaire et régulière. Mais attention, cette pente n'est facile que sur 300 m de dénivellation. Elle plonge ensuite à l'est dans un couloir très raide et difficile dont le passage le plus délicat se situe très bas, au dernier ressaut rocheux. Parfois ce passage est même infranchissable et il faut prendre à gauche (N) du point 2585 des pentes excessivement raides et coupées de petites barres rocheuses, ou à droite, rejoindre le couloir des Mortas vers 2 680 m, en passant sous la menace de la grande barre de séracs. Pour ces raisons cet itinéraire n'est pas conseillé.

Pour les bons skieurs la plus belle descente, qui peut être en même temps une traversée, tombe sur le glacier de la Tsessette puis sur le pont du Lancet à 2 040 m. On remonte ensuite à la cabane de Chanrion (2 462 m) en 1 h 30-2 h. Réservée aux très bons skieurs, la descente de

la face E et du couloir des Mortas offre un parcours de toute beauté à la difficulté soutenue dans les premiers 1 000 m de dénivelée. Voir description dans les courses TD n° 94.

- **Dénivellation** : montée : 1 180 m de Fionnay, 1 490 m à la cabane de Panossière, 2 669 m + 1 038 m de la cabane au sommet (3 707 m) ; descente : 1 700 m jusqu'à l'alpe de Boussine ou 1 650 m jusqu'à l'entrée des galeries de Mauvoisin.
- **Difficulté** : AD, avec un passage D suivant les conditions de la neige à la fin du glacier.
- **Horaire** : montée : 1er jour : de Fionnay à la cabane de Panossière : 4-6 h, 2e jour : de la cabane au sommet : 3-4 h, du pont du Lancet à la cabane de Chanrion : 2 h ; descente : 1-2 h.
- **Période favorable** : mars à juin.
- **Point de départ** : Fionnay (1 490 m).
- **Matériel** : couteaux, piolet, corde (crampons éventuellement).
- **Cartographie** : Carte nationale suisse 1/50 000, feuille n° 283 Arolla , ou C.N.S. 1/25 000, feuille n° 1346 Chanrion.
- **Itinéraire** : 1er jour : on peut partir de Fionnay (1 490 m) en suivant le chemin d'été par Mardiuet pour gagner le Grenier de Corbassière (1 959 m). En début de saison on a également la possibilité d'arrêter sa voiture − ou de descendre du car postal − au lieu dit Mayens du Revers (1 420 m), au-dessus du hameau de Plamproz (1 373 m). Lorsqu'il y a un certain danger d'avalanches, le deuxième itinéraire est un peu plus sûr. S'il y a encore beaucoup de neige, il est plus pratique et plus sage de ne pas suivre le chemin d'été après les chalets de Corbassière (2 110 m), mais de descendre 100 m en oblique à droite vers le fond du vallon, en passant sous le point 2141,8. Il faut ensuite remonter soit le long du glacier de Corbassière, soit à gauche vers Plan Goli (2 233 m), puis suivre la moraine de la rive droite du même glacier. Suivant les conditions de la neige, il faut compter 4-6 h pour cette montée à la cabane Panossière.

2e jour : de la cabane il faut, très tôt le matin pour avoir de bonnes conditions de neige à la descente, remonter la rive droite du glacier de Corbassière jusqu'à l'altitude 3060 ; puis attaquer, à main gauche, les pentes raides qui grimpent vers le Col du Tournelon Blanc (3 558 m). Ce trajet, direction plein E, nécessite certains détours prudents pour éviter quelques très grosses crevasses et même parfois de petits murs de glace. C'est un parcours où un bon encordage est nécessaire. Du col on monte vers la gauche (NE) jusqu'à la courbe de niveau 3600 que l'on suit en direction du pied de la dernière pente. Celle-ci s'escalade parfois en crampons lorsqu'elle est trop gelée.

Descente : on peut suivre l'arête SE sur 150-200 m puis rejoindre, à droite, le glacier dont on suit la rive gauche. A la fin de celui-ci, traverser franchement à gauche pour rejoindre un couloir qui descend vers le Courtil des Chamois (2 680 m), sorte de grosse bosse morainique. Au printemps, cet endroit porte bien son nom car on y rencontre de nombreux chamois, ainsi que dans toute la région de l'alpe de la Tsessette. Traverser la moraine à droite, longer le pied du glacier de la Tsessette et vers 2 420 m prendre en écharpe, vers la droite (SE), les pentes raides qui tombent vers le fond du vallon. Pour rallier les galeries de Mauvoisin, il est préférable d'obliquer à gauche juste au-dessous de la cote 2948. Appuyer alors régulièrement vers la gauche pour pénétrer dans le couloir des Mortas, au pied de la face E du Tournelon Blanc, à l'altitude 2650 environ. Descendre le couloir qui est un peu plus étroit sur un court trajet, puis continuer dès que possible vers la gauche en direction des écuries de La Lia (2 115 m). Entre le couloir et les écuries, il y a danger de chutes de séracs depuis la grande barrière de la calotte. L'entrée des galeries, à 2 060 m, est rarement bouchée par la neige, les employés du barrage de Mauvoisin montent souvent la dégager et l'on y trouve de plus un téléphone interne à l'entreprise, utile en cas d'urgence. Tard dans la saison, souvent encore au début juillet, on peut descendre jusqu'au petit lac de la Tsessette (2 517 m), et de là porter ses skis le long du sentier qui ramène aux écuries de La Lia.

Les skieurs-alpinistes qui remontent à la cabane de Chanrion (2 462 m), ont avantage à suivre le tracé du sentier d'été depuis le Lancet, le parcours le long des gorges de la Drance, sous le Mont Durand, étant très exposé aux avalanches.

Le Tournelon Blanc
vu des environs de la cabane Chanrion
(ci-dessus).

71. AOUILLE TSEUQUE 3 554 m

L'Aouille Tseuque (3 554 m) possède un nom patois qui intrigue plus d'un alpiniste. D'après Jules Guex, dans sa magistrale étude de toponymie alpine (*La Montagne et ses noms*, Pillet Editeurs, Martigny 1976), aouille viendrait du latin *acucula*, aiguille, et tseuque veut dire tronquée. En effet, il manque à cette belle cime une pointe élancée pour en faire « un pic » ou « un bec » comme le Bec d'Epicoune, par exemple. Vue du glacier d'Otemma, ou en descendant

du Pigne d'Arolla, l'Aouille Tseuque a pourtant fière allure et projette, haut dans le ciel bleu, son dôme de neige incliné à un peu moins de 30°. C'est un sommet rocheux coiffé d'une calotte blanche qui a l'air de finir sur le vide, au-dessus d'un à-pic que l'on imagine mal, là-bas du côté de la Valpelline italienne. C'est une montagne à l'écart des grands courants de skieurs; on l'admire au passage, on se dit qu'il faudrait la gravir un jour pour en percer

l'énigme, mais l'on ne trouve jamais le temps d'y aller. Et c'est très dommage car l'Aouille Tseuque mérite un détour.

On peut descendre à skis du sommet dans une ambiance étonnante. La première partie du trajet donne l'impression de skier sur un champ de neige flottant dans l'azur. Par trois côtés, la coupole s'appuie sur des contreforts rocheux presque verticaux et l'on ne distingue les vallées que beaucoup plus bas, plus loin. On est comme détaché de la terre. Puis vient un mur de 100 m de hauteur, très abrupt, mais que l'on peut très bien négocier skis aux pieds. Les personnes non accoutumées au ski de pentes raides peuvent naturellement descendre en dérapage si la neige est dure, ou même avec l'aide d'une corde fixe, si la « panique » noue par trop les estomacs. Pour celui qui veut s'habituer progressivement au ski difficile, l'Aouille Tseuque offre vraiment une pente idéale, pas très haute, ni très longue et se terminant en courbe doucement arrondie sur le replat du glacier de l'Aiguillette.

A cause de son éloignement, on combinera l'ascension de l'Aouille Tseuque avec une traversée de la haute route, ou on profitera d'un long week-end. Dans ce dernier cas, on peut partir de Chamen (1 715 m) dans le Valpelline et monter par le Col d'Otemma (3 209 m). Après une nuit confortable au bivouac fixe de l'Aiguillette (3 175 m), on escaladera le Petit Blanchen (3 592 m), pour redescendre par la Combe de Sassa. Ou bien encore, on grimpera d'Arolla à la cabane des Vignettes (3 158 m), puis le lendemain à l'Aouille Tseuque par l'Aiguillette, pour descendre ensuite à la cabane de Chanrion (2 462 m). Le troisième jour on rentrera sur Arolla par la Serpentine (3 795 m), le Pigne d'Arolla (3 796 m) ou le Mont Blanc de Cheilon (3 869,8 m).

- **Dénivellation** : montée : 1 160 m d'Arolla à la cabane des Vignettes, descente de 230 m, puis 630 m d'escalade jusqu'au sommet; descente : 1 200 m jusqu'à la prise d'eau, puis 140 de remontée jusqu'à la cabane de Chanrion.
- **Difficulté** : AD −. Un passage D.
- **Horaire** : montée : 1er jour : 4 h, 2e jour : 2 h 30-3 h; descente : des Vignettes au pied du glacier de Blanchen : 30 mn-1 h, du sommet à la prise d'eau de Chanrion : 1-2 h.
- **Période favorable** : mars à juin.
- **Point de départ** : Arolla (2 000 m), cabane des Vignettes (3 158 m).
- **Point d'arrivée** : prise d'eau de Chanrion (2 357 m). Cabane de Chanrion (2 462 m).
- **Cartographie** : Carte nationale suisse 1/50 000, feuille n° 283 Arolla, ou C.N.S. 1/25 000, feuilles nos 1346 Chanrion, 1347 Matterhorn, 1366 Mont Vélan.

● **Matériel** : piolet, corde, crampons, couteaux.

● **Itinéraire** : *1ᵉʳ jour :* de la station de départ des installations mécaniques d'Arolla, remonter la forêt à gauche du téléski de Fontanesses - II, ou emprunter ce dernier s'il fonctionne. Traverser le torrent de Tsidjiore Nouve et escalader, à gauche, la grande moraine raide qui descend des Louettes Econdouè. Vers 2 500 m gagner le replat à gauche, et remonter le glacier de Pièce, d'abord rive gauche puis rive droite dès l'altitude 2800 environ. La cabane est cachée derrière les rochers de la Pointe des Vignettes et ne se voit qu'au dernier moment. *2ᵉ jour :* partir tôt ; lorsque la neige est dure les skis glissent mieux sur le glacier d'Otemma et le Col de Chermotane, assez plats. Descendre en direction S-SW pour traverser tout le glacier d'Otemma et s'arrêter au pied des rochers de l'arête NW de la Singla (3 714 m). Coller les peaux de phoque et remonter la rive droite du glacier de Blanchen. Traverser le premier replat (3 060 m), en direction (SW) du petit col ouvert à gauche de l'Aiguillette. Passer sur le glacier de l'Aiguillette et poursuivre (SW) jusqu'au pied de la pente raide qui monte à la croupe terminale. Escalader cette pente en crampons, skis sur le sac, puis rechausser pour le dernier parcours. En quelques zigzags, rendus superbes par la vue dégagée et l'impression d'être sur un piédestal, gagner le sommet.

Descente : ne pas se laisser griser par l'ambiance, une chute dans l'un des couloirs qui plongent à gauche et à droite serait fatale. Rejoindre la selle (3 363 m) et descendre, avec précaution au début, la pente montée à crampons tout à l'heure. Cette dernière est orientée E-NE et la neige y dégèle rapidement. Retraverser vers l'Aiguillette et suivre les traces de montée jusqu'au glacier d'Otemma que l'on parcourt rive gauche de préférence. Certaines années de fort enneigement, il est possible de longer les rochers de l'arête N de l'Aouille Tseuque, rive gauche du glacier de l'Aiguillette. On se faufile entre quelques grosses crevasses puis on traverse, à gauche au-dessus du point 2971, une large vire inclinée qui permet de rejoindre le glacier de l'Aouille. Cette variante est plus intéressante pour de bons skieurs. Dès la prise d'eau (2 357 m), suivre la route, carrossable en été, ou, lorsqu'il y a trop de neige, continuer par le fond du vallon. La montée à la cabane de Chanrion (2 462 m) prend en général 30 mn.

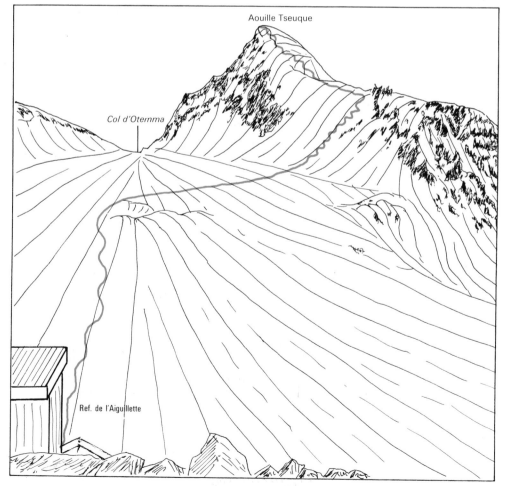

Montée à l'Aouille Tseuque (page ci-contre).
L'Aouille Tseuque et le Col d'Otemma (ci-dessus).

72. STRAHLHORN 4 190,1 m

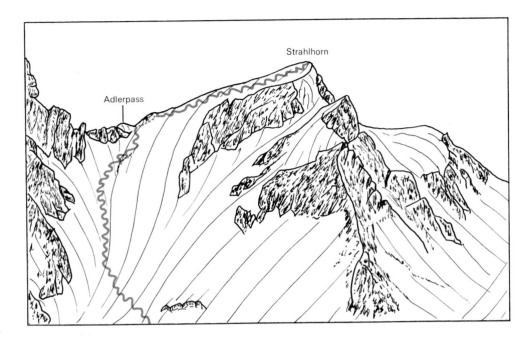

Vu de la cabane Britannia (3 030 m), dans les premiers rayons du soleil levant, le Strahlhorn (4 190,1 m) laisse croire qu'il doit son nom au scintillement violet puis rose qui coule le long de ses flancs enneigés. Mais, d'après le *Guide des Alpes valaisannes* n° IV, édité par le Club alpin suisse, il pourrait tout aussi vraisemblablement tirer son nom du miroitement des roches cristallines de son versant oriental. Peu importe au fond, le Strahlhorn mérite bien sa popularité, tant hivernale auprès des skieurs, qu'estivale auprès des alpinistes. C'est un sommet qui dépasse largement la limite « fatidique » des 4 000 et, tout en étant facile, il est situé au centre d'un panorama prodigieux. Au nord, tout proche, le Rimpfischhorn (4 198,9 m) offre aux regards ses belles parois rocheuses aux couleurs chaudes. Plus loin la coupole blanche de l'Allalinhorn (4 027,4 m), puis le massif grandiose des Mischabel. Par-delà la profonde tranchée de la vallée de Zermatt, les Alpes valaisannes pointent leurs pyramides sereines dans le ciel bleu où l'on remarque particulièrement le Weisshorn (4 505,5 m), la Dent Blanche (4 356,6 m) et le Cervin (4 477,5 m). Au sud, l'énorme massif glaciaire du Mont Rose, où foisonnent les pics dépassant les « 4 000 », semble s'abîmer à la verticale dans l'océan de brume qui recouvre les vallées italiennes.

L'ascension du Strahlhorn se combine habituellement avec la traversée de l'Adlerpass (3 789m), vers Zermatt ou la cabane Bétemps. Elle se fait plus rarement dans le sens inverse, car l'escalade du versant W de l'Adlerpass coupe en général les jambes des skieurs qui finissent leur haute route à Saas Fee. On peut, au contraire, très bien inclure cette course dans un programme de quelques jours à la cabane Britannia qui comprenne l'escalade de quatre « 4 000 ». Ce genre de combinaison est à conseiller au mois de juin et même parfois au début de juillet, la cabane n'étant plus surchargée et les conditions de neige presque toujours excellentes encore. Le seul problème est de quitter la cabane très tôt pour profiter au mieux de la descente, et ces départs avant le jour ne sont pas forcément du goût du gardien ! Avec un peu de diplomatie et autour d'une bonne bouteille, il est cependant toujours possible de trouver une solution ou un compromis.

- **Dénivellation** : montée : depuis le glacier de Hohlaub : 1 260 m ; descente : 2 575 jusqu'à Zermatt.
- **Difficulté** : AD.
- **Horaire** : montée : 4 h ; descente : 2-4 h.
- **Période favorable** : février-mai.
- **Point de départ** : cabane Britannia (3 030 m).
- **Point d'arrivée** : Zermatt (1 616 m).

- **Cartographie** : Carte nationale suisse 1/50 000, feuille n° 284 Mischabel (Zermatt - Saas Fee de la F.S.S.), ou C.N.S. 1/25 000, feuilles n°s 1328 Randa, 1329 Saas et 1348 Zermatt.
- **Matériel** : couteaux, piolet, corde ; crampons éventuellement si la descente de l'Adlerpass est en glace vive.
- **Itinéraire** : quitter la cabane Britannia dès que possible et descendre sur le glacier de Hohlaub que l'on traverse à l'altitude 2940 environ. Passer légèrement au large des rochers (E) du point 3143,3 et grimper sur le glacier de l'Allalin, au début assez crevassé. Longer la paroi du versant E de l'Allalinhorn et gagner le grand replat situé vers 3 250 m environ. Traverser ce replat en direction S-SW puis grimper en évitant par la gauche les quelques séracs du début. Vers 3 450 m, appuyer à droite pour monter la combe au pied de la paroi E du Rimpfischhorn, direc-

tement jusqu'au col. De l'Adlerpass (3 789 m), prendre horizontalement à gauche et remonter la combe abrupte qui rejoint l'arête NW vers le point 3954. La pente s'adoucit et l'on grimpe sans problème jusqu'aux rochers du sommet.
Descente : suivre le même tracé jusqu'à l'Adlerpass. Là, selon les conditions du moment, opter pour la meilleure des solutions suivantes. Si la neige est bonne et sûre, ce qui est souvent le cas en fin de saison mais rarement au début, attaquer toute la grande pente raide à gauche. En cas de doute, ou de glace apparente sur ce trajet, on peut descendre en dérapage les 80 premiers mètres, à droite, le long des rochers. Appuyer encore à droite et rejoindre le haut de la combe vers 3650 environ. Enfin, si le passage est en glace vive, installer une corde fixe le long des rochers et descendre en crampons la première partie.

Poursuivre par le glacier de l'Adler en direction SW, puis au pied de la face W de l'Adlerhorn. Une pente raide, mais courte, donne accès au glacier de Findeln à l'est du mamelon de Strahlchnubel (3 222 m). Longer le pied des rochers de ce mamelon et continuer par le milieu puis la rive gauche du glacier. Vers 2 680 m, prendre à gauche dans la combe morainique de Triftji puis rester rive gauche jusqu'au replat qui précède les pistes de Gant et de Grüensee. Dès lors on peut soit suivre la piste qui longe le Findelbach rive gauche, jusqu'à Winkelmatten (1 672 m), soit remonter par la télécabine à Blauherd (2 560 m) et descendre la « piste nationale » jusqu'à Zermatt.

Le versant E du Strahlhorn
(page ci-contre).
Montée à l'Adlerpass et le Strahlhorn
(ci-dessus).

73. **ALPHUBEL**   4 206 m

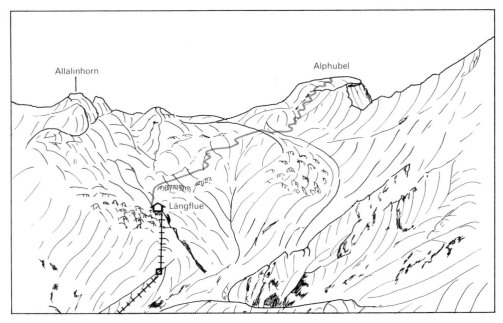

L'Alphubel (4 206 m) est un des sommets les plus facilement identifiables des Alpes, quel que soit l'angle sous lequel on l'aperçoit. Son grand plateau neigeux, large de près d'un kilomètre, est perché haut dans le ciel, à plus de 4 000 m, reconnaissable de très loin à la ronde. C'est un point de repère facile pour celui qui commente un panorama, car il n'a pas son pareil dans toute la région, et même dans toutes les Alpes. Sur trois côtés, de grandes falaises rocheuses supportent son immense coupole blanche mais, heureusement pour les skieurs, l'Alphubel marque le point culminant de l'énorme glacier de Fee qui tombe en cascades successives sur son flanc E par lequel on grimpe à skis sur le sommet et d'où débutent les diverses descentes. La manière la plus rapide et la plus commode d'escalader l'Alphubel consiste à prendre le téléphérique de Saas Fee à Längflue (2 870 m) et de passer la nuit dans les dortoirs du confortable restaurant. Pour les alpinistes qui n'apprécient guère la promiscuité d'une foule hétéroclite, l'autre approche de l'Alphubel peut se faire par la Täsch-hütte (2 701 m) beaucoup moins fréquentée. Evidemment, la grimpée depuis Täsch (1 450 m) est longue (5h) et parfois délicate dans les dernières pentes sous la cabane. Le lendemain, par contre, l'ascension de l'Alphubel, par l'Alphubeljoch (3 782 m), ne prend guère plus de temps (30 mn) que depuis la Längflue, et elle permet de repérer le meilleur cheminement sur le glacier de l'Alphubel. Les descentes du sommet de l'Alphubel à Saas Fee (1 800 m) offrent un parcours orienté NE où la neige reste peut-être plus longtemps. En effet, dès la Längflue, ou dès 3 000 m dans la descente par Felskim, on se trouve sur des pistes damées, balisées et entretenues. Les descentes sur Täsch sont tout aussi belles, bien qu'elles se déroulent sur des glaciers moins spectaculaires. En revanche, elles sont plus variées, moins fréquentées et présentent une plus grande dénivellation. En outre, s'il n'y a pas de traces qui indiquent le parcours, ces descentes requièrent un bon sens du cheminement. La traversée de l'Alphubel, en montant par la Längflue avec descente sur Täsch est, à mon avis, l'une des courses les plus payantes de cette partie du Valais.

● **Dénivellation** : montée : 1 336 m de la cabane de la Längflue ; descente : 2 756 m jusqu'à Täsch, 2 120 m jusqu'à Stafelti.
● **Difficulté** : AD.
● **Horaire** : montée : 4-5 h ; descente : 2-3 h.
● **Période favorable** : mars à juin.
● **Point de départ** : restaurant-cabane de la Längflue (2 870 m).
● **Point d'arrivée** : Täsch (1 450 m). En fin de saison, Stafelti (2 086 m) (Täschalpen).

- **Cartographie** : Carte nationale suisse 1/50 000, feuille n° 284 Mischabel (Zermatt-Saas Fee de la carte F.S.S.), ou C.N.S 1/25 000, feuilles n°s 1328 Randa et 1348 Zermatt.
- **Matériel** : couteaux, piolet, corde; éventuellement crampons pour le couloir sommital.
- **Itinéraire** : de la cabane de la Längflue, prendre pied sur le glacier en passant sous le télésiège et monter en direction d'un premier ressaut qui s'escalade généralement de droite à gauche. Traverser ensuite la partie plate en laissant sur la gauche le point 3173,7 et les rochers qui suivent. Eviter quelques grosses crevasses en appuyant à droite et, dès 3 400 m environ, monter en oblique de droite à gauche jusque vers 3 600 m. Là, trois itinéraires sont possibles. Le premier, plus court, passe par la droite des séracs, mais, 100 m plus haut, il est parfois barré d'une énorme crevasse qui exige un détour important. Le deuxième passe par la gauche et le milieu des séracs, c'est le plus fréquenté, mais on peut faire la même remarque que pour le premier en ce qui concerne les grandes crevasses. Le troisième, un peu plus long, s'en va tout à gauche en direction de l'Alphubeljoch puis tourne à droite au-dessus de la zone crevassée. Tous trois se rejoignent au bas du couloir raide qui monte à la vaste selle entre les deux sommets. Lorsque la neige est bonne on monte à skis jusqu'au point culminant; si elle est trop dure, il y a avantage à chausser les crampons au bas du couloir.

Descente : suivre le même itinéraire jusqu'au bas du couloir. Attention, j'ai vu plusieurs dévissages de skieurs moyens ou peu entraînés aux pentes raides, dans ce couloir. A l'altitude 3900 environ, obliquer à droite pour rejoindre l'Alphubeljoch (3 782 m). Dès lors plusieurs itinéraires sont possibles. Par très bon enneigement, on peut descendre le long des rochers du Rotgrat, rive droite de la branche supérieure, très crevassée, du glacier de l'Alphubel, directement sur la Täsch-hütte (2 701 m). La deuxième possibilité est de tourner à gauche 100 m au-dessous du col et de suivre la branche inférieure du glacier de l'Alphubel et la combe de Chummibodmen. De la cabane, traverser à droite une pente abrupte et descendre, par Arb, d'autres pentes raides jusqu'à Ottavan (2 214 m) (hôtel *Täschalp,* fermé l'hiver, et petite chapelle). Suivre le fond du vallon puis sa rive droite, dès Stafelti (2 086 m) ou peu après, suivant l'enneigement. Par Eggenstadel (1 950 m), Resti et Täschberg (1 696 m), rejoindre Täsch (1 450 m). Enfin, un troisième itinéraire, à conseiller en fin de saison lorsqu'il n'y a plus de neige au-dessous de la Täsch-hütte, consiste à passer par la combe de Mellichen. Suivre le deuxième itinéraire, jusque sur la branche supérieure du glacier de l'Alphubel, environ 3 500 m, puis obliquer à gauche (SE) pour descendre sur le glacier de Mellich. Le traverser en direction de la côte rocheuse qui partage ses deux langues inférieures, et atteindre le haut de la combe de Mellichen. Sortir de cette combe par la gauche (S) en passant la moraine vers 2 750 m. Continuer par le fond du vallon et rester rive gauche du Täschbach où la neige se maintient plus longtemps. Dès Stafelti, prendre, rive gauche, la route encore très souvent enneigée dans la forêt. On peut rejoindre ainsi soit le pont (1 920 m), au-dessous d'Eggenstadel où un bus-taxi peut venir vous chercher, soit au sud le grand couloir qui tombe de Unter Sattla. Ce couloir raide est très longtemps encombré de débris d'avalanches sur lesquels il est possible de skier jusqu'à proximité de Täsch (petit sentier à 1 640 m).

L'Alphubel (page ci-contre).
Au sommet de l'Alphubel,
vue sur le Täschhorn et le Dôme (ci-dessous).

74. WEISSMIES 4 023 m

Le Weissmies (4 023 m) dont le nom signifie « mousse blanche », est le plus haut sommet de la petite chaîne qui sépare la vallée de Saas de celle du Simplon. Vue de loin cette chaîne présente, du nord au sud, trois sommets importants : le Fletschhorn (3 996 m), le Lagginhorn (4 010,1 m) et le Weissmies dont la calotte glaciaire brille de mille reflets. Des trois, le Weissmies propose non seulement la cime la plus fréquentée, mais aussi la plus belle, été comme hiver. Son ascension comporte quelques passages raides et qui peuvent être en glace, mais dans l'ensemble elle est peu difficile. Beaucoup de skieurs laissent leurs skis vers 3 600 m et terminent l'escalade en crampons, surtout si la neige est dure. Pourtant, pour de bons skieurs et lorsque la coupole sommitale n'est pas en glace vive, il vaut la peine de prendre ses skis jusqu'au sommet. La descente de la partie supérieure demande alors une grande concentration, et l'on tire un très grand plaisir du parcours de cette zone élevée et comme suspendue dans le ciel. A gauche, une formidable corniche surplombe le versant S et impose que l'on ne s'approche pas trop de l'arête ; à droite, la pente fuit vers une barre de séracs qui masque la partie médiane de la descente. Seuls comptent alors les quelques dizaines de mètres devant soi et le contrôle de son corps, de son équilibre, de ses skis. Lorsqu'on atteint enfin le replat de la grande selle neigeuse, vers 3 800 m, une bouffée de joie accompagne la déconcentration passagère. Le reste de la descente requiert beaucoup d'attention. Cependant cette dernière est moins impressionnante, à l'exception peut-être, suivant les années et la disposition des séracs, du passage où l'on retraverse à droite dans la grande combe du glacier de Trift.

Avec la construction des télécabines de Hohsaas (3 100 m), l'approche du Weissmies a été changée complètement. A l'heure actuelle il est possible de réaliser cette course dans la journée en partant de la vallée. La cabane Weissmies (2 726 m) est maintenant au-dessous de la station d'arrivée de la télécabine, mais elle reste un point de départ valable pour ceux qui aiment partir au lever du jour afin de profiter des aurores somptueuses que nous offrent les montagnes. On trouve également à se loger au restaurant de la gare supérieure de la télécabine, à Hohsaas (3 100 m).

Fletschhorn, Lagginhorn et Weissmies à droite, vus de l'Ulrichshorn (ci-contre).
Le Weissmies en été... ! (page ci-contre).

- **Dénivellation** : montée : 1 300 m de la cabane Weissmies au sommet; descente : 2 460 m jusqu'à Saas Grund ou 1 620 m jusqu'à Chrizbode.
- **Difficulté** : AD.
- **Horaire** : montée : 4-5 h; descente : 2-3 h.
- **Période favorable** : février-juin.
- **Point de départ** : cabane Weissmies (2 726 m).
- **Cartographie** : Carte nationale suisse 1/50 000, feuilles nᵒˢ 274 Visp et 284 Mischabel, ou C.N.S. 1/25 000, feuilles nᵒˢ 1309 Simplon et 1329 Saas.
- **Matériel** : couteaux, piolet, corde, crampons.
- **Itinéraire** : de la cabane Weissmies (2 726 m) que l'on atteint aisément par les remontées mécaniques de Saas Grund (1 559 m), monter

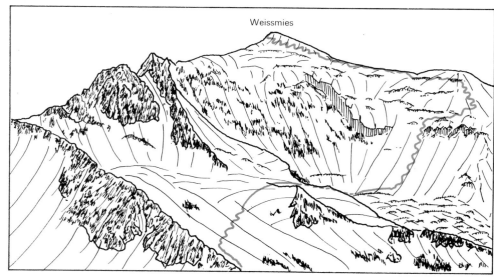

Weissmies

184

en direction N puis E pour atteindre le bas du glacier de Hohlaub. Suivre les pistes de ski jusqu'à la station supérieure de la télécabine, Hohsaas (3 100 m). Tourner alors à gauche et remonter la croupe jusqu'à 3 200 m pour gagner à droite le petit glacier, sans nom sur la carte, qui tombe du point 3830 de l'arête N du Weissmies. Grimper ce glacier en oblique vers la droite jusqu'à un petit plateau (3 300 m), et contourner ainsi par le haut quelques crevasses et le sérac qui marque la fin de ce glacier. Redescendre environ 50 m pour prendre pied sur le replat du glacier de Trift et le traverser horizontalement vers le sud. Escalader une large combe jusqu'à mi-hauteur (3 500 m environ) et tourner à droite pour rejoindre, par une traversée entre deux séracs, le dos d'âne qui monte vers le point 3820. Rester dans le flanc NW de ce dernier point pour rejoindre directement la large selle qui précède le sommet. Grimper à celui-ci par le versant NW de l'arête en prenant garde aux corniches.

Descente : suivre pratiquement le même itinéraire. Suivant les conditions, il est quelquefois plus avantageux de descendre la pente sommitale à droite de la trace de montée, carrément dans la face NW, puis de traverser horizontalement jusqu'à la grande selle neigeuse. Si l'on ne repasse pas à la cabane Weissmies, il est intéressant de descendre le glacier de Trift. Sur le plateau, éviter les grosses crevasses qui en marquent le bord aval, soit par la rive gauche en quelques zigzags, soit rive droite, en passant juste sous le sérac du petit glacier cité plus haut. Descendre les belles combes qui suivent jusqu'à la hauteur de la piste qui traverse les pentes de Mälliga, afin de rejoindre le grand couloir au nord de la forêt de Farwald. On peut aussi poursuivre par le hameau de Trift (2 072 m) et les clairières qui suivent, mais il faut généralement, par manque de neige, terminer à pied par le chemin d'été. En fin de saison, il est aussi possible de traverser le Triftbach au-dessus du hameau, de rejoindre le télésiège qui ramène à Chrizbode (2 397 m) et de là de descendre en télécabine. A fin mai et en juin, la télécabine ne monte normalement pas au-dessus de Chrizbode. Néanmoins elle est en service plusieurs fois par jour pour le transport des ouvriers, et il est possible de descendre avec eux. Se renseigner pour savoir à quelles heures elle fonctionne.

Le Weissmies vu d'avion (page ci-contre).
La montée au Weissmies (ci-contre).

75. CASTOR 4228 m

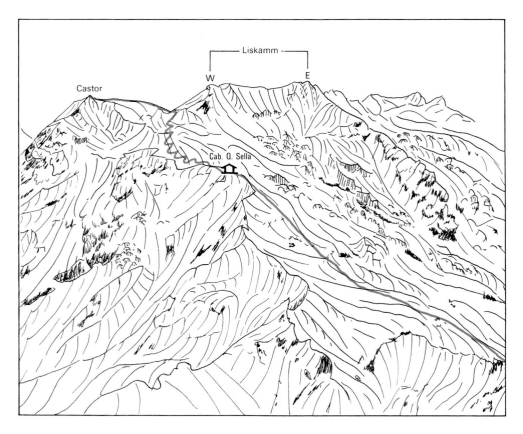

Le Castor (4228 m) est l'une des très belles cimes du groupe de « 4000 » qui va du Breithorn (4164 m) au Mont Rose (4633,9 m). Il est atteignable à skis de deux côtés, par son versant W-NW et par son arête SE. Très souvent les deux itinéraires se parcourent en traversée et le plus fréquemment, à l'heure actuelle, d'ouest en est. Cette mode n'est pas très récente mais elle s'est accentuée depuis la construction du téléphérique du Petit Cervin (3820 m). Cette installation permet en effet de rejoindre commodément le Zwillingsjoch (3845 m), appelé Passo di Verra en Italie, au pied du versant W-NW du Castor. Précédemment la traversée se faisait plus volontiers dans l'autre sens, avec la montée au Felikjoch (4063 m) de la cabane Bétemps, ou même comme part de la haute traversée du Mont Rose au Col du Théodule.

Généralement les alpinistes ne chaussent pas leurs skis au sommet du Castor, mais un peu plus bas, soit au-dessous du Felikjoch, sur le versant SE, soit aux alentours de la cote 4160 dans la face W-NW. Pourtant il est possible pour un bon skieur, très maître de lui et de ses planches, de descendre l'arête SE puis le Felikjoch, skis aux pieds. De même, l'arête N plus effilée peut être parcourue à skis lorsqu'elle n'est pas trop cornichée, ainsi que la pente de 40-50 m qui suit jusqu'à la première rimaye, si elle n'est pas en glace vive. Les deux parcours sont très aériens mais sans raideur excessive. Quel que soit le mode de descente choisi pour la partie faîtière, la traversée du Castor reste une course de toute beauté, d'un caractère alpin bien marqué et d'une difficulté suffisante pour demander une grande attention. En hiver, les conditions ne sont souvent pas propices au ski dans la partie sommitale, le vent ayant arraché la neige et laissé les pentes en glace bleue. Pour cette raison, je ne conseillerai pas d'escalader le Castor avant le mois d'avril, si l'intention est de profiter au maximum d'une belle descente. Tard au printemps, la route forestière qui grimpe

au-dessus de Saint Jacques (1689 m) est souvent dégagée et l'on peut se faire conduire en voiture jusqu'à Pian di Verra supérieur (2382 m). La route n'est autorisée qu'aux porteurs d'un permis spécial. L'accès au refuge Mezzalama (3004 m) en est raccourci d'autant et se fait ainsi en 2 h-2 h 30. Il faut se renseigner auprès des habitants de Saint Jacques.

- **Dénivellation** : montée : 1er jour : 1315 m, 2e jour : 1224 m ; descente : 2400 m.
- **Difficulté** : AD.
- **Horaire** : montée : 1er jour : 4 h 30-5 h, 2e jour : 4 h 30-6 h suivant les conditions ; descente 3-4 h.
- **Période favorable** : avril à juin.
- **Point de départ** : Saint Jacques (1689 m), val d'Ayas.
- **Point d'arrivée** : Staval-Gressoney (1825 m).
- **Cartographie** : Carte nationale suisse 1/50000, feuille n° 294 Gressoney.
- **Matériel** : couteaux, corde, piolet, crampons.
- **Itinéraire** : *1er jour* : de Saint Jacques (1689 m), suivre la route forestière jusqu'à Pian di Verra supérieur (2382 m), traverser le petit plateau et grimper la combe, à droite de la moraine E du Grand Glacier di Verra. Prendre pied sur le Petit Glacier di Verra et ne revenir à gauche qu'à la hauteur de la cabane O. Mezzalama (3004 m). *2e jour* : de la cabane, monter en direction N sur le Grand Glacier di Verra et décrire une grande courbe, en évitant quelques crevasses évidentes, d'abord vers le nord puis vers le nord-est, pour finalement suivre la combe glaciaire bien marquée qui grimpe vers le Zwillingsjoch (3845 m). Peu avant ce col, attaquer, à droite, la pente raide du versant W-NW. Celui-ci s'escalade légèrement sur la gauche, mais, suivant l'enneigement, il faut passer quelquefois au milieu de la pente puis revenir. A mi-hauteur, une partie plus raide doit parfois se franchir en crampons, d'autres fois on peut monter à skis en passant près du petit éperon NW. Cette partie de l'ascension change beaucoup suivant la quantité de neige tombée dans la région. La partie supérieure, en forme de combe, se grimpe au milieu puis à gauche pour passer la rimaye juste au-dessous des derniers rochers de l'arête N, point 4205 sur la C.N.S.1/25000. De là monter à pied sur l'arête N que l'on suit jusqu'au sommet (4228 m).

Descente : elle peut s'effectuer le long des traces de montée, mais voici l'itinéraire passant par le Felikjoch et la cabane Q. Sella (3585 m). Tout d'abord suivre l'arête SE en se tenant le plus près possible du fil de celle-là, légèrement dans le flanc NE quelquefois. Peu avant le point 4174, et pour l'éviter, passer sur le versant SW mais tout de suite après revenir à gauche (E) et des-

cendre sur le col (4 063 m). Au milieu de ce dernier, une petite bosse cotée 4093 indique le passage. Monter sur elle et descendre son arête puis son versant S. L'arête, au départ, est assez aérienne et exposée. Les skieurs pas trop sûrs d'eux porteront leurs skis de la cime du Castor jusqu'au milieu de cette dernière arête, à l'endroit où l'on traverse à droite dans la pente S, sous la grande corniche du col. Descendre le glacier de Félix, en passant près de la pointe Perazzi (3 906 m) (attention aux crevasses) et poursuivre, à gauche puis à droite, en direction de la cabane Q. Sella (3 585 m). Peu avant

celle-ci, attaquer les immenses pentes raides, orientées SE, qui tombent sur le glacier de Lis. Cette pente ne doit pas être attaquée par neige dure et glacée car elle est alors très difficile et exposée. En bonne neige, après 200 m de dénivellation environ, appuyer à droite sous les rochers qui supportent la cabane. Un grand couloir s'ouvre alors, 1 000 m de dénivellation, jusqu'à la moraine latérale droite du glacier de Lis. Suivant les conditions du glacier, soit descendre directement la première combe, soit passer la moraine et rejoindre la grande combe au-dessous du glacier. Traverser la zone boisée et,

dès l'alpe Cortlys (1 991 m), suivre la rive gauche du torrent jusqu'à Staval (1 825 m).
De Staval, un télésiège en deux tronçons ramène au col de la Bettaforca (2 672 m) d'où l'on peut descendre à Saint Jacques (1 689 m) par Resy (2 072 m).
Il est possible aussi de commencer la course à Gressoney - Staval et, le premier jour, de traverser le col de la Bettaforca pour, depuis Resy, rejoindre par le sentier dans la forêt la route de Pian di Verra et la cabane O. Mezzalama.

Sur l'arête SE du Castor (ci-dessus).

76. FLETSCHHORN 3996 m

Fletschhorn

Gruben

De 4 m ou 7 m suivant les cartes et l'épaisseur de la calotte de neige, le Fletschhorn (3 996 m) rate la qualification prestigieuse de « 4 000 ». Il n'en reste pas moins une très belle montagne et sa face N, vue du col du Simplon, est impressionnante de raideur. De plus, les accès à sa cime sont assez escarpés pour nécessiter une grande prudence de la part des skieurs-alpinistes qui en font l'ascension. En été et en crampons, cette dernière peut être considérée comme facile, ou tout au plus « peu difficile ». En hiver,

par contre, les pentes abruptes qui défendent le tiers médian, et l'exposition aux tempêtes de ce sommet écarté, créent un danger élevé d'avalanches et tout spécialement de plaques à vent. Il y a une quarantaine d'années, le corridor glaciaire qui tombe entre le Fletschhorn et le Lagginhorn (4 010 m) était utilisé comme voie d'accès hivernale la plus commode. Malheureusement ce glacier, le Fletschhorngletscher, a beaucoup changé et sa partie médiane, faite de séracs menaçants et de rochers appa-

rents, n'est plus praticable aux skieurs. L'itinéraire donné par la carte de la F.S S n'est donc plus recommandable et la route décrite plus loin est la plus fréquentée à l'heure actuelle.

En juin, on peut monter en voiture depuis Saas Balen (1 487 m) par la petite route forestière jusqu'à l'auberge de Heimischgarten (2 074 m), et même souvent plus haut jusqu'à 2 300 m, entre Hofernalp (2 260 m) et Gruben (2 301 m). L'auberge de Heimischgarten est malheureusement encore fermée à cette saison mais on peut partir de nuit de Saas Balen, puis remonter le Grubengletscher le long de l'itinéraire de descente donné ci-après. Cette ascension est plus astreignante et plus longue que celle qui part de la cabane Weissmies (2 726 m), mais elle offre l'avantage de se dérouler dans un cadre vraiment solitaire. De plus, à la fin de la descente à skis, on retrouve les voitures et l'on évite ainsi l'abrupt sentier qui dégringole à Saas Balen par Bränd (1 959 m). Une combinaison idéale est de camper pour deux nuits le plus possible près de la neige, et de grimper le premier jour sur la Senggchuppa (point 3603,5 sans nom sur la C.N.S. 1/50 000) (3 606 m), puis d'escalader le Fletschhorn (3 996 m), le deuxième jour.

● **Dénivellation** : montée : 1 270 m ; descente : 2 510 m.
● **Difficulté** : AD.
● **Horaire** : montée : 4-5 h ; descente : 2-3 h.
● **Période favorable** : avril-juin.
● **Point de départ** : cabane Weissmies (2 726 m).

- **Point d'arrivée** : Saas Balen (1 487 m).
- **Cartographie** : Carte nationale suisse 1/50 000, feuille n° 274 Visp, ou C.N.S. 1/25 000, feuille n° 1309 Simplon.
- **Matériel** : couteaux, corde, piolet, crampons.
- **Itinéraire** : de la cabane Weissmies (2 726 m) que l'on atteint facilement de Saas Grund par les installations de remontées mécaniques, partir en direction NE et remonter la moraine latérale gauche du glacier, Fletschhorngletscher inférieur. Prendre pied sur ce dernier par une petite descente, et le traverser en oblique entre 2 900 m et 3 000 m. Attention aux chutes de séracs à droite. Escalader avec les skis ou en crampons la combe qui se redresse, et se resserre en forme de couloir dans le haut, pour gagner une petite encolure à droite (NE) du point 3527,4. Après quelques mètres le long de la croupe neigeuse, traverser à gauche (N) une pente raide au-dessous de l'arête SW du Fletschhorn puis, en évitant quelques grosses crevasses, monter en direction du point 3775 de l'arête NW. Laisser ce point à main gauche et poursuivre par cette dernière arête, souvent très corniche. Un petit ressaut, vers 3 830 m, se franchit en portant les skis. L'arrivée au sommet (3 996 m) ne présente pas de difficulté.
Descente : suivre l'arête NW sur son flanc gauche jusque vers 3 800 m et prendre à gauche (SW) pour descendre le centre de la combe glaciaire puis la rive gauche du Grubengletscher. Ce glacier est bien crevassé et demande une grande attention dans le choix du parcours, mais les années de fort enneigement, la combe glaciaire offre une descente fantastique entre 3 800 m et 3 000 m. Après les faux plats, choisir les revers des petites combes qui tombent vers Gruben (2 301 m). Lorsque l'enneigement est encore suffisant pour qu'on puisse poursuivre à skis jusqu'à Saas Balen (1 487 m), on traverse alors, à droite, le torrent, pour rejoindre Heimischgarten (2 074 m) d'où l'on suit le tracé de la route dans la forêt. Par contre, s'il n'y a plus assez de neige, on prendra à gauche le couloir qui plonge au nord de Bränd (1 959 m). On quitte ce couloir vers 2 100 m environ par le chemin qui traverse la forêt, à gauche, et rejoint les champs de Bränd parfois encore couverts de neige. Enfin on atteint Saas Balen (1 487 m) en portant les skis par le sentier abrupt qui zigzague dans la forêt par Hollerbiel.

La montée au Fletschhorn
et vue sur le massif du Mont Rose
(page ci-contre).
L'arête NW du Fletschhorn
(ci-contre).

77. STELLIHORN 3436 m

Dans l'esprit des skieurs-alpinistes, le Stellihorn (3 436 m) n'est pas un nom très évocateur comme le sont ceux du Mont Blanc, du Mont Rose, de l'Allalin, de l'Alphubel, par exemple. Son altitude, bien au-dessous de la limite fatidique des 4 000 m, ne retient guère l'attention du lecteur de cartes et son ascension ne figure pas dans les programmes de courses. Cependant, cette pyramide solitaire, bien visible vers le sud-est lorsque l'on gravit les « 4 000 » de Saas, intrigue plus d'un skieur. Sa pointe élancée et toute blanche, à contre-jour dans le soleil levant, suscite bien quelques convoitises. Pourtant sa situation, un peu à l'écart des chemins classiques, en fait une cime peu fréquentée, un désir insatisfait, une invite à laquelle on répond toujours « peut-être, une fois ». De plus, sur la carte « Zermatt-Saas Fee » des itinéraires de la Fédération suisse de ski, l'escalade du Stellihorn est indiquée tout autour du lac artificiel de Mattmark. Cette immense boucle horizontale à parcourir deux fois n'est guère attrayante et c'est la raison pour laquelle on n'y rencontre pratiquement personne. En outre, les tunnels de la rive gauche du lac sont souvent bouchés, il faut les dégager à la pelle et l'intérieur est plein de glace, une vraie patinoire.

Le Stellihorn propose en fait trois descentes.

La voie normale offre un parcours peu difficile de 1 200 m de dénivelée jusqu'au lac ; les coups d'œil y sont superbes, tout d'abord vers les Mischabel au nord-ouest puis vers le Mont Rose au sud-ouest, par-delà la crête des Roffelhörner. La descente du glacier de Nollen, directement dans le vallon du Furggtälli, plein de chamois, est plus raide ; tournée au nord-est, elle présente plus de difficultés. Il faut longer la face E du Nollenhorn (3 185,2 m) et, au pied de son arête NE, se faufiler entre deux barres rocheuses pour tomber sur le lieu dit Bitzinen (2 300 m environ). La descente du vallon s'effectue généralement par sa rive droite vers Furggu (2 075 m), puis par les pistes de ski vers Saas Almagell. En fin de saison, lorsque le télésiège de Furggstalden ne fonctionne plus, on peut mettre une voiture à ce hameau (1 893 m) ; la route qui y conduit est étroite mais excellente. La troisième descente du Stellihorn est la plus difficile mais peut-être aussi la plus belle ; passant par le Stellipass (3 038 m), elle prend en écharpe les flancs W du Nollenhorn (3 185,2 m) et plonge sur Eiu Alp (1 930 m) par le large couloir qui tombe du Mittelgrat. La convexité du terrain cache, aux yeux de celui qui descend, les pentes situées au-dessous de lui et demande, avant la montée, une étude minu-

tieuse des différents passages. On fera bien de prendre quelques points de repère situés sur la rive opposée, gauche, de la Vispa car d'en haut le fond de la vallée est invisible. La descente d'Eiu Alp à Zer Meiggeru (1 740 m) s'effectue le long de la route du barrage de Mattmark, route en général ouverte à la circulation dès le début du mois de juin.

- **Dénivellation** : 1 700 m.
- **Difficulté** : AD.
- **Horaire** : montée : de Zer Meiggeru (1 740 m) au sommet : 6-7 h, depuis le barrage de Mattmark : 4-5 h ; descente : 1 h-1 h 30.
- **Période favorable** : avril à juin.
- **Point de départ** : Saas Almagell (1 673 m) ; effectivement dès l'usine électrique à Zer Meiggeru (1 740 m).
- **Cartographie** : Carte nationale suisse 1/50 000, feuille n° 284 Mischabel, ou C.N.S. 1/25 000, feuilles nos 1329 Saas et 1349 Monte Moro. Carte touristique de la vallée de Saas 1/25 000. Excellent assemblage avec itinéraires, vendu auprès des offices du tourisme et des librairies de la vallée.
- **Matériel** : couteaux, piolet, crampons, corde.
- **Itinéraire** : la route carrossable est pratiquement toujours ouverte jusqu'à l'usine électrique de Zer Meiggeru (1 740 m). On laissera la voiture peu avant le pont sur la Vispa pour ne pas gêner la circulation des camions. Fin mai - début juin, la route est souvent ouverte jusqu'au barrage et l'on pourra laisser une voiture au-dessous d'Eiu Alp, sur le bas-côté, vers 1 860 m environ. On peut alors monter soit par le chemin de descente, soit depuis le barrage (2 203 m), ce qui économise près d'une heure. Quel que soit l'itinéraire choisi on mettra de préférence les skis sur le sac pour remonter à pied les pentes raides du début. Depuis Eiu Alp (1 930 m), escalader le large couloir qui tombe du Mittelgrat jusqu'à l'altitude 2400 environ puis prendre en écharpe vers la droite pour gagner les replats de « Wanne » (2 600 m environ). Continuer vers la droite et grimper dans la combe du Rottal jusqu'au-dessus du point 2874. Traverser alors franchement à droite pour rejoindre le Wysstal et le col, appelé Stellipass (3 038 m) sur la carte au 1/25 000.

Du barrage, point de fixation côté E (2 203 m), longer le lac horizontalement sur 300-400 m puis grimper en crampons les pentes très raides et souvent verglacées, en zigzag entre des barres de rochers pour atteindre les replats du Wysstal près du point 2512. De là, continuer directement vers le col, à l'est. Sur ce versant, peu de chamois, mais de nombreuses perdrix des neiges et quelques lièvres blancs.

Au col (3 038 m), suivre la croupe neigeuse qui

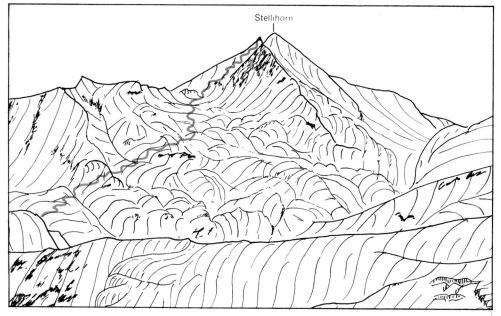

Stellihorn

conduit au glacier de Nollen et remonter celui-ci jusqu'au sommet du Stellihorn (3 436 m). La dernière pente est assez raide mais il est possible en général de l'escalader à skis. En fait, le Stellihorn a deux sommets et le premier que l'on aperçoit, le Stelli (3 356,6 m), est plus bas de 80 m. La pente NW de ce sommet secondaire offre également une descente intéressante jusqu'au replat du Wysstal, au point 2904.

Descente : du sommet principal, on suit le glacier de Nollen jusqu'au Stellipass (3 038 m). De là, partir à droite vers un petit replat (2 950 m environ) et rejoindre la combe du Rottal. Petit vallon magnifique qui se termine par un couloir sans issue, directement au-dessus du mur

du barrage. Il faut donc quitter cette combe déjà assez haut, vers 2 680 m environ, et traverser encore une fois à droite vers « Wanne ». On peut descendre alors directement sur le premier virage en épingle à cheveux de la route du barrage, point 2054, peu en dessous du petit tunnel. Ne pas prendre le couloir dénommé Chrizegge sur la carte car il se termine sur des barres de rochers infranchissables. Prendre au contraire un petit couloir, peu marqué mais souvent rempli de neige très tard dans la saison, environ 200 m au nord de Chrizegge. Si l'on a laissé une voiture près d'Eiu Alp (1 930 m), il vaut mieux descendre des replats de Wanne en appuyant vers la droite pour rejoindre le grand

couloir. Celui-ci se resserre entre quelques rochers vers 2 100 m, et il faut parfois déchausser et passer par la droite pour éviter le petit ressaut. Normalement le cône de déjection du couloir est couvert de restes d'avalanches et l'on peut descendre à skis jusqu'aux baraques au bord de la route (1 870 m environ). En avril, début mai, on descend encore souvent le long de la route sur la piste laissée par la chenillette des employés qui montent au barrage depuis Zer Meiggeru (1 740 m).

La pyramide du Stellihorn vue de l'Allalingletscher (ci-dessous).

78. PORTJENGRAT 3 630 m
sommet nord

Le Portjengrat ou Pizzo d'Andolla (3 653,6 m) est le point culminant d'une longue arête garnie de plusieurs points caractéristiques dont l'un porte même le nom de Portjenhorn (3 567 m). Vu du côté suisse le sommet n'est guère impressionnant et les regards sont attirés plus au nord par l'imposante face S du Weissmies (4 023 m). Du côté italien par contre, le Portjengrat mérite bien son nom de Pizzo car il apparaît comme une fière pyramide. Lorsque l'on quitte les bords du lac artificiel qui recouvre l'alpe des Chevaux, la vallée du Loranco, très encaissée, tourne à l'ouest puis au sud-ouest. Brusquement, sur la droite, jaillit la formidable pyramide rocheuse avec son sommet qui surplombe de près de 2 000 m. Encadrée par les branches des derniers conifères, elle a vraiment fière allure et suscite l'enthousiasme.

Au départ de la cabane Dri Horlini (2 894 m), il est possible de gravir à skis le sommet N du Portjengrat (3 650 m environ) et de continuer jusqu'au sommet principal par 30 mn d'escalade peu difficile à l'exception de la dernière dalle. Celle-ci, cotée IV, peut être vraiment difficile si elle est verglacée. La plupart des skieurs s'arrêtent au sommet N, belvédère superbe mais où il manque l'extraordinaire vue plongeante dans la face SE et le val Loranco. Son accès n'est pas difficile excepté la dernière pente, raide, déversée sur le vide et qui peut être délicate. Au printemps, lorsque la neige est transformée, il est préférable de monter à crampons cette dernière partie car une glissade entraînerait un saut fatal par-dessus un à-pic de 250 m. Après une chute de neige, on fera bien de se méfier des plaques à vent et ce dès l'altitude de 3 100 m.

A la descente, le départ est très impressionnant. L'arête, étroite, plonge de chaque côté dans le vide et il faut bien contrôler tous ses mouvements. On peut faire un peu de dérapage dans le versant W, à gauche, puis longer l'arête en direction du point 3584. Au col qui précède ce dernier point, on prend franchement dans la pente par quelques virages bien assurés et, dès que possible, on traverse à droite sous les rochers. Dès 3 400 m l'exposition diminue mais il serait faux de relâcher trop tôt sa concentration, l'à-pic à gauche a toujours près de 100 m de haut. Après le collet (3 300 m) de l'arête

W-NW du Portjenhorn, on plonge directement sur la cabane et par le Wysstal sur l'Almagelleralp. On peut aussi tourner tout de suite à gauche et franchir une autre petite brèche, point 3188, pour gagner le Rotblattgletscher puis, par une traversée vers la gauche (S), le fond du vallon. En fin de saison, cette deuxième solution présente l'avantage d'être enneigée plus longtemps et, par la rive gauche de l'Almagellertal, on peut, très tard, descendre jusqu'au pont de Chuelbrunnji (2 053 m).

- **Dénivellation** : montée : 1er jour : 1 220 m, 2e jour : 735 m ; descente : 1 950 m, 1 580 m jusqu'à Chuelbrunnji.
- **Difficulté** : AD + au sommet, puis PD.
- **Horaire** : 1er jour : 4 h 30, 2e jour : 2 h 30 ; descente : 1-2 h.
- **Période favorable** : avril à juin.
- **Point de départ** : 1er jour : Saas Almagell (1 673 m) ; 2e jour : cabane Dri Horlini (2 894 m).
- **Cartographie** : Carte nationale suisse 1/50 000, feuille no 284 Mischabel, ou C.N.S. 1/25 000, feuille no 1329 Saas. Excellent assemblage au 1/25 000, carte touristique de la vallée de Saas.
- **Matériel** : couteaux, piolet, crampons ; corde si l'on veut escalader le point culminant.
- **Itinéraire** : *1er jour* : la montée à la cabane Dri Horlini (2 894 m), depuis Saas Almagell (1 673 m), est décrite au chapitre du Mittelrück (no 57) et nous n'y reviendrons pas. On peut simplement rappeler qu'il n'est pas conseillé

d'entreprendre des courses dans l'Almagellertal avant la fin du mois de mars, lorsque toutes les grosses avalanches sont descendues. La cabane Dri Horlini a été inaugurée en 1984 et offre un local d'hiver de 6 couchettes avec une cuisine installée et approvisionnée en bois. Si la fréquentation est suffisante, il est probable qu'à l'avenir la cabane soit gardée au printemps. On peut se renseigner auprès du gardien, Alfred Anthamatten, guide à Saas Almagell.

2e jour : de la cabane (2 894 m), partir en direction du Portjenhorn (3 567 m) et remonter la combe qui longe son arête W-SW au nord. Franchir cette arête à l'altitude 3300, au pied de son dernier ressaut. Un replat puis une pente devenant toujours plus raide montent en oblique vers l'arête NW. Gagner cette arête au sud du point 3584, suivant les conditions de neige en crampons, skis sur le sac, et la suivre sur le fil ou dans le flanc W jusqu'au sommet N du Portjengrat (3 630 m environ). Ce point n'est pas coté, mais il est très distinct du sommet principal, éloigné de 150 m environ et défendu par quelques gendarmes rocheux. Seul celui qui soutient le point culminant présente une certaine difficulté. La neige, accumulée entre ces gendarmes ou sur ceux-ci, peut compliquer fortement le parcours de ce tronçon et l'on s'arrête généralement au sommet N.

Descente : un rappel est nécessaire au départ du sommet principal, mais on peut chausser les skis pratiquement dès le sommet N. Déraper avec circonspection, tout d'abord sur l'arête NW elle-même, puis dans le flanc W de celle-ci. Si la neige est bonne et sûre, on peut utiliser toute la hauteur de la large vire très inclinée qui suit. Autrement il faut rester près de l'arête jusqu'au moment où elle vient buter contre le point 3584 puis longer vers la droite les rochers qui le portent. Dès 3 400 m un replat facilite la descente vers le petit col (3 300 m), puis la

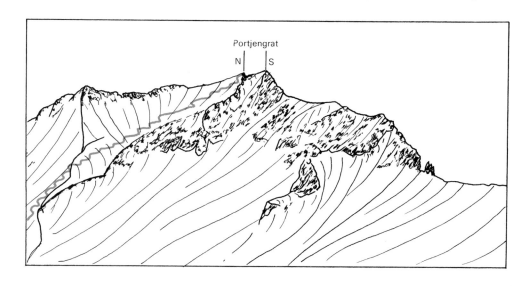

Portjengrat
N   S

combe W s'ouvre en direction de la cabane. On peut soit rejoindre celle-ci, soit descendre vers Almagelleralp en empruntant la combe qui longe l'arête W-SW du Portjenhorn, directement vers le point 2561. En fin de saison, on franchira à nouveau cette arête W-SW, soit à la brèche cotée 3188, soit dans les environs du point 2936,7, pour rejoindre, par une longue traversée vers la gauche (S), le glacier de Rotblatt au fond du vallon. Par bonne neige de printemps, ces descentes sont extrêmement belles

et plus l'on s'enfonce dans l'Almagellertal, plus l'ambiance augmente de sauvagerie. Enfin, l'arrivée à Saas Almagell par le couloir de Spissgrabe, lorsqu'il est suffisamment encombré de restes d'avalanches, offre une plongée surprenante dans les verts du printemps. A gauche et à droite de la coulée blanche sur laquelle on virevolte, éclatent les verts tendres des aiguilles toutes neuves des mélèzes, les verts foncés de la mousse sur les troncs décomposés et, tout au fond de l'entonnoir, le tapis vert de la prai-

rie où l'on vient s'arrêter comme des boules de billard en fin de course. Tous ces contrastes s'unissent pour former dans nos mémoires une gerbe de souvenirs indélébiles.

Le massif des Mischabel et l'Alphubel vus du Portjengrat (ci-dessus).

79. AUGSTKUMMENHORN 3419 m

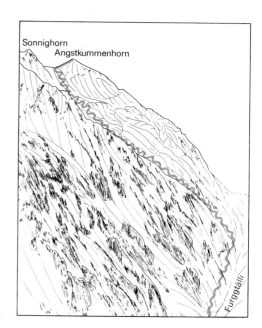

Sonnighorn
Angstkummenhorn

Furggtälli

Avec un nom aussi compliqué et tellement rébarbatif aux francophones, l'Augstkummenhorn (3 419 m) est resté forcément dans l'anonymat. Du versant italien il semble n'être qu'une simple épaule du Sonnighorn (3 487,2 m). De plus, il n'est visible que du vallon de Loranco, tout en haut du glacier de Bottarello. L'Augstkummenhorn tire son nom des combes herbeuses situées plus bas sur son flanc W où le bétail montait pâturer, en août généralement. Je ne sais pas si les bovins grimpent encore jusque-là car les gazons sont escarpés et à l'heure actuelle ces pâturages entrecoupés de rochers me semblent plus propices aux moutons. En hiver, ou plutôt au printemps, la raideur des pentes ne rebute guère les skieurs-alpinistes, bien au contraire.

Tout le début du Furggtälli est exposé aux avalanches et ce vallon retiré n'est guère visité en hiver. Il faut vraiment attendre que les conditions de neige soient absolument sûres pour se risquer dans ce val très encaissé et d'une beauté

sauvage. Après une période de temps stable, clair et sans tempête de vent, on peut très bien escalader l'Augstkummenhorn en plein hiver. Cependant ces périodes sont rares, la différence des climats et des pressions atmosphériques, entre le nord et le sud des Alpes, crée des courants souvent très violents sur les crêtes. Même avec une haute pression sur toute l'Europe et le beau temps installé partout, on peut avoir quelques formations nuageuses sur la crête des Alpes et un vent du sud assez fort pour former des plaques à vent. A l'Augstkummenhorn, les endroits les plus abrupts se situent un peu au-dessus de la vallée, entre 2 300 m et 2 700 m. Plus haut, et jusqu'au sommet, la pente est moins raide, plus large aussi. Au total, la descente de l'Augstkummenhorn (3 419 m) jusqu'à Saas Almagell (1 673 m) représente 1 746 m de dénivellation. Il faut compter à peu près 1 000 m à 30°, 400 m raides entre 35° et 45° et 300 m assez plats, entre 5° et 20° : le fond du vallon et l'arrivée au village depuis Zer Meiggeru (1 740 m). J'indique plus loin l'itinéraire qui passe par la centrale électrique de Zer Meiggeru, pour éviter de rejoindre les pistes de Furggstalden (1 893 m). Il est naturellement possible, lorsqu'il y a encore suffisamment de neige, de descendre par les pistes. Pour cela, il est nécessaire de remonter un tout petit peu à Furggu (2 075 m), 5-10 mn.

Après la fermeture des installations de remontées mécaniques de Saas Almagell, la petite route goudronnée qui grimpe à Furggstalden est très rapidement libre de neige et l'on peut alors y monter en voiture. Pendant la saison de ski, on peut passer par le sentier dans la forêt à l'est de Saas Almagell ou, mieux encore, par Zer Meiggeru (1 740 m). La route de la centrale électrique est ouverte toute l'année et le chemin de la rive gauche du Furggbach est un bon raccourci pour gagner le vallon de Furggtälli. L'utilisation du télésiège et des téléskis n'est guère possible car leur exploitation se met en route trop tardivement. La montée à l'Augstkummenhorn (3 419 m) depuis Furggu (2 075 m) dure 4 h 30-5 h. En partant de Saas Almagell par les premiers sièges, on ne peut pas quitter Furggu avant 9 h 30-10 h du matin, ce qui retarde trop la descente. Il vaut mieux partir à pied de Zer Meiggeru au lever du jour et marcher une heure de plus. On pourra ainsi commencer la descente vers midi et, si la neige est encore dure, se tenir sous l'arête NW du Sonnighorn (3 487,2 m) les pentes étant orientées SW.

- **Dénivellation** : 1 745 m, jusqu'à Saas Almagell (1 673 m), 1 680 m jusqu'à Zer Meiggeru (1 740 m) ou 1 345 m jusqu'à Furggu (2 075 m).
- **Difficulté** : AD.
- **Horaire** : montée : depuis Zer Meiggeru

(1 740 m) : 6 h, depuis Furggstalden (1 893 m) : 5 h 30; descente : 1 h-1 h 30.
- **Période favorable** : avril et mai. Déjà possible en février et mars par neige très stable; en juin, les pentes les plus raides n'ont souvent plus de neige, ravinées par les avalanches, et il faut porter les skis jusqu'à 2 500-2 600 m.
- **Point de départ** : Saas Almagell (1 673 m), Zer Meiggeru (1 740 m) ou Furggstalden (1 893 m).
- **Cartographie** : Carte nationale suisse 1/50 000, feuille n° 284 Mischabel, ou C.N.S. 1/25 000, feuille n° 1329 Saas. Excellent assemblage au 1/25 000, carte touristique de Saas Fee et vallée de Saas.
- **Matériel** : couteaux, piolet. Crampons utiles en fin de saison lorsque la neige est très dure le matin.
- **Itinéraire** : partir de Saas Almagell (1 673 m) par la route du barrage de Mattmark jusqu'à Zer Meiggeru (1 740 m), 1 km après les dernières maisons. Traverser le pont sur la Vispa et prendre tout de suite à gauche le chemin qui grimpe dans la forêt jusqu'à Stafel (2 050 m), à l'entrée du Furggtälli. Cette forêt de la rive gauche du Furggbach, orientée NW, conserve très longtemps de bonnes conditions d'enneigement. Remonter ensuite la rive droite du vallon et repérer le torrent qui descend d'Augstkumme. 300 m plus loin, juste avant le lieu dit Schönenboden, à la cote 2200, bifurquer à gauche pour

escalader au mieux un petit couloir puis le dos d'âne qui monte vers « Galen ». La partie la plus raide se grimpe à pied, en crampons si la neige est très dure. S'élever ensuite 300 m tout droit puis, en appuyant à gauche, rejoindre la combe et le glacier d'Augstkumme. On continue jusqu'à l'arête (3 370 m environ) pour la suivre, à droite, jusqu'au sommet (3 419 m). Si l'on désire jeter un coup d'œil sur le bassin de Camposecco, il est très facile de poursuivre sur l'arête presque horizontale vers le Cimone di Camposecco (3 398 m).

Descente : suivre l'itinéraire de montée en choisissant le versant droit ou gauche de la combe selon les conditions de neige. Si celle-ci est très dure, on peut rester sur la rive droite du torrent de l'Augstkumme jusqu'à l'altitude 2500 et là traverser à gauche pour rejoindre la côte qui descend de « Galen ». De Staffel (2 050 m), 5 mn de montée oblique amènent à Furggu (2 075 m) et l'on rejoint facilement les pistes qui descendent jusqu'à Saas Almagell (1 673 m) par Furggstalden (1 893 m). Pour les amateurs de calme, la plongée est amusante jusqu'à Zer Meiggeru (1 740 m) par le chemin de la rive gauche emprunté le matin.

L'Augstkummenhorn et le Sonnighorn vus de l'alpe d'Andolla (page ci-contre). En montant à l'Ulrichshorn, vue sur l'Augstkummenhorn, 2e sommet depuis la gauche (ci-dessus).

80. CHÂTEAU DES DAMES 3 488 m

Château des Dames

vallon de Vaufrède

S'agit-il d'un château rempli de « Belles au bois dormant » ? Avec un nom si poétique il est logique que tout alpiniste se pose la question et que l'envie lui prenne d'y aller voir un jour de plus près. Pourtant, malgré son nom alléchant, le Château des Dames (3 488 m) n'est pas une cime très fréquentée. Trop en dehors des circuits classiques, son ascension est longue et il n'y a pas de refuge directement à son pied. Le seul bivouac fixe qui pourrait en faciliter l'approche est le petit bivouac en forme de demi-tonneau, Duccio Manenti (2 789 m). Situé au-dessus du lac artificiel de Cignana, il est à 5 h de marche de Valtournanche (1 528 m), et il n'offre de la place qu'à 3 personnes, 5 en étant bien serrées et inconfortables. De là évidemment, 2 h-2 h 30 suffisent à gagner, par le Col de Vaufrède (3 130 m), le « donjon » sommital. On peut également escalader le Château des Dames par son versant N en partant du Valpelline. Le barrage de Place Moulin (1 950 m) peut être rejoint en voiture et par la rive droite du lac on atteint très facilement Prarayer (2 005 m). Il est nécessaire de bivouaquer alors dans une grange pour grimper au sommet le lendemain, soit par le Glacier et le Col des Dames (3 321 m), soit par le Glacier et le Col de Bella Tza (3 047 m), puis le Col de Vaufrède (3 130 m). Ce deuxième itinéraire est un peu plus long (1 h) mais il est plus facile ; au total on compte 6-7 h pour cette escalade. Les descentes dans le Valpelline sont toutes deux excellentes, mais celle du Glacier des Dames est plus soutenue, plus directe aussi. Une bonne combinaison consiste à monter par le Col de Bella Tza et à redescendre par le Glacier des Dames (AD).

L'ascension du Château des Dames depuis Breuil-Cervinia (2 000 m) est également assez ardue et, de plus, nécessite un départ très matinal. Le glacier de Vaufrède coule vers le nord-est et les pentes, orientées E, qui lui font suite à l'aval sont très exposées au soleil levant. Il est donc indispensable de redescendre très tôt. Les conditions de ski seront bien meilleures et, surtout, le haut du vallon de Vaufrède sera moins exposé aux avalanches qui tombent du Mont Blanc du Créton (3 406 m). Au-dessus du Col de Vaufrède (3 130 m), l'escalade du Col des Dames (3 321 m), par son versant SE, offre l'avantage de repérer le meilleur passage. Certains touristes abandonnent leurs skis au pied du petit éperon S-SE et terminent l'ascension en crampons. Je pense qu'il vaut la peine de prendre ses skis sur le dos pour gravir cette pente d'environ 100 m car on peut très bien chausser à nouveau pour la partie finale. Les années de fort enneigement on parvient à skis jusqu'au point culminant (3 488 m), autrement on termine par une escalade courte et facile des derniers rochers. Du sommet, le panorama apparaît sous un angle insolite et le Cervin (4 477,5 m) attire tous les regards. Il domine les grands glaciers qui scintillent à son pied et, plus loin, ceux du Breithorn (4 164 m), du Castor (4 228 m), du massif du Mont Rose. A gauche, vers le nord et le nord-ouest, la chaîne des Alpes valaisannes hisse sa crête dentelée bien au-dessus des profonds sillons du haut Valpelline et de la

Combe d'Oren. Par-delà la cuvette immaculée du haut bassin de Cignana l'épaisse brume du val d'Aoste se transforme en nuées au-dessus desquelles on aperçoit, indistincte, la pointe du Mont Emilius (3 559 m). On ne peut malheureusement pas prolonger indéfiniment ces moments de félicité intense. Pour profiter au maximum de la descente il est temps de plonger dans les abîmes qui disparaissent, là, à droite, au bout de la première pente blanche, en un saut de 1 500 m jusqu'au fond du Valtournanche.

- **Dénivellation :** 1 548 m.
- **Difficulté :** AD.
- **Horaire :** montée : 6-7 h; descente : 1 h-1 h 30.
- **Période favorable :** mars à juin.
- **Point de départ :** pont sur le torrent Marmore (1 940 m), 1,500 km à l'aval de Breuil-Cervinia (2 000 m).
- **Cartographie :** Carte nationale suisse 1/50 000, feuilles nᵒˢ 293 Valpelline et 283 Arolla.
- **Matériel :** couteaux, piolet, corde, crampons.

- **Itinéraire :** partir de nuit de Breuil-Cervinia (2 000 m) et descendre par la rive droite du torrent Marmore jusqu'au bas du vallon de Vaufrède. On peut naturellement laisser une voiture près du petit pont (1 940 m), ce qui évitera, au retour, de marcher 1,500 km sur le macadam. Remonter le vallon puis obliquer à gauche (SW puis S) pour escalader la pente abrupte de la moraine latérale gauche du glacier de Vaufrède. Franchir cette moraine et prendre pied sur le glacier par un couloir raide. Continuer par la combe glaciaire jusqu'à peu au-dessous du Col de Vaufrède (3 130 m), et traverser en montant à droite (N-NE) vers le replat qui marque le sommet de la côte rocheuse caractéristique. Repérer le meilleur passage pour atteindre le Col des Dames (3 321 m) (sans nom ni cote sur la C.N.S.) et y grimper, en crampons si nécessaire. Le premier couloir près du petit éperon rocheux est généralement le meilleur itinéraire, mais on peut aussi faire un crochet vers la droite et revenir à gauche sous la corniche. Tout dépend de l'état de cette dernière, car il est pratiquement impossible de rejoindre la plus basse dépression

tout droit. On émerge sur le plateau supérieur un peu à gauche et plus haut, plus près de l'arête E-SE du Château des Dames (3 488 m). On escalade le point culminant par son versant NE, les derniers mètres à pied selon l'enneigement. Par neige ferme et dure, il y a un avantage certain à réaliser cette grimpée en crampons, depuis le vallon de Vaufrède.

Descente : suivre l'itinéraire de montée. Pour les skieurs peu habitués aux pentes très raides, on peut installer une corde fixe pour faciliter un dérapage des 50 premiers mètres au-dessous du Col des Dames (3 321 m). Dans le bas de la descente, il est préférable de dévaler le vallon de Vaufrède jusqu'au bord du torrent (1 940 m). Une traversée, à gauche dès 2 300 m pour rejoindre Breuil-Cervinia (2 000 m), est beaucoup moins intéressante et n'est pas exempte de risques de coulées de neige.

Sous le sommet (page ci-contre).
La pyramide du Château des Dames et son versant N (ci-dessus).

81. **BARRHORN** 3 610,0 m
couloir nord-ouest

La cabane de Tourtemagne (2 519 m) n'est pas facilement accessible en hiver, ou plutôt elle est située au fond d'une vallée dont la route est fermée pendant la mauvaise saison à cause des avalanches. Pourtant cette région offre quelques courses intéressantes dans un cadre grandiose. Le glacier de Tourtemagne présente en effet deux chutes de séracs spectaculaires dans un cirque de montagnes sauvages : les Diablons (3 609 m), le Bishorn (4 153 m), le Brunegghorn (3 833 m) et le Barrhorn (3 610,0 m). Pour les skieurs, l'accès le plus facile à la cabane de Tourtemagne se fait de Saint Luc, dans le val d'Anniviers, par les remontées mécaniques puis par la descente du Pas du Bœuf (2 817 m) ou du Meidpass (2 790 m) sur Gruben (1 829 m). De là, en 4 h environ, on grimpe à la cabane. Le Barrhorn n'est pas une cime très fréquentée car les gens qui parcourent la région à skis lui préfèrent par exemple le Brunegghorn. On peut gravir ce dernier par exemple lors de la traversée, cabane de Tracuit - cabane de Tourtemagne ou *vice versa*. Si l'on consacre un jour de plus à cette belle vallée, le Barrhorn est un but de course superbe. La montée n'est pas très longue mais elle nécessite l'emploi des crampons pour l'escalade du couloir de « Gässi » peu après le départ. Plus haut, le parcours de l'arête W skis aux pieds est absolument magnifique, et les zigzags dans la pente abrupte permettent de contempler, tour à tour, le paysage dans toutes les directions.

Du sommet la vue plonge dans la vallée de Sankt Niklaus, 2 500 m plus bas, et le panorama des cimes valaisannes ou de l'Oberland est prodigieux. L'angle de vue un peu insolite fait découvrir des sommets familiers sous un jour différent et nouveau ; la solitude est absolue,

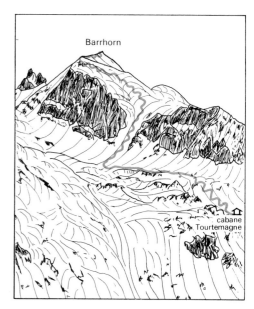

seul un grand corbeau ou quelques choucas viennent examiner quels sont ces intrus qui violent leur royaume.

La descente peut s'effectuer par les pentes SW, raides et en neige de printemps ramollie ou, mieux encore, par le couloir NW, en poudreuse tard dans la saison. A cause de ses pentes raides, le Barrhorn présente, en cas de neige fraîche, un risque important d'avalanches et de plaques à vent. En outre, si la neige ne dégèle pas, une chute dans les pentes sommitales SW risque fort d'être fatale. Pour de bons skieurs-alpinistes, le Barrhorn est vraiment une belle course.

- **Dénivellation** : 1 090 m.
- **Difficulté** : AD +.
- **Horaire** : montée : 4 h ; descente : 1 h.
- **Période favorable** : mars à juin.
- **Point de départ** : cabane de Tourtemagne (2 519 m).
- **Cartographie** : Carte nationale suisse 1/50 000, feuille n° 274 Visp, ou C.N.S. 1/25 000, feuille n° 1308 St Niklaus.
- **Matériel** : couteaux, crampons, corde, piolet.
- **Itinéraire** : de la cabane de Tourtemagne (2 519 m) (Turtmann H. sur la C.N.S.), partir en direction SE par une traversée presque horizontale de pentes raides entrecoupées de débris d'avalanches. A 2 560 m, entrer dans un couloir très raide dénommé « Gässi » sur la carte, 140 m de dénivellation, couloir qu'il faut escalader en portant les skis. Les crampons sont très utiles. Continuer vers le sud-est dans une combe puis, dès le point 2788, monter à gauche (N) des pentes raides qui rejoignent l'arête W légèrement à l'ouest du point 3057 dans une petite selle. Remonter l'arête sur son versant N. Poursuivre par cette arête qui forme bientôt un dos d'âne puis une pente raide. Appuyer alors à gauche pour gagner un replat et une pente moins soutenue ; grimper au sommet par le nord-ouest puis par le nord.

Descente : suivre l'itinéraire de montée du sommet jusqu'aux environs de la cote 3200. S'engager alors dans le grand couloir NW à main droite. Par neige très sûre, on peut entrer déjà dès 3 400 m dans la pente qui domine le couloir. Au début, longer de préférence les rochers de la rive droite. Traverser le grand replat en direction W et rejoindre, à gauche, une petite combe qui descend vers le mamelon sur lequel est perchée la cabane.

Le Barrhorn vu du Frilitälli (page ci-contre).
Le sommet E du Barrhorn
et vue sur le Rimpfischhorn (ci-contre).

82. BALFRIN 3 795,7 m

Dans la plaine du Rhône, de la région de Viège, en allemand Visp, on aperçoit bien le massif des Mischabel, amalgame de sommets pointus et de glaciers tourmentés qui bouchent la vallée de la Vispa au sud, en direction de Zermatt et de Saas Fee. Grâce à leur proximité, le sommet et le glacier du Balfrin occupent une place de choix sur la gauche du massif, et cela malgré une hauteur légèrement inférieure à celle des grands « 4 000 » leurs voisins du Sud-Ouest. Mais, pour bien examiner le Balfrin (3 795,7 m), et la descente de son difficile versant N, le meilleur point de vue se trouve à Gspon (1 893 m) que l'on atteint confortablement en téléphérique. Le meilleur accès au Balfrin se fait, à l'heure actuelle et par bonnes conditions, de la station supérieure du téléphérique du Seetalhorn (3 037 m), au-dessus de Grächen. Une descente en oblique vers le sud des pentes de Riedberg amène au bord du glacier de Ried, que l'on traverse vers 2 200 m pour rejoindre, rive gauche, l'itinéraire habituel de la cabane Bordier (2 886 m). L'ascension du Balfrin au départ de Huteggen (1 248 m) est naturellement possible aussi. Elle représente cependant une dénivellation de

2 500 m, soit 8-10 h, et il serait judicieux de bivouaquer, soit à la limite des forêts (2 100 m environ), soit plus haut encore dans les rochers qui bordent le petit glacier de Färich. Il est de plus possible de gravir le Balfrin dans la journée en partant du téléphérique du Seetalhorn et en passant par la Färichlicke (2 885 m), le glacier de Färich et le glacier de Balfrin. Malheureusement la mise en route relativement tardive du téléphérique ne permettrait pas de jouir de conditions optimales pour la descente. Du Balfrin, la vue sur le haut glacier de Ried et la couronne de sommets qui l'entourent est superbe. Le Dürrenhorn (4 034,9 m), un « 4 000 » relativement peu fréquenté, le Hohberghorn (4 219 m) avec sa belle face de glace, le Stecknadelhorn (4 241 m), le Nadelhorn (4 327 m), le plus haut, et enfin l'Ulrichshorn (3 925 m), le plus facile. A nos pieds, littéralement, la vallée de Saas (2 300 m) plus bas et, par-delà, les trois cimes du Fletschhorn (3 996 m), du Lagginhorn (4 010,1 m), et du Weissmies (4 023 m). Cette région, « truffée » de sommets de « 4 000 », tous plus beaux et attirants les uns que les autres, est vraiment un paradis pour le skieur-alpiniste.

- **Dénivellation** : montée : 1er jour jusqu'à la cabane Bordier : 1 230 m, 2e jour : 910 m ; descente : 2 548 m.
- **Difficulté** : AD + .
- **Horaire** : montée : 1er jour : 4 h-4 h 30, 2e jour : 3-4 h ; descente : 2-4 h suivant les conditions.
- **Période favorable** : fin mars à juin.
- **Point de départ** : Ried ou Gasenried (1 659 m), près de Grächen.
- **Point d'arrivée** : Huteggen (1 248 m), sur la route Viège — Saas.
- **Cartographie** : Carte nationale suisse 1/50 000, feuilles nos 274 Visp et 284 Mischabel, ou C.N.S. 1/25 000, feuilles nos 1308 St Niklaus et 1328 Randa.
- **Matériel** : couteaux, piolet, corde, crampons.
- **Itinéraire** : *1er jour :* une route carrossable monte du pont (1 083 m), qui précède Sankt Niklaus, et bifurque à Nieder-Grächen (1 478 m), pour Ried (1 659 m). De là suivre horizontalement jusqu'au Riedbach le chemin longeant le bisse inférieur. Traverser le torrent et prendre le sentier qui grimpe à travers bois par le point 1739 vers Alpja (2 099 m). Poursuivre par la rive gauche du glacier de Ried que l'on traverse, dès l'altitude 2760, en direction E. La cabane Bordier (2 886 m) est bien visible sur le promontoire et on l'atteint en grimpant vers le nord-est puis le nord. Lors d'un réchauffement brusque de la température ou après une chute de neige, cet itinéraire est très exposé aux avalanches depuis Alpja.

Balfrin

2ᵉ jour : de la cabane, partir en direction du Kl.
Bigerhorn et, vers 2 950 m, obliquer à droite
pour atteindre la moraine N du Riedgletscher,
et la remonter jusqu'à la cote 3084. Traverser
la pente raide pour rejoindre le glacier ; à 3 250 m
environ, mettre le cap au sud vers le bord (rive
droite) de la petite chute de sérac. Passer près
du point 3376 puis obliquer à gauche pour suivre le pied du versant SW du Balfrin. A 3 500 m
environ, chausser les crampons pour escalader,
skis sur le sac, un couloir raide qui aboutit entre
les deux sommets, puis gagner le point culminant (3 795,7 m) au sud-est.

Descente : partir en direction N et suivre une
sorte de dos d'âne jusque vers 3 420 m. Se faufiler entre de grosses crevasses en appuyant à
droite jusque peu au-dessus du point 3041 où
l'on tourne franchement à gauche pour descendre vers le grand replat (2 900 m). Continuer
vers la gauche en direction du Färichgletscher
que l'on rejoint, soit par la moraine centrale, soit
par un replat vers 2 700 m. Descendre vers le
fond du vallon que l'on suit, souvent sur des
débris d'avalanches, jusque vers 1 750 m. On
peut alors traverser à gauche la pente raide qui
mène à la crête et aux chalets de Schweibu
(1 679,3 m). Poursuivre par le chemin dans la forêt
jusqu'à la route que l'on rejoint 200 m en amont
de Huteggen (1 248 m), arrêt du car postal.

Le Balfrin et le massif des Mischabel
(page ci-contre).
Descente parmi les séracs (ci-contre).

83. BLANC DE MOMING 3657 m

Pour qui n'est jamais allé à la cabane du Moun-tet (2 886 m) ou à celle d'Ar Pitetta (2 786 m), le Blanc de Moming (3 657 m) est un sommet totalement inconnu. Les alpinistes parlent de l'arête du Blanc, ou de Moming, comme de l'une des belles arêtes du Rothorn de Zinal (4 221,2 m), mais la simple bosse de neige bap-tisée Blanc de Moming est presque ignorée. Seuls les varappeurs qui « font » la traversée du Besso (3 667,8 m), connaissent cette belle coupole qui marque la fin de leur périple. Caché derrière la pointe bifide du Besso, le Blanc de Moming n'est pas visible de la vallée et il ne figure sur aucun guide pour skieurs. Cela est assez étonnant car il offre trois descentes super-bes dont une depuis le sommet lui-même. Par le glacier du Mountet, les skieurs-alpinistes pré-fèrent en général monter jusqu'au pied de l'arête du Blanc et grimper ensuite à l'épaule (4 017 m) du Rothorn de Zinal. Le Blanc de Moming est donc délaissé de ce côté-là bien que l'on puisse l'escalader facilement par son arête E. Peu de skieurs connaissent l'itinéraire du versant S qui, évitant Le Mammouth (3 121,0 m) par son pied SW, permet de monter avec les skis jusqu'à l'épaule S (3 450 m environ) d'où l'arête S-SW s'escalade sans difficulté. Ce parcours offre une descente, orientée NW puis SW, de 950 m de dénivellation, assez raide, jusqu'au glacier de Zinal. En neige de printemps du haut en bas, en mai et juin par exemple, c'est un retour vers la vallée qui paie vraiment, surtout qu'il reste encore 5 km de glissades sur 800 m de hauteur jusqu'au fond du vallon de Zinal (1 675 m). Au total 1 750 m de dénivellation. Cependant la plus belle descente du Blanc de Moming (3 657 m), par son cadre sauvage, sa difficulté soutenue et son orientation N, est celle qui plonge du sommet lui-même sur le glacier de Moming, puis dans le vallon de l'Ar Pitetta. Elle représente une dénivellation totale de 1 982 m, dont 1 750 m de pentes abruptes, dans un décor de séracs verdâtres, de crevasses sans fond et de parois de roches noires. Un souve-nir absolument indélébile pour celui qui a eu la chance de la parcourir une fois dans sa vie. De plus, on jouit, du point culminant du Blanc de Moming, d'une vue surprenante sur tout le fabuleux cirque du Mountet. Entre le Besso (3 667,8 m) et le Rothorn de Zinal (4 221,2 m), on admire trois sommets de plus de 4 000 m et huit de plus de 3 600 m, sans compter le Pigne de la Lé (3 396,2 m « seulement »). Derrière soi, le cirque d'Ar Pitetta, bien plus petit mais tout aussi surprenant avec la formidable face W du Weisshorn (4 505,5 m), qui accapare tous les regards, semble un entonnoir sans fond, pro-fond de 2 500 m. Au nord, par-delà la pointe d'Ar Pitetta, les petits lambeaux de vallée que l'on aperçoit soulignent à peine l'isolement du monde minéral qui entoure le spectateur admiratif.

- **Dénivellation** : montée : 1er jour : 1 111 m, 2e jour : 871 m; descente : 1 982 m.
- **Difficulté** : AD + .
- **Horaire** : montée : 1er jour : 5-6 h, 2e jour : 4-5 h; descente : 1-2 h.
- **Période favorable** : mi-avril à fin juin.
- **Point de départ** : Zinal (1 675 m) le premier jour, cabane d'Ar Pitetta (2 786 m), le deuxième.
- **Cartographie** : Carte nationale suisse 1/50 000, feuille n° 283 Arolla, ou C.N.S. 1/25 000, feuille n° 1327 Evolène.
- **Matériel** : corde, piolet, crampons.
- **Itinéraire** : *1er jour :* de Zinal (1 675 m), suivre l'une des rives de la Navisence jusqu'au fond du long replat. Remonter la gorge ou, lorsqu'il n'y a pas assez de neige, prendre le chemin d'été, rive gauche, par Le Vichiesso (1 862 m). Du pont, coté 1907, longer la rive droite du torrent qui descend le vallon de l'Ar Pitetta. Vers 2 160 m, suivre le torrent de gauche (N) en remontant sa rive gauche, le long d'une moraine raide. S'engager entre la moraine et la montagne, puis, dès 2 500 m, appuyer à droite pour suivre la combe de droite. Par un mouvement tournant, revenir à gauche vers la cabane d'Ar Pitetta (2 786 m), le long d'une autre combe morainique. Par brouillard épais, la cabane n'est pas très facile à trouver, il faut se fier aux instruments, carte, altimètre, boussole.

2e jour : de la cabane, franchir, en direction SE, deux moraines, puis traverser le bas du glacier du Weisshorn; franchir encore une moraine et prendre pied sur le glacier de Moming à l'altitude 2850 environ. Continuer horizontalement à droite (S puis W) pour éviter la barre de rochers qui descend du point 3343. Deux itinéraires s'offrent alors, à choisir suivant les conditions du glacier. On peut soit monter en oblique vers le replat supérieur du glacier de Moming, en évitant quelques grosses crevasses, soit poursuivre horizontalement jusqu'au pied de la face E-NE du Besso (3 667,8 m). Remonter alors le long des rochers jusqu'au plateau supérieur. Traverser ce plateau en direction E-SE et, dès 3 300 m, tourner à droite pour prendre la combe qui grimpe vers l'arête E. Atteindre le sommet du Blanc de Moming (3 657 m), soit par cette combe et l'arête E, soit par la face E ou même par la côte NE.

Descente : emprunter l'itinéraire de montée jusqu'au grand replat du glacier de Moming, puis poursuivre par les pentes crevassées qui bordent la paroi de rocher de l'arête N du Besso. Ces pentes obligent à passablement de détours et il faut déjà repérer les passages de la cabane le jour précédent. Sortir du glacier tout à gau-

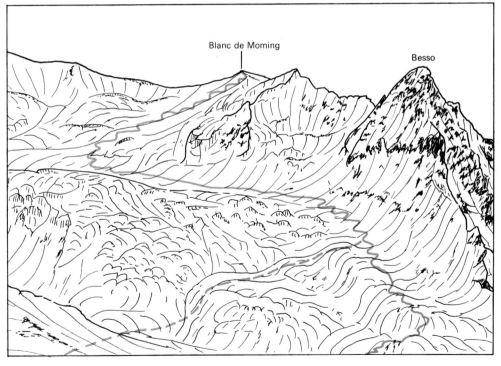

che et revenir à droite le long d'une moraine orientée N puis NE. Après le passage entre les barres de rochers, à 2 350 m environ, prendre à gauche directement vers le fond du vallon que l'on suit jusqu'à Zinal (1 675 m). Si le glacier paraît trop crevassé pour qu'on puisse y entreprendre cette descente directe, il faut alors le

retraverser pour descendre les belles combes au-dessous de la cabane d'Ar Pitetta.

Sur le glacier de Moming (page ci-contre). La cabane d'Ar Pitetta avec le Blanc de Moming et, à droite, le Besso (ci-dessus).

84. BECCA DE LUSENEY   3504 m

La pyramide élancée et régulière de la Becca de Luseney (3504 m) intrigue bon nombre d'alpinistes qui l'aperçoivent de très loin à la ronde. Visible du Mont Vélan (3731 m), du Grand Combin (4314 m) et même du Pigne d'Arolla (3796 m), cette fière silhouette se découpe sur le ciel bleu du val d'Aoste, bien au-dessus des autres sommets qui bordent au sud le Valpelline. Peu d'alpinistes savent y mettre un nom, et moins encore ont pris la peine d'en faire un jour l'ascension. Située hors des parcours classiques de la haute route, peu connue et ne jouissant pas d'une réputation de montagne pour skieurs, la Becca de Luseney reste solitaire des hivers entiers. Son accès par le sud, le plus facile, est long et compliqué; il faut remonter tout le val Saint Barthélemy pour atteindre le minuscule bivouac fixe F. Nebbia (2590 m), d'où l'escalade s'effectue le lendemain par le raide col E-NE (3162 m) et la face NE tout aussi abrupte. Le refuge Nebbia offre un abri pour 4-6 personnes avec des matelas et des couvertures assez humides en hiver, mais sa situation isolée et son accès malaisé en font un relais magnifique pour qui aime la solitude. Le versant N de la Becca de Luseney présente un itinéraire plus sauvage encore, plus difficile aussi, et d'une dénivellation plus grande. C'est une course de haute montagne qui nécessite un bon équipement, des conditions de neige adéquates, et surtout un très bon entraînement physique. Cette voie n'est pas parcourue souvent par des skieurs et c'est très regrettable car elle propose, à la montée comme à la descente, un certain nombre de problèmes dignes de susciter l'enthousiasme des alpinistes. Les premières pentes au-dessus de la petite chapelle de Pouillaye (1616 m) présentent déjà quelques barres de rochers que l'on escalade par des zigzags difficiles où le sens de l'itinéraire est mis fortement à contribution. Ensuite le franchissement d'une gorge raide, très encaissée et pleine de débris d'avalanches, exige que l'on porte les skis sur une centaine de mètres ou davantage, suivant les conditions. Entre 2700 et 3000 m une zone de rochers coupés de couloirs et de vires ascendantes requiert encore un bon effort avant que l'on atteigne le glacier. Après une combe plus calme, jusqu'au col E-NE (3162 m), il faut encore attaquer la dernière pente et le dernier couloir abrupt qui mène au sommet (3504 m).

De celui-là, la vue plonge dans les profondeurs verdoyantes du Valpelline et s'étend, magnifique, du Mont Blanc au Mont Rose et du Rutor à la plaine du Pô, en passant par le Grand Paradis. Ce qui étonne pourtant le plus ce sont les innombrables combes et vallons immaculés que l'on voit ou que l'on devine à perte de vue s'enfiler dans toutes les directions. Combes et vallons qui sont autant d'invites à la découverte pour les âmes vagabondes des skieurs-alpinistes.

- **Dénivellation** : 1900 m.
- **Difficulté** : AD + .
- **Horaire** : montée : 6-7 h; descente : 1-2 h.
- **Période favorable** : avril-mai, parfois au début du mois de juin.
- **Point de départ** : Bionaz (1606 m).
- **Cartographie** : Carte nationale suisse 1/50 000, feuille n° 293 Valpelline.
- **Matériel** : couteaux, piolet, corde, crampons.
- **Itinéraire** : on peut loger à Dzovenno (1575 m), à 2 km en aval de Bionaz (1606 m).

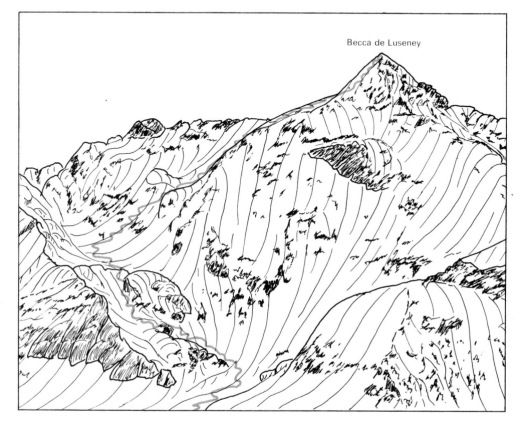

Becca de Luseney

De là, on peut monter avec les voitures jusqu'en face de Pouillaye (1 616 m), mais il ne faut pas les parquer au bord de la route. Des avalanches, soit de neige, soit parfois de pierres, tombent en effet des pentes supérieures. Il vaut mieux les garer à La Ferrera (1 691 m) ou à Chamen (1 715 m). Descendre au bord de la rivière et franchir le pont à Pouillaye (1 616 m). Prendre, à droite, le tracé du chemin d'été jusqu'au premier lacet (1 680 m environ) puis tourner à gauche et remonter une petite combe dans la forêt en direction NE. Surmonter une barre de rochers par la gauche puis, vers 1 900 m, traverser la gorge étroite au-dessus de son coude caractéristique. Suivant les conditions de neige, suivre le fond de la gorge, difficile parfois, ou prendre pied sur son flanc E, rive droite, et l'escalader. Dès le replat (2 050 m environ), suivre le fond de la Combe d'Arbière, puis revenir à gauche vers le chalet en ruine de Pra de Dieu (2 277 m). Prendre la combe de gauche, raide, qui monte en direction du Mont Dzalou (3 007 m), et la quitter vers 2 600 m pour remonter, à droite, des pentes toujours plus escarpées ; passer entre quelques barres de rochers et gagner le replat où repose la langue du glacier. Celui-ci conduit, par une belle combe peu inclinée, vers le col E-NE (3 062 m). Du col, escalader à droite la pente qui devient toujours plus abrupte et se termine par un couloir qui grimpe vers le sommet (3 504 m).

Toute cette ascension peut être effectuée avec les skis aux pieds, mis à part le passage de la première barre rocheuse, la traversée de la gorge et le couloir sommital que l'on escalade plus volontiers à pied, et même à crampons si la neige est glacée.

Descente : suivre approximativement le parcours de la montée. Le premier couloir est très raide et nécessite beaucoup d'attention, puis la pente est très belle jusqu'à la fin du glacier (2 920 m environ). Le passage qui suit, entre les rochers, demande à nouveau une grande concentration ; ensuite la rive droite de la combe qui descend du Mont Dzalou (3 007 m), offre une bonne neige ramollie qui contraste avec la neige dure de la partie supérieure. A droite de la gorge, la descente est raide mais très possible ; la traversée du torrent exige presque toujours de déchausser pour quelques mètres, les débris d'avalanches ne recouvrant pas tous les rochers. Le passage de la barre rocheuse présente moins de difficultés à la descente qu'à la montée, et l'arrivée par la forêt jusqu'à Pouillaye (1 616 m) se fait par le chemin, sans problèmes, à l'exception parfois du manque de neige.

La Becca de Luseney vue de la Becca Vannetta (page ci-contre).
Montée à la Becca de Luseney (ci-contre).

85. LE MÉTAILLER 3 212,9 m
versant nord

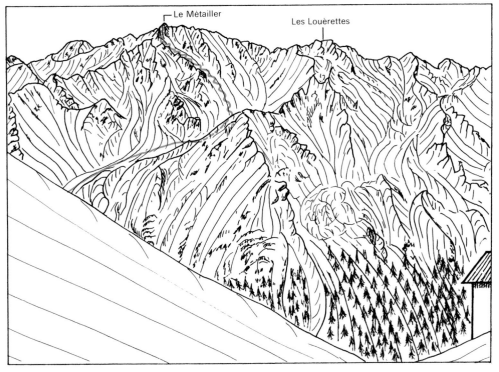

Le Métailler — Les Louèrettes

Le sommet le plus en vue de la petite chaîne qui sépare le val d'Hérémence du vallon de Cleuson est couronné de quelques rochers à l'air rébarbatif. Il est cependant possible de prendre ses skis jusqu'à la cime du Métailler (3 212,9 m) et d'en descendre le versant NE par un couloir abrupt qui tombe sur le raide glacier du Métail, orienté lui-même au nord. Cette descente, de 1 600 m de dénivellation jusqu'à Pralong (1 608 m), est certainement la plus difficile et l'une des deux plus belles de toute la région qui s'étend de Thyon 2000 à la Rosablanche (3 336 m). La deuxième très belle descente étant celle des Louèrettes (3 068,7 m) à Mâche (1 310 m), par Orchéra (2 098 m), décrite précédemment.

Le Métailler (3 212,9 m) peut se gravir de cinq manières différentes, soit en restant dans des zones peu fréquentées, soit en utilisant des moyens de remontées mécaniques. L'approche la plus courte est certainement celle qui, partant du sommet du téléphérique du Mont Fort (3 328,6 m), descend tout d'abord sur le glacier du Petit Mont Fort, puis vers le point 2480 au sud-est du Plan de la Chaux (2 397 m). De là, on grimpe en 2 h 30-3 h au sommet du Métailler par les Rosets et l'arête S-SW. L'accès le plus sympathique consiste à mon avis à passer une nuit à la cabane de Prafleuri (2 650 m environ) et à escalader le Métailler le lendemain, en traversant le Col de Prafleuri (2 965 m) et la Fenêtre d'Allèves (2 912 m), pour éviter les Monts Rosets par l'est et terminer l'ascension par l'arête S-SW. La montée depuis Super-Nendaz (1 733 m) par Chervé (2 195 m) et la combe de Crouye Grandze est intéressante mais assez longue et moins variée que la précédente. Enfin, des deux possibilités qui s'offrent depuis Pralong (1 608 m), celle qui consiste à grimper par Mayentset (1 746 m) et l'alpage d'Allèves (2 215 m) est la meilleure et la plus fréquentée. Celle qui suit l'itinéraire de descente décrit plus loin est raide et très astreignante, assez difficile même dans sa partie supérieure, le long du glacier de Métail et du couloir sommital. Cette voie n'est donc pas conseillée à la montée. La cabane de Prafleuri semble être cotée 2624 sur la C.N.S. au 1/50 000, mais en fait elle est très proche de 2 660 m si l'on consulte avec attention la C.N.S. au 1/25 000. Cela peut sembler peu important, mais la situation de la cabane, dans un endroit plein de creux et de bosses, la rend très difficile à repérer dans le brouillard, surtout si l'on descend de la Rosablanche (3 336,3 m). On peut atteindre cette cabane au départ du téléphérique du Mont Fort ou de la cabane homonyme (2 457,0 m) en traversant la Rosablanche ou en venant de la cabane des Dix (2 928 m) par le Col des Roux (2 804 m). Enfin, l'itinéraire le plus simple et le

plus rapide pour gagner la cabane de Prafleuri part du Chargeur (2 141 m), au pied de l'immense digue de la Grande Dixence. Ce parcours est pourtant très exposé aux avalanches par fortes chutes de neige, ou par temps très doux. En cas d'obligation urgente, il ne faut alors pas suivre le tracé indiqué sur la carte de la Fédération suisse de ski, mais, à 2 400 m, redescendre 100 m environ vers le fond de la Combe de Prafleuri et monter par là. Le plus prudent est de se renseigner auprès des gardiens du barrage qui peuvent, en cas de nécessité, utiliser la galerie-tunnel qui débouche tout près de la cabane.

- **Dénivellation** : montée : 1er jour : 510 m, 2e jour : 830 m; descente : 1 865 m avec le parcours entre la Fenêtre et la Combe d'Allèves.
- **Difficulté** : D −.
- **Horaire** : montée : 1er jour : 2 h, 2e jour : 3 h 30-4 h; descente du sommet à Pralong : 1 h-1 h 30.
- **Période favorable** : février-avril.
- **Point de départ** : Le Chargeur (2 141 m), val d'Hérémence.
- **Point d'arrivée** : Pralong (1 608 m).
- **Cartographie** : Carte nationale suisse

1/50 000, feuille n° 283 Arolla, ou C.N.S. 1/25 000, feuille n° 1326 Rosablanche.
- **Matériel** : couteaux, corde, piolet.
- **Itinéraire** : *1er jour* : laisser une voiture à Pralong (1 608 m) et continuer par la route carrossable jusqu'au Chargeur (2 141 m). De là, monter par une petite combe jusqu'à la hauteur du couronnement du barrage, puis traverser à droite vers le baraquement coté 2410. Redescendre alors 80 à 100 m vers le fond de la Combe de Prafleuri; en remonter le fond jusqu'au point 2624 et, par un demi-tour à gauche, gagner la cabane de Prafleuri (2 660 m environ). *2e jour* : quitter la cabane par un large mouvement tournant à droite, du sud au nord-ouest, et monter en direction du Col de Prafleuri (2 965 m). Celui-là, très raide dans le haut et parfois même défendu par une corniche, s'escalade avec les skis sur l'épaule pour quelques dizaines de mètres. Gagner ensuite, par une brève descente et une tout aussi brève montée, la brèche au S-SE de la Fenêtre d'Allèves (2 912 m). Franchir cette brèche et descendre dans la combe d'Allèves, en direction N jusqu'à l'altitude 2700 environ. Remonter, à gauche, la combe abrupte qui débouche sur l'arête près

du point 3148. Rejoindre le sommet du Métailler (3 212,9 m) par son flanc W ou par l'arête S-SW.

Descente : attaquer le couloir E-NE qui tombe sur la selle neigeuse (3 110 m environ), marquant le haut du glacier de Métail. Descendre ce glacier par sa rive gauche, près des rochers qui soutiennent le sommet. On rejoint bientôt les grands champs de neige de la combe baptisée les Cornets, puis l'alpe de Métail (2 307 m) et enfin le grenier de Métail (2 000 m). Là, deux possibilités s'offrent. Par enneigement important, on peut descendre directement sur Pralong (1 608 m), en suivant le bord de la forêt qui longe la rive droite du grand couloir d'avalanche. Si la couverture neigeuse est plus faible, on rejoindra avec profit le chemin qui descend de l'alpage d'Allèves (2 215 m), par une traversée du bois en direction SE, puis par une combe. Dès le point 1691, suivre le bord de la route carrossable jusqu'à Pralong (1 608 m), où l'on retrouve la voiture.

Le couloir E-NE du Métailler (page ci-contre). Le versant N du Métailler (ci-dessus).

86. **SENGGCHUPPA 3 606 m**
versant est

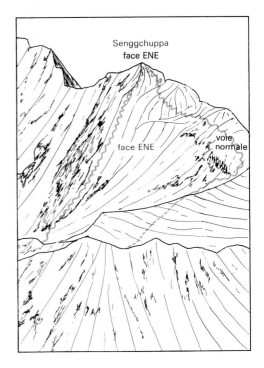

Senggchuppa
face ENE

face ENE

voie normale

La Senggchuppa (3 606 m) (3 603,5 et sans nom sur la carte au 1/50 000) tire vraisemblablement son nom d'une clairière avec quatre chalets, de chaque côté de l'ancienne route qui descend du col à Simplon-village (1 472 m). De cet endroit, coté 1555, on aperçoit effectivement le versant E de cette audacieuse coupole neigeuse, haut perchée dans le fond du vallon de Rossbode. Pour l'admirer vraiment dans tout son élan il faut grimper sur le Böshorn (3 267,6 m), à 2 km au nord, ou sur le Simelihorn (3 245,5 m), au nord-ouest. De ce dernier sommet, on peut étudier (très bien) deux de ses trois magnifiques descentes. La première est en partie décrite dans le chapitre du Gamserchopf (3 403 m) par la splendide combe de Mattwald vers Siwibode (2 244 m) et Saas Balen (1 487 m). La seconde tombe également du sommet sur le Mattwaldgletscher puis s'enfile dans le mystérieux Nanztal par le Gamsagletscher; avec une dénivellation de 1 700 m, sur des pentes orientées plein N et en général soutenues, c'est une très belle descente dans un coin retiré. De Mättwe (1 826 m), dans le fond du vallon, on rejoint Visperterminen (1 336 m) par une remontée en oblique au Gebidempass (2 201 m) (1 h 30) et une jolie descente par les pistes du village. On peut aussi gagner le Col du Simplon (2 005 m) par le Bistinepass (2 419 m) (2 h) ou, si l'on a déjà bifurqué à Obers Fulmoos (2 400 m), par le Sirwoltesattel (2 621 m) (1 h).

La troisième descente, sur Simplon-village, (1 472 m) est plus difficile car le Rossbodepass (3 148 m) est très abrupt sur son versant NE. Le couloir que l'on emprunte, propose une dénivelée de 300 m inclinée à 45°. Avec les 150 m à 40° de la partie la plus raide de la coupole sommitale, ce sont les deux obstacles majeurs. De plus, la dénivellation totale de 2 130 m jusqu'à Simplon-village et la variété des différents terrains traversés font de l'ascension de la Senggchuppa une course longue et éprouvante. L'idéal serait d'aller dormir à la petite cabane des Pères de Bethléem (3 040 m), située à 1 km à l'ouest du Rossbodepass sur le versant S de l'arête qui vient du Simelipass. Cette hutte est malheureusement fermée et, pour obtenir la clef, il est nécessaire de s'adresser à l'hospice du Simplon qui renseigne. Lorsqu'on entreprend cette course au printemps, il est

impératif d'être de retour à Simplon-village assez tôt dans la matinée. Les pentes au-dessous du couloir du Rossbodepass sont orientées plein E et la neige ramollit rapidement. Une nuit à la cabane des Pères permet de grimper à la Senggchuppa en 2 h et d'être de retour au sommet du couloir assez vite pour y attendre les meilleures conditions. A cause de l'orientation N de la partie supérieure, on peut rencontrer de la neige poudreuse sur les glaciers de Mattwald et de Gamsa, puis une neige croûtée dans le couloir et enfin une neige dure, fondante à souhait, dans la partie inférieure. Ces conditions optimales ne se rencontrent malheureusement pas très souvent. On peut signaler aussi la descente de la face NE directe. TD – .

- **Dénivellation** : 2 130 m.
- **Difficulté** : D.
- **Horaire** : montée : 7-8 h; descente : 1-2 h.
- **Période favorable** : avril, mai; en juin possible au-dessus de 2 000 m environ en partant de Rossbodestafel (1 922 m).
- **Point de départ** : Simplon-village (1 472 m).
- **Cartographie** : Carte nationale suisse 1/50 000, feuille n° 274 Visp, ou C.N.S. 1/25 000, feuille n° 1309 Simplon.
- **Matériel** : couteaux, piolet, crampons, corde.
- **Itinéraire** : il est nécessaire de quitter Simplon-village (1 472 m) de nuit par la combe à gauche du petit skilift, au nord-ouest du village. Remonter le long de la forêt jusqu'à Liegje (1 712 m), puis traverser la moraine boisée à droite (SW) horizontalement depuis les chalets jusque dans la grande combe de Breits Loib. On peut, suivant l'enneigement, suivre cette combe jusque vers 2 100 m ou gagner tout de suite le bas du glacier de Rossbode à droite (W). Les deux itinéraires se rejoignent à 2 200 m environ, pour traverser, encore à droite (NW), vers le replat de Griesserna. Dans les premières lueurs de l'aube, escalader les pentes raides de cet alpage, en direction W, et prendre pied sur le glacier de Griessernu par une traversée à gauche, un peu au nord-ouest et au-dessus du point 2607. Remonter ce glacier par la droite et atteindre le bas du couloir, à l'aplomb de la plus basse dépression du Rossbodepass (3 148 m). Gravir le couloir en crampons et franchir le col pour chausser à nouveau les skis sur le haut du

Gamsagletscher. Monter, en direction S, vers le Mattwaldgletscher et gagner (SE) la selle (3 380 m), entre le Gamserchopf (3 403 m) et la Senggchuppa (3 606 m). La dernière pente s'escalade de gauche à droite, éventuellement tout droit, en crampons, si la glace sous-jacente n'est pas bien recouverte.

Descente : suivant les conditions, on peut partir par l'arête W jusqu'au point 3483 puis revenir à droite vers la selle 3380. On peut aussi, toujours d'après l'état de la neige, descendre tout droit vers la selle précitée ou rester dans le flanc E, plus ensoleillé mais plus exposé. La descente du couloir du Rossbodepass demande une grande concentration car la partie inférieure peut se transformer en goulotte les années de faible enneigement. Plus bas, on passe à droite ou à gauche du point 2607, suivant sa fantaisie. De même on peut rejoindre le Rossbodegletscher dès la cote 2350 et prendre la combe de Breits Loib depuis tout en haut (2 200 m) ou suivre le revers de la moraine de la rive gauche jusqu'à 1 900 m et traverser à droite vers les premiers arbres seulement. La dernière petite combe, depuis Liegje (1 712 m), peut se terminer de manière très champêtre, au milieu des gens de Simplon-village (1 472 m), en train de ramasser leurs salades de pissenlits parmi les premières gentianes.

Descente de la face NE directe (TD –) : du sommet de la Senggchuppa (3 606 m), descendre le long de la croupe NE jusque vers 3 420 m. Appuyer alors à gauche (N) pour rejoindre la selle (3 380 m) de laquelle on va plonger dans la face NE proprement dite. Aborder celle-ci près des rochers délimitant la pente de neige à gauche (NW) puis, suivant les conditions, rester près de ces rochers ou utiliser toute la pente. A l'altitude 3150 environ, traverser à droite (SE) pour gagner les couloirs qui enserrent la côte rocheuse tombant vers le point 3014. On choisit l'un ou l'autre couloir, toujours suivant les conditions. Du point 3014 précité, continuer vers le nord par le glacier de Griessernu et rejoindre, au pied de celui-ci, l'itinéraire n° 86. Cette descente est un très beau parcours, plus direct et plus impressionnant que le n° 86, avec près de 400 m de dénivelée à 45°. Cette section est malheureusement souvent en glace et impraticable avant la fin du mois de mai. Pour s'assurer de l'état de la face, on peut très bien grimper à la Senggchuppa par cette voie; se munir alors de quelques vis à glace.

Le Fletschhorn
et, à droite, la Senggchuppa et son versant E
(ci-dessous).

87. MONT VÉLAN 3 731 m
face sud-ouest

Une des particularités du Mont Vélan est d'offrir à l'amateur de ski extrême des couloirs très raides aux orientations diverses. Sur le versant W, un grand couloir en Y a déjà été remonté, skis sur le sac, et descendu très récemment. Sa hauteur, depuis la rimaye du glacier de Proz jusqu'à l'angle W du plateau sommital, est de 550 m environ. Sur le versant E, plusieurs couloirs descendent dans le val d'Ollomont, parmi lesquels celui du Col des Chamois est le plus facile. Du côté S, une large selle relie le sommet au point 3681. De là, un grand couloir, qui bientôt s'élargit en une pente légèrement convexe, donne accès au glacier du Vélan, très incliné lui aussi. Au-dessous du glacier, plusieurs couloirs permettent de gagner directement le vallon de Molline mais ils ne sont pas très aisés, leur parcours étant compliqué par de gros rochers. Un peu plus au sud, de meilleures pentes descendant du Col de Faceballa (3 246 m) donnent plus facilement accès à la Montagne de Molline, tout en conservant une inclinaison très intéressante. Entre le point 3681 et le vallon de Molline (2 400 m), la distance horizontale n'est que d'environ 2 km. En faisant abstraction des replats au bas du glacier et à l'arrivée dans le vallon, on constate que la pente moyenne de cette descente est de près de 40° sur plus de 1 000 m de dénivelée. Tournée plein S au départ, puis SW et enfin W, cette pente se transforme rapidement en bonne neige de printemps et surtout ne dégèle pas en même temps sur toute sa hauteur. Partis à midi et demi du sommet, nous avons ainsi profité, un 2 mars, après une longue période de beau temps, d'une neige parfaite du haut en bas. La deuxième partie de cette descente exceptionnelle est beaucoup plus facile, quoique toujours très intéressante. Elle se déroule dans un vallon charmant ouvert au sud, une véritable invite aux vacances, un vrai chemin du soleil. Entre le sommet du Mont Vélan (3 731 m) et l'église d'Étroubles (1 264 m), la dénivellation totale est de 2 467 m, et la neige peut être dure, ramollie sur quelques centimètres durant tout le parcours. L'arrivée au village, sur les dernières plaques de neige et parmi les premières fleurs, est toujours une transition incroyable. En quelques heures on passe ainsi non seulement du plein hiver au printemps, mais encore de l'austère ambiance des glaciers et des séracs au climat serein d'un petit village de montagne doublé d'un embryon de station touristique. On y découvre quelques bonnes spécialités culinaires du val d'Aoste mais aussi, plus simplement, de succulents spaghetti, sans parler du « vino rosso », ni de la « grappa » qui termine un bon repas. Et quel contraste encore entre la tension extrême requise par la première pente et l'atmosphère décontractée d'une salle

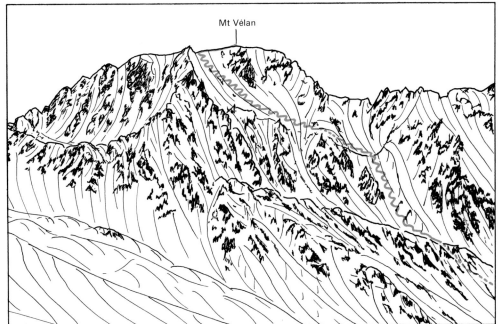

Mt Vélan

de restaurant, entre les lignes verticales et le confort d'une chaise, entre la morsure du vent sur la cime et l'air confiné, renfermé du bistrot ! Dans notre monde moderne, on peut, en prenant un téléphérique ou un hélicoptère, vivre ces contrastes trois fois dans une seule journée. Pourtant ils n'auront jamais dans notre souvenir la même saveur, le même poids que ceux ressentis au retour d'une course de montagne. Il leur manquera toujours ces heures pleines que procurent la marche dans l'aube naissante, la recherche du meilleur cheminement dans un dédale de crevasses, l'arrivée au sommet après le rude effort de la grimpée.

- **Dénivellation** : 1 300 m jusqu'à la Montagne de Molline, 1 180 m jusqu'à Étroubles.
- **Difficulté** : D.
- **Horaire** : montée : du tunnel du Grand Saint Bernard à la cabane du Vélan : 4 h ; de la cabane au sommet : 5-6 h ; descente : 1 h 30-3 h.
- **Période favorable** : mars à mai.
- **Point de départ** : tunnel du Grand Saint Bernard, station inférieure du télécabine du Super Saint Bernard (1 920 m).
- **Cartographie** : Carte nationale suisse 1/50 000, feuilles nᵒˢ 292 Courmayeur et 293 Valpelline.
- **Matériel** : corde, piolet, crampons.

- **Itinéraire** : il est possible d'atteindre la cabane du Vélan (2 569 m) en partant de l'entrée N du tunnel du Grand Saint Bernard. Lorsque le téléski de Plan du Jeu fonctionne, on peut partir ainsi d'environ 600 m plus haut que Bourg Saint Pierre et au retour on a l'avantage de pouvoir profiter des bus-navettes du télécabine du Super Saint Bernard pour retrouver rapidement son véhicule. La montée est raide au début, jusqu'à un petit col (2 777 m), sans nom sur la C.N.S., à l'est du Mont de Proz (2 803 m). Par une traversée légèrement ascendante on rejoint le Mont Orge (2 881 m). De là, on peut profiter de la belle pente qui descend vers la Chaux de Jean-Max et rejoindre la trace de montée qui vient de Bourg Saint Pierre, à l'altitude 2360, près de la Lui des Bôres. Si la neige est tout à fait sûre, on peut traverser en descendant légèrement en oblique au pied des rochers de la face N du Petit Vélan et gagner une brèche de son arête NE, point 2807, par une courte remontée en escalier. Descente à la cabane par la rive gauche du glacier de Tseudet. De la cabane du Vélan au sommet, suivre l'itinéraire du Col de la Gouille, décrit dans l'ascension classique du Mont Vélan.

Descente : du sommet (3 731 m) se diriger à l'ouest et par une pente peu inclinée gagner le point 3681. De là, bien observer les conditions de neige dans le couloir au-dessous de la selle. Il est possible soit de descendre directement, soit de se tenir légèrement à main droite près des rochers, où la neige est plus rapidement dégelée. Une autre possibilité est encore de traverser en dérapage vers la gauche, sous les rochers qui supportent le sommet ; la pente y devient moins raide plus rapidement, mais la neige y reste dure plus longtemps. Une rimaye, parfois deux, demande une grande attention, et l'on rejoint le Glacier du Vélan qui se descend en appuyant petit à petit vers la gauche. On rejoint ainsi un mamelon qui marque la fin du glacier. Tirer alors franchement à gauche (E-SE) pour gagner la combe qui descend du Col de Faceballa. Une magnifique pente W, avec deux couloirs peu marqués et peu profonds, descend dans le vallon de Molline, juste en face des chalets de l'alpage. De là, on peut descendre directement sur le chalet de l'Arous (1 983 m) et suivre le fond du vallon, ou traverser à droite (W) pour rejoindre la piste qui vient du Col N de Menouve. Dans la partie inférieure, il vaut mieux suivre la piste, sur la rive gauche du torrent, la neige y reste plus longtemps.

Montée insolite à la cabane du Vélan (page ci-contre).
Les faces S et W du Mont Vélan (ci-dessus).

88. LA SALE 3 645,8 m

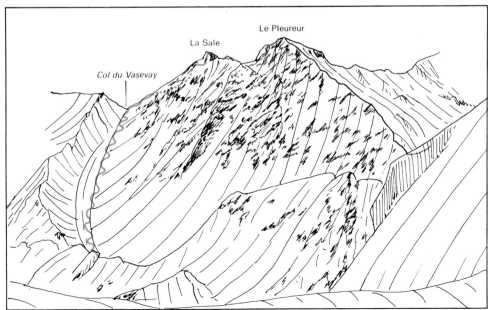

Vue de trois côtés, La Sale (3 645,8 m) apparaît comme un sommet rocheux, difficilement conciliable avec la pratique du ski. Pourtant, vue du nord, elle dévoile la belle forme arrondie d'un gros sein blanc, dont le téton rocheux de la cime parachève le dessin. Les skieurs qui parcourent la haute route de Verbier à Zermatt, l'aperçoivent une première fois de la Rosablanche (3 336,3 m), mais elle ne retient guère l'attention, celle-ci étant immanquablement attirée par le grand à-pic rocheux de la face NW du Pleureur (3 703,5 m). Lorsqu'on longe les rives du lac des Dix, par contre, la calotte glaciaire de La Sale révèle une tranche menaçante d'un beau « vert sérac » et, pendant un court instant, la pente de neige qui permet de l'éviter par le nord-ouest. La Sale (3 645,8 m) n'est pas un sommet très couru car elle est trop en dehors des itinéraires à la mode, et son accès n'est guère facile. Depuis la construction du bivouac des Pantalons Blancs (3 280 m), cet accès, scindé en deux, est devenu pourtant bien plus agréable. En outre, une soirée passée sur le dôme de neige où la petite hutte est perchée reste un souvenir inoubliable, et le lever du jour le lendemain ne lui cède en rien. L'impression de solitude est intense et l'on pourrait se croire, hors du monde, habitant d'une planète froide, rose et bleue.

Du sommet de La Sale (3 645,8 m), on peut descendre, soit dans le val d'Hérémence, soit dans celui de Bagnes, par le Col du Vasevay (3 225 m). Le premier itinéraire se déroule sur des pentes N, NE et E, dans un cadre glaciaire sévère et sur neige très longtemps poudreuse, nous le décrirons plus loin. Le deuxième, orienté SW et W depuis le col, est plus payant en neige de printemps lorsque les 1 600 m de dénivelée sont transformés et descendus au bon moment. A l'exception du départ du Col du Vasevay (3 225 m), le seul passage délicat se situe à la hauteur du point 1997,3, ce qui est bon à savoir lorsqu'il est nécessaire de bien trouver l'endroit pour passer du replat du Vaserô dans la combe du torrent de Merdenson. L'arrivée se fait alors à Fionnay (1 490 m) par la route du barrage de Mauvoisin, fermée en hiver à la circulation mais très skiable. Réussie dans de bonnes conditions, cette descente est certainement l'une des plus belles du val de Bagnes qui en compte pourtant un grand nombre d'excellentes.

- **Dénivellation** : montée : 365 m puis 542 m pour la cabane des Dix; descente : 1 260 m.
- **Difficulté** : D.
- **Horaire** : 1 h 30 pour la première montée, puis 2 h 30 pour la deuxième; descente : 1 h.
- **Période favorable** : mars jusqu'à mi-juin.
- **Point de départ** : bivouac des Pantalons Blancs (3 280 m).

- **Point d'arrivée** : Pas du Chat, point 2386 - cabane des Dix (2 928 m).
- **Cartographie** : Carte nationale suisse 1/50 000, feuille n° 283 Arolla, ou C.N.S. 1/25 000, feuilles n°s 1326 Rosablanche et 1346 Chanrion.
- **Matériel** : couteaux, piolet, corde ; crampons utiles parfois pour la calotte sommitale.
- **Itinéraire** : l'accès du bivouac des Pantalons Blancs (3 280 m) peut se faire de Fionnay (1 490 m) par le Col du Crêt (3 144 m), mais cet itinéraire est très long. Du barrage de la Grande Dixence (2 365 m), on peut soit passer le long du lac, lorsque les galeries sont ouvertes, soit monter par la cabane de Prafleuri (2 662 m) et le Col des Roux (2 804 m) pour gagner le glacier des Écoulaies. Enfin, on peut venir de Nendaz ou de Verbier par le téléphérique du Mont Fort (3 328,6 m), en descendre par les couloirs escarpés et difficiles du versant SE jusqu'au lac du Petit Mont Fort (2 764 m), et gagner le glacier des Écoulaies, en traversant les cols de la Rionde (3 039 m) et de Severeu (3 111 m). Tout en haut de ce glacier se trouve une pente raide dont il faut se méfier par neige peu stable. On

l'escalade de droite à gauche pour déboucher sur le replat du glacier des Pantalons-Blancs, au voisinage du refuge-bivouac homonyme (3 280 m), 5-6 h depuis le Mont Fort.
Du refuge, partir en direction S pour traverser la Pointe des Chamois (3 384,0 m), puis la Pointe de Vasevay (3 356 m) que l'on évite en fait par la gauche (E) pour atteindre le Col du Vasevay (3 225 m). Du col, grimper en se tenant à droite au début, en direction SE puis S, vers le sommet de La Sale (3 645,8 m). On parvient à skis ou en crampons, suivant l'état de la bosse de glace, au pied des rochers du point culminant.
Descente : suivre tout d'abord la croupe puis appuyer à gauche (W) pour franchir la partie la plus abrupte du ressaut de glace. Le côté droit (E), près du sérac, est plus facilement en glace vive, alors qu'à gauche (W) la glace est recouverte de neige, mais cela peut varier d'un mois à l'autre. Peu avant le Col du Vasevay (3 225 m), tourner à droite et prendre une sorte de vire glaciaire inclinée, altitude 3180 environ. Passer au-dessous de la barre de séracs, et gagner le glacier du Liapey que l'on descend rive droite pour ne pas rester dans la trajectoire

d'une éventuelle avalanche de glace. Dès l'altitude 3000, on peut soit continuer par le glacier du Liapey et les pentes orientées NE qui suivent, soit traverser l'En Darrey pour rejoindre le glacier du même nom dont on descend la belle combe jusqu'au petit pont coté 2386. Dans le premier cas, en continuant vers le Liapey, on a intérêt à passer près du point 2595 pour descendre en oblique directement vers le petit pont (2 386 m). Attention, cette dernière pente, orientée E-NE, peut être avalancheuse par temps doux.
La montée à la cabane des Dix (2 928 m), par le parcours classique de la haute route, ne recèle guère de difficulté, seule la raideur de la première partie présente un certain risque d'avalanche. Passer près du point 2372 et remonter une petite combe à droite (W) de la côte qui conduit au point 2581. De là, rejoindre dès que possible le glacier de Cheilon, vers 2 700 m, et suivre sa rive gauche jusqu'à la cabane.

La Sale vue depuis le lac des Dix (page ci-contre).
La Sale, à gauche, et Le Pleureur
vus du versant E du Petit Combin (ci-dessus).

89. BEC D'ÉPICOUNE 3 528,8 m

Bec d'Epicoune

Dans la vallée d'Aoste on écrit « Épicoun » sans « e » final, comme sur les anciennes cartes d'ailleurs. Mais l'orthographe que nous suivons ici est celle, plus française, adoptée par la C.N.S. au 1/50 000. De toute façon, d'après Jules Guex dans son étude de toponymie alpine, il faudrait écrire « des Picouns », autrement dit « des pics ». Le Bec d'Épicoune (3 528,8 m) est effectivement la pointe la plus élancée et la plus marquante d'un groupe d'aiguilles qui s'étire du Col de Crête Sèche (2 899,1 m) au Col d'Otemma (3 209 m). Lorsqu'on parvient à la cabane de Chanrion (2 462 m), le Bec d'Épicoune élève sa fine silhouette au-dessus d'un premier plan de crêtes blanches et de rocs sombres ; sa cime aérienne est un véritable défi auquel le skieur-alpiniste ne peut résister très longtemps. Mais ce dernier ne fait souvent que passer à Chanrion, « chemineau de la montagne » en route vers Zermatt, Chamonix, ou même vers des horizons plus lointains encore. Ainsi le Bec d'Épicoune reste-t-il drapé dans sa solitude pendant de longues semaines ou même des saisons entières.

Pourtant, en venant de Valpelline par Dzovenno (1 575 m) et le bivouac Spataro (2 615 m), on peut grimper sur le Bec d'Épicoune en traversant aisément le Col du Chardoney (3 185 m). En combinant cette course avec l'ascension du Mont Gelé (3 518 m) ou d'un autre sommet au retour, on réalise un petit circuit en haute montagne, avec une nuit à la cabane de Chanrion. Ce parcours est très varié et, par endroits, soutenu, les descentes du glacier d'Épicoune et de la combe de Faudery, par exemple, ne peuvent pas être considérées comme faciles ; l'arête du Bec d'Épicoune est même difficile et exposée. Il est également possible, bien sûr, de réaliser l'escalade du Bec d'Épicoune dans la journée au départ du bivouac Spataro, en rentrant par le Col du Chardoney et la Combe de Crête Sèche, ou celle, plus raide, de Vert Tzan. Mais

ce trajet fait rater la belle descente du glacier d'Épicoune jusque dans la gorge d'Otemma, et remonter le même jour au Col de Crête Sèche rallonge le parcours de 2 h.

- **Dénivellation** : 1 210 m depuis le point le plus bas (2319) au bord de la Drance.
- **Difficulté** : D.
- **Horaire** : montée : 5-6 h ; descente : 1-2 h.
- **Période favorable** : avril à juin.
- **Point de départ** : cabane de Chanrion (2 462 m).
- **Cartographie** : Carte nationale suisse 1/50 000, feuilles nos 283 Arolla et 293 Valpelline, ou C.N.S. 1/25 000, feuilles nos 1346 Chanrion et 1366 Mont Vélan.
- **Matériel** : couteaux, corde, piolet, crampons.
- **Itinéraire** : de la cabane de Chanrion (2 462 m), descendre en direction S-SE pour prendre soit la route de la prise d'eau, soit le fond de la gorge de la Drance de Bagnes. Passer le mur du petit barrage de la prise d'eau (2 357 m) par la gauche et remonter la rive droite de la Drance pendant 500 m environ. Bifurquer alors à droite pour escalader les pentes raides qui tombent du Jardin des Chamois. Suivre la moraine de la rive droite du glacier d'Épicoune le plus haut possible, puis prendre pied sur le glacier par une traversée ascendante à droite. Continuer par la rive droite du glacier. Entre 2 900 m et 3 100 m la pente devient moins raide mais quelques crevasses obligent à des zigzags. Du replat du glacier, monter à l'arête N par une pente abrupte en forme de couloir oblique, puis suivre le flanc W de la crête qui se redresse de plus en plus. L'exposition augmente aussi et l'on poursuit généralement en portant les skis jusqu'au pied des rochers qui soutiennent le point culminant (3 528,8 m). Les crampons peuvent être utiles pour cette dernière section car la glace n'est souvent pas très loin sous la neige. Les 30 m de rochers terminaux s'escaladent facilement lorsqu'ils sont secs, mais deviennent délicats s'ils sont plâtrés de neige.

Descente : suivre l'arête assez près du fil par des virages courts et bien assurés. Dès 3 400 m, la pente devient moins escarpée mais l'exposition est encore suffisante pour qu'une grande attention soit nécessaire. Enfin, au-dessous de 3 200 m, la pente, toujours soutenue mais moins exposée, se transforme en un vrai régal, et l'on plonge le long des traces de montée, jusqu'au bord de la Drance, 800 m plus bas. Le retour à la cabane de Chanrion se fait par l'itinéraire du matin, avec une courte remontée de 30 mn.

Le Bec d'Épicoune vu de Chanrion (page ci-contre).
A gauche, au fond, le Bec d'Épicoune
vu du glacier d'Otemma (ci-contre).

90. TÊTE DE VALPELLINE 3 802 m

Les skieurs de la haute route qui franchissent les Cols du Mont Brûlé (3 213 m) et de Valpelline (3 568 m), connaissent bien la Tête de Valpelline (3 802 m), mais n'y montent guère. La belle surface blanche, uniforme, qui grimpe en pente douce vers son sommet n'incite pas les touristes déjà fatigués à faire un effort supplémentaire d'une heure, pour en gravir la cime. Pourtant la Tête de Valpelline mérite une visite, ne serait-ce que pour la vue superbe que l'on y découvre sur les montagnes du haut Valpelline et surtout sur la formidable Dent d'Hérens (4 171,4 m). De là-haut, celle-ci dévoile sa petite face NW, coupée d'impressionnants séracs, et l'itinéraire normal pour l'ascension de son épaule E (4 075 m). Le glacier des Grandes Murailles, si peu parcouru, étale les différents labyrinthes de ses chutes de séracs et de ses crevasses, appel presque irrésistible pour l'amateur de découvertes et d'aventures.

La Tête de Valpelline offre deux descentes magnifiques aux caractères bien différents. La première, la plus connue parce qu'elle emprunte le parcours de la haute route, rejoint Zermatt (1 616 m), par le Stockji (3 091,8 m), le glacier de Zmutt et Furi (1 864 m). Cette descente se déroule dans le cadre grandiose de la Dent d'Hérens (4 171 m), de la Dent Blanche (4 356,6 m), de l'Obergabelhorn (4 062,9 m), et des fleuves de glace plus lointains de Findeln et du Gorner. Mais toutes ces splendeurs sont écrasées par la masse immense du Cervin. La face W élancée et sombre domine les séracs tourmentés de Tiefmatten, puis la face N, sauvage, irréelle avec les créneaux menaçants de son glacier suspendu, inspire un respect mêlé de crainte. A Furi seulement, on retrouve la silhouette familière de toutes les cartes postales avec cette cime si élégante et si haut perchée dans le ciel. La seconde descente de la Tête de Valpelline est très peu parcourue. Plus difficile, elle rebute bon nombre de skieurs. En combinant l'ascension de la Tête de Valpelline et celle de la Dent d'Hérens, on peut pourtant réaliser une sortie de trois jours absolument fantastique dans une ambiance rude, au fond d'une vallée retirée. On part de préférence du barrage de Place Moulin (1 950 m) pour rejoindre le refuge Aosta (2 781 m). Cependant, on peut très bien combiner une traversée de quelques jours, qui, d'Arolla (2 000 m), conduit à la cabane de Bertol (3 311 m), puis à la Tête de Valpelline par la Tête Blanche (3 724 m) et le Col de Valpelline (3 568 m). Après la descente sur le refuge d'Aoste, on peut faire l'ascension de l'épaule de la Dent d'Hérens (4 075 m), le lendemain, puis descendre à Prarayer (2 005 m) et remonter au refuge du Col Collon (2 818 m). Enfin, rentrer à Arolla en traversant les Pointes d'Oren (3 525 m) ou en escaladant le Mont Brûlé (3 585 m), puis descendre les deux glaciers d'Arolla.

La descente de la Tête de Valpelline (3 802 m) à Prarayer (2 005 m) présente trois secteurs dis-

tincts, deux faciles et un difficile. La partie supérieure, du sommet jusqu'au Col de la Division (3 314 m), n'offre pas de difficulté, mais il faut tout de même faire attention aux crevasses, souvent parallèles à la progression. La partie médiane, du Col de la Division au refuge d'Aoste, est très abrupte et les 100 premiers mètres, encombrés de rochers, vraiment délicats. La plupart des skieurs parcourent ces premiers mètres à pied, mais il est très possible, et pour un bon skieur, tout aussi sûr, de descendre de petites terrasses en vires inclinées sans déchausser. Enfin, la troisième partie est une immense combe qui va en s'adoucissant et offre un parcours de toute beauté.

● **Dénivellation** : montée : 1er jour : 830 m, 2e jour : 1 021 m; descente : 1 800 m.
● **Difficulté** : D.
● **Horaire** : montée : 1er jour : 4 h 30-5 h, 2e jour : 4 h-4 h 30; descente : 2 h-2 h 30 + 45 mn à pied le long du lac de Place Moulin.
● **Période favorable** : d'avril à juin.
● **Point de départ** : Prarayer (2 005 m), Place Moulin (1 950 m).
● **Cartographie** : Carte nationale suisse 1/50 000, feuilles n°s 283 Arolla et 293 Valpelline, ou c.n.s. 1/25 000, feuille n° 1347 Matterhorn (jusqu'à 1 km de Prarayer).
● **Matériel** : couteaux, piolet, corde, crampons.
● **Itinéraire** : *1er jour :* la route carrossable du Valpelline permet de monter en voiture jusqu'au barrage de Place Moulin (1 950 m). De là, suivre le chemin de la rive droite du lac artificiel jusqu'à Prarayer (2 005 m), puis continuer par la rive droite le long du tracé du sentier. On peut soit suivre la rive droite, assez escarpée, soit traverser le pont et passer rive gauche au-dessous de l'alpe de Deré la Vieille. Dès 2 160 m environ, on reprend le fond du vallon jusqu'au glacier de Tsa de Tsan. Remonter ce glacier et, peu au-dessous du refuge d'Aoste (2 781 m), traverser, à droite, la moraine pour le rejoindre. *2e jour :* du refuge, partir en direction NW puis gravir, éventuellement en crampons, les pentes raides vers le nord-est et le pied du Col de la Division (3 314 m). On escalade celui-ci par un premier couloir que l'on quitte pour passer dans un deuxième, très court, et par des vires et terrasses en zigzag jusqu'au col. On peut aussi grimper tout droit en suivant une petite crête, tantôt rocheuse, tantôt neigeuse, entre les deux couloirs. Du col, partir en direction N puis NE pour atteindre le Col de Valpelline (3 568 m), où l'on tourne franchement à droite pour monter vers le point culminant de la Tête de Valpelline (3 802 m), au sud.
Descente : suivre l'itinéraire de montée. Au Col de la Division, l'état de l'enneigement permet

seul de décider du meilleur passage. Une corniche gêne parfois le départ, et il faut prendre carrément sur la petite crête citée plus haut, en zigzaguant au mieux entre les rochers. Dès que possible rejoindre le couloir de gauche puis les pentes un peu moins raides. Le deuxième ressaut, juste avant le refuge, se passe en général à droite, mais, là aussi, tout dépend de l'enneigement. Au fond du vallon, on peut suivre le

lit du torrent Buthier, s'il y a assez de neige. C'est un parcours amusant et plein d'imprévu. De Prarayer (2 005 m), il faut porter les skis le long du lac artificiel jusqu'à Place Moulin (1 950 m).

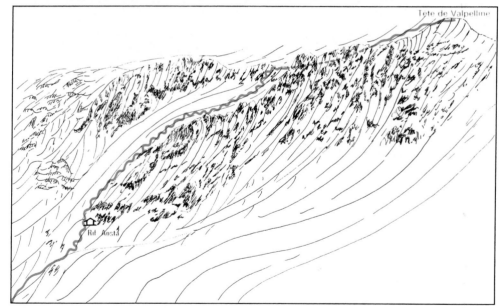

Col et Tête de Valpelline (page ci-contre).
Au premier plan, la Tête de Valpelline (ci-dessus).

91. ZINALROTHORN 4 017 m
épaule nord

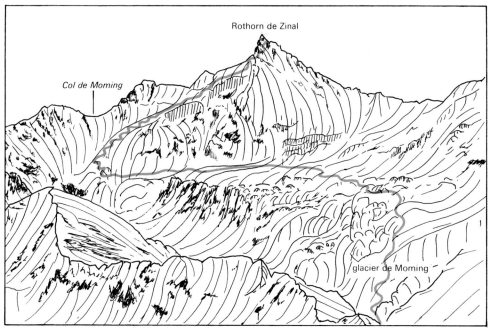

Rothorn de Zinal

Col de Moming

glacier de Moming

Le Zinalrothorn (4 221,2 m) est réputé pour ses itinéraires d'escalade, ses traversées d'arêtes aériennes ou la verticalité de sa face E. Il est moins connu comme course à skis. Pourtant son épaule N (4 017 m) offre un but superbe à l'alpiniste-skieur en séjour à la cabane du Mountet (2 886 m), au fond du val de Zinal. Cependant, on ne monte à skis par ce versant que jusqu'à l'altitude de 3 750 m environ et l'on termine l'ascension en crampons par l'« arête du Blanc », cette superbe crête neigeuse qui monte en un arc de cercle élégant du Blanc de Moming (3 657 m) à l'épaule N (4 017 m).

Il est tout de même possible d'escalader à skis cette épaule N, en passant par le sauvage vallon d'Ar Pitetta et le glacier très tourmenté de Moming. Cette ascension magnifique présente un caractère alpin très marqué mais elle est facilitée par l'utilisation de la petite cabane d'Ar Pitetta (2 786 m), au pied de l'immense face W du Weisshorn (4 505 m). Le cadre grandiose, la longueur de la course, les difficultés qu'elle présente du point de vue glaciaire, tout concourt à tenir cet itinéraire à l'écart des foules. Le skieur, non alpiniste, est impressionné par les nombreuses crevasses, par les séracs tourmentés, par la hauteur et la proximité des parois du Weisshorn, du Schallihorn (3 974,5 m). A la cabane d'Ar Pitetta déjà il demandera, d'un air mi-innocent, mi-inquiet : « N'y a-t-il pas de course plus facile dans le coin ? » Bien entendu, on peut monter au point 3575, au pied de l'arête « Young » NW, du Weisshorn. Sans aboutir à un sommet, cette excursion offre une descente de toute beauté dans un cadre merveilleux. On peut aussi grimper (voir course n° 83) au Blanc de Moming (3 657 m), moins haut mais presque aussi difficile que l'épaule du Rothorn. Depuis cette dernière, la descente dans le val de Zinal soit par l'itinéraire de montée, soit par l'itinéraire direct du glacier de Moming, au pied de l'arête N du Besso (3 667,8 m), est absolument fantastique. Elle se déroule cependant, en grande partie, sur le même itinéraire que celle du versant N du Blanc de Moming (course n° 83). Je décrirai donc ici la traversée sur Zermatt par le Col de Moming, le glacier de Hohlicht puis le vallon de Trift. Cette traversée, dans une ambiance de très haute montagne, en des lieux isolés et sauvages, se termine par une magnifique descente jusqu'au point 2058 à l'entrée des gorges du Triftbach. De là, on rejoint Zermatt (1 616 m), à pied par le sentier d'Alterhaupt (1 961 m). Les années de fort enneigement on dévale la gorge du Trift jusque dans les champs de Bodmen (1 720 m), un peu au-dessus de la grande station haut valaisanne. Cet itinéraire assez difficile, long et exposé, ne doit être entrepris que par bonnes conditions et par des alpinistes-skieurs bien entraînés.

● **Dénivellation** : montée : 1er jour : 1 111 m, 2e jour : 1 231 m pour l'épaule N, et encore 100 m + 290 m pour les contrepentes; descente : au total 2 345 m jusqu'au point 2058 si l'on passe par la selle de Furggji et 2 240 m si l'on passe par l'Ob. Äschhorn (3 669 m).

● **Difficulté** : D.

- **Horaire** : 1er jour : 5 h, 2e jour : 5-6 h pour l'épaule N ; et encore 30 mn + 1 h pour les contrepentes. Au total une journée de 10-12 h.
- **Période favorable** : avril à juin.
- **Point de départ** : Zinal (1 675 m) le premier jour, cabane d'Ar Pitetta (2 786 m) le deuxième.
- **Point d'arrivée** : Zermatt (1 616 m).
- **Cartographie** : Carte nationale suisse 1/50 000, feuilles nos 283 Arolla et 284 Mischabel, ou C.N.S. 1/25 000, feuilles nos 1327 Evolène, 1328 Randa et 1348 Zermatt.
- **Matériel** : couteaux, piolet, corde, crampons, vis à glace.
- **Itinéraire** : de Zinal (1 675 m) à la cabane

d'Ar Pitetta (2 786 m), suivre la description de la course n° 83 du Blanc de Moming. Pour le début de l'ascension on utilisera de même cet itinéraire n° 83 jusqu'à la courbe de niveau 3300. De là, continuer à gauche (E) jusqu'au-dessous du Col de Moming (3 777 m), au point de jonction du glacier de Moming et de l'immense vire glaciaire, appelée parfois « terrasse de Moming ». Celle-ci s'étire en biais du nord-est au sud-ouest, étageant ses séracs et ses énormes crevasses du glacier jusqu'à l'épaule N du Zinalrothorn (4 017 m). Il faut escalader, en général en crampons, un premier ressaut de glace tout à gauche (N) pour prendre pied sur la « terrasse ». Se diriger alors au

sud puis au sud-ouest en recherchant les meilleurs passages entre les crevasses, quelquefois tout contre la paroi de la Pointe S de Moming (3 963 m), d'autres fois, à droite, vers le bord extérieur de la « terrasse ». On arrive ainsi sur le petit plateau supérieur (3 980 m) et l'on grimpe au point culminant de l'épaule N (4 017 m) par la droite.

Descente : par les traces de montée jusqu'à l'aplomb du Col de Moming, à l'altitude 3680 environ. Escalader la pente raide du col (3 777 m), en crampons si nécessaire. Du col, partir vers la gauche (NE) pour passer sous la pointe N de Moming (3 863 m) et descendre sur le haut glacier de Hohlicht par une sorte de côte arrondie qui se termine au point 3418. De ce belvédère, on peut étudier la suite de l'itinéraire, soit par la rive droite du Hohlichtgletscher, au pied de la pente NE de l'Unt. Äschjoch (3 562 m), soit par le sommet de l'Ob. Äschhorn (3 669 m). S'il y a assez de neige, les crevasses de la rive droite, sous le versant NE des Äschhörner, seront suffisamment bouchées pour permettre une descente extraordinaire le long de l'impressionnante chute de séracs. On rejoint ainsi le grand replat, à droite, au-dessus du point 2858, d'où l'on remonte environ 1 h à la grande selle de Furggji (3 166 m), au sud. De là, on descend au Trift (2 337 m) par la combe de Trift-Chumme, orientée S-SW. Si l'on n'est pas sûr du passage de long des séracs, on grimpe en 1 h au sommet de l'Ob. Äschhorn (3 669 m). Là, il est nécessaire de déchausser pour descendre 100 m à pied par l'arête E jusqu'au point 3562, à l'Unt. Äschjoch. Ce parcours rocheux n'est pas difficile, mais une semelle de caoutchouc (Vibram) est tout de même indispensable. A défaut, chausser les crampons. La glissade sur le Rothorngletscher est superbe et l'on traverse à droite (SW) pour rejoindre des combes plus escarpées qui tombent à l'est de la cabane Rothorn (3 198 m). Si l'on y est très tard et que la neige risque d'être pourrie plus bas, il serait plus prudent de passer la nuit à cette cabane et de descendre le lendemain. L'avantage serait double car ces pentes, orientées SE et de 850 m de dénivellation jusqu'au Trift, méritent d'être parcourues par bonne neige. C'est un régal dont il ne faut pas se priver. Au-dessous du Trift (hôtel plus ou moins abandonné), suivre la gorge du Triftbach. Au pont, coté 2058, il faut décider si l'on continue à skis par le torrent ou si l'on prend le chemin d'Alterhaupt, 1 961 m à droite, pour terminer à pied. Tout dépend des conditions.

Le Zinalrothorn et le glacier de Moming
(page ci-contre).
Descente du Rothorn vers Zinal (ci-dessus).

92. GRAND COMBIN 4 314 m
face nord-ouest

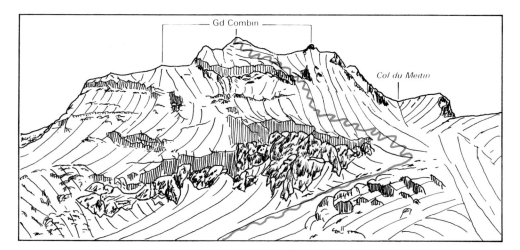

Gd Combin

Col du Meitin

Le plus haut sommet entre le Mont Blanc et le Cervin, visible de très loin à la ronde, offre quelques itinéraires à skis de très grande classe et de haut niveau alpin. Son versant N, entièrement glaciaire, est très spectaculaire et même majestueux lorsqu'on l'aperçoit de la plaine dans les rayons dorés du soleil couchant. Du fait même de son isolement et de sa grande hauteur, le Grand Combin (4 314 m) offre de plus aux heureux alpinistes qui parviennent à sa cime, une vue incomparable sur une immense portion de l'arc alpin.

L'escalade du Grand Combin reste cependant une entreprise dangereuse qui demande un bon entraînement, une très bonne connaissance de l'alpinisme et surtout une attention toujours en éveil. Généralement on l'entreprend de Fionnay (1 490 m) par la cabane de Panossière (2 669 m). Très souvent cependant, les skieurs-alpinistes qui parcourent la haute route Chamonix-Zermatt, « accrochent » le Grand Combin à leur tableau de chasse au cours de l'étape cabane de Valsorey (3 030 m) - cabane de Chanrion (2 462 m). Cette variante, par le Plateau du Couloir, est intéressante au point de vue alpinisme, mais ne l'est guère pour le skieur puisqu'il faut déposer les skis à l'altitude 3 700 environ. En traversant, de Valsorey, le Col du Meitin (3 611 m), on peut rejoindre au Plateau du Déjeuner (3 560 m environ) l'itinéraire venant de la cabane de Panossière.

Dès ce Plateau du Déjeuner deux cheminements sont possibles, tous deux exposés aux avalan-

ches de séracs. Celui qui offre habituellement le plus de sécurité passe par la droite, le long d'un éperon rocheux assez raide et s'enfile dans les séracs de gauche vers la droite pour gagner le plateau supérieur à la cote 4000. L'itinéraire dit du Corridor monte vers la gauche en direction du Combin de la Tsessette (4 141 m), et surmonte la barre de séracs à son point le plus facile, le Mur de la Côte. Il faut choisir l'itinéraire qui, sur le moment, présente le moins de risques. Des séracs en perpétuel travail, avec des chutes de petits blocs de glace, sont certainement sur le point de s'effondrer. D'autres, repérés comme plus tranquilles de la cabane ou pendant la marche d'approche sur le glacier de Corbassière, présenteront moins de danger.

Les skieurs-alpinistes qui effectuent la haute route peuvent très bien faire un dépôt de matériel sur le plateau des Maisons Blanches, vers 3 400 m, lors de leur ascension du Grand Combin. Après une nuit sympathique à la cabane de Panossière, ils rejoindront leur parcours à la cabane de Chanrion (2 462 m), en traversant le Tournelon Blanc (3 707 m). Voir l'itinéraire du versant E de cette belle montagne n° 94.

En début de saison, l'itinéraire de droite, le long de l'éperon rocheux, et, dans celui de gauche, le passage du Mur de la Côte, sont souvent en glace vive et il faudra utiliser les crampons. Pour cette raison, la meilleure période pour descendre à skis du sommet même du Grand Combin se situe en mai et juin. Au mois de mai, il est encore possible de descendre à skis jusqu'à

Fionnay (1 500 m), ce qui représente une dénivellation intéressante de 2 800 m. Au mois de juin, et parfois encore au début de juillet, on peut descendre à skis jusqu'à l'alpage de Corbassière, à 2 200 m environ, puis rejoindre les voitures laissées à Fionnay par le chemin d'été.

- **Dénivellation** : montée : 1er jour : 1 180 m, de Fionnay à la cabane de Panossière. 2e jour : 1 645 m ; descente : 2 825 m jusqu'à Fionnay.
- **Difficulté** : D, avec un passage TD, si l'on part à skis du sommet lui-même, soit le Mur de la Côte, soit les séracs au-dessous du point 3987.
- **Horaire** : montée : de Fionnay à la cabane de Panossière : 4-6 h, de la cabane au sommet : 6-7 h ; descente : jusqu'à Fionnay : 2-4 h.
- **Période favorable** : mars à juin.
- **Point de départ** : Fionnay (1 490 m).
- **Cartographie** : Carte nationale suisse 1/50 000, feuille n° 283 Arolla, ou C.N.S. 1/25 000, feuille n° 1346 Chanrion.
- **Matériel** : couteaux, corde, piolet, crampons (vis à glace éventuellement).
- **Itinéraire** : 1er jour : on peut partir de Fionnay (1 490 m) en suivant le chemin d'été par Mardiuet pour gagner le Grenier de Corbassière (1 959 m). En début de saison on a également la possibilité d'arrêter sa voiture − ou de descendre du car postal − au lieu dit Mayens du Revers (1 420 m), au-dessus du hameau de Plamproz (1 373 m). Lorsqu'il y a un certain danger d'avalanches, le deuxième itinéraire est un peu plus sûr.

S'il y a encore beaucoup de neige, il est plus pratique et plus sage de ne pas suivre le chemin d'été après les chalets de Corbassière (2 110 m), mais de descendre 100 m en oblique à droite vers le fond du vallon, en passant sous le point 2141,8. Il faut ensuite remonter soit le long du glacier de Corbassière, soit à gauche vers Plan Goli (2 233 m), puis suivre la moraine de la rive droite du même glacier. Suivant les conditions de la neige, il faut compter 4-6 h pour cette montée à la cabane de Panossière (2 669 m). 2e jour : on quittera cette dernière de très bonne heure, surtout si l'on compte redescendre à Fionnay le même jour. On peut soit suivre la rive droite du glacier de Corbassière, soit prendre une ligne plus directe en traversant vers la rive gauche, au pied du Combin de Corbassière (3 715,5 m). Sur le grand plateau des Maisons Blanches, à 3 300 m environ, obliquer franchement à gauche (E) pour monter sur le Plateau du Déjeuner. Aux environs de 3 560-3 580 m, on peut choisir de poursuivre par la large vire raide montant au Combin de la Tsessette (4 141 m), et appelé « le Corridor ». Il y a un important danger de chutes de séracs, pendant 1 h-1 h 30. Traverser ensuite à droite pour gagner le point 4099, puis escalader le Mur de la Côte et atteindre le sommet par le flanc NW de l'Aiguille du Croissant.

L'itinéraire de droite, beaucoup plus raide, est un peu plus sûr. En montant le long de l'éperon rocheux jusque vers 3 850 m on est en partie à l'abri, à l'écart, de la ligne de chute éventuelle de séracs. Traverser alors vers la droite pour gagner une sorte de côte glaciaire, en bordure du couloir tombant de la grande muraille de glace du versant NW. Remonter cette côte et, par un crochet à gauche puis à droite, déboucher sur la terrasse supérieure vers 3 980 m. Cette partie de l'itinéraire varie suivant les années, car la forme des séracs évolue assez rapidement. Monter dans la selle neigeuse entre le Combin de Valsorey (4 184,4 m), et le Combin de Grafeneire (4 314 m), sommet le plus élevé. Dans cette selle débouche l'itinéraire venant de Bourg Saint Pierre par la cabane de Valsorey. Grimper sur le point le plus élevé par son versant NW.

Descente : à partir du sommet lui-même, elle peut être considérée comme difficile. L'itinéraire du Corridor est un peu plus facile mais le passage du Mur de la Côte doit être classé TD. Certaines années, il sera nécessaire d'installer une corde fixe pour le début du mur, d'autres fois il faudra même descendre en crampons. L'itinéraire du versant NW est beaucoup plus intéressant pour de bons skieurs. La pente, entre 4 000 m et 3 600 m, est certes très soutenue, mais large, elle permet plus de fantaisie et n'est pas encombrée de blocs de glace. Le passage des séracs présente parfois des parties de glace vive qu'il faut négocier avec beaucoup d'attention et de prudence. On peut généralement passer de petits replats en petites dépressions enneigées sans trop de problèmes. Du Plateau du Déjeuner, descendre en suivant les traces de montée. Dès la cabane de Panossière, prendre à droite de la moraine, dans une belle combe qui descend directement à Plan Goli. A la cote 2233, traverser à droite les restes des avalanches et remonter par un couloir en portant les skis (15 mn), jusqu'au replat (2 236 m) de l'arête NW du Bec de Corbassière. Rejoindre Fionnay (1 490 m) par Mardiuet et le grand couloir du Reposieu.

Le Grand Combin vu du Combin de Corbassière (ci-dessous).

93. PETIT COMBIN 3 672 m
face nord

Vu de Verbier, le Petit Combin (3 672 m) paraît avoir un large plateau sommital horizontal et des versants très abrupts. En fait, seuls les flancs N et W sont très raides sur une grande hauteur. Après un premier à-pic de 200 m, le versant E offre une pente moyenne et le côté S, lui, est très peu incliné. De la cabane de Panossière (2 669 m) on peut facilement accéder au Petit Combin et combiner son ascension avec celle, également aisée, du Combin de Corbassière (3 715,5 m). Au sommet du Petit Combin, on jouit d'une vue étendue, qui va du Mont Blanc jusqu'au Cervin en passant par les Alpes vaudoises et bernoises. Au sud, trompeusement à portée de main, le Grand Combin déploie sa face N tourmentée, défendue par deux étages d'immenses remparts de séracs. Profitant du belvédère idéal qu'est le Petit Combin, on peut étudier avec soin les différentes voies d'accès

à son grand frère et les meilleures descentes des versants N et W de ce dernier.

Le Petit Combin est très fréquenté par les skieurs, d'autant plus que les atterrissages d'avions et d'hélicoptères y sont autorisés. De février à mai, chaque fois que le temps et les conditions le permettent, des régiments de touristes — souvent très bons skieurs mais montagnards peu expérimentés — sont déposés au sommet ou dans la combe située au sud. Ils empruntent en général l'une des descentes classiques, soit sur la cabane de Panossière, soit sur Bourg Saint Pierre par le Col de Panossière (3 459 m) et le glacier de Boveyre. Une autre descente intéressante se déroule sur le glacier des Follats, situé entre le Petit Combin et la face NW du Combin de Corbassière. Elle est cependant peu fréquentée car le glacier présente une zone intermédiaire très crevassée

où l'itinéraire est souvent difficile à repérer. La face N proprement dite est parfois dominée par une corniche dangereuse et présente toujours une haute rimaye située à 150 m environ sous le sommet. Pour éviter ces deux obstacles, on peut attaquer cette pente soit par l'arête NE, dite des Follats, soit par l'arête N-NW, selon les conditions de la neige.

Nous avons fait la première descente de cette face N après avoir atteint le sommet par l'arête centrale. Longues minutes de détente et de contemplation dans un cadre de lignes molles et de vallonnements peu inclinés… Il fut ensuite grand temps de nous approcher du précipice glacé de la face N et de nous concentrer à nouveau très sérieusement. Nous avons décidé de descendre la première partie par l'arête des Follats (NE) et de reprendre l'itinéraire de la face elle-même à la hauteur de la première grande rimaye. L'arête centrale offrait des conditions de descente parfaites mais nous avons préféré essayer un autre itinéraire.

- **1re descente** : René Marcoz, Hubert Cretton, Denis Bertholet, 28 mars 1957.
- **Dénivellation** : descente : 800 m pour la face, puis encore 650 m, très beaux, jusque dans le vallon de Sery, à 2 234 m.
- **Difficulté** : D + à TD, suivant les conditions.

- **Horaire** : montée : 3 h 30-4 h de la cabane de Panossière, 7-8 h de la cabane Brunet ; descente : 1-2 h pour la face.
- **Période favorable** : mars à juin.
- **Point de départ** : cabane de Panossière (2 669 m) ou cabane Brunet (2 103 m).
- **Cartographie** : Carte nationale suisse 1/50 000, feuille n° 283 Arolla.
- **Matériel** : piolet, crampons, corde.
- **Itinéraire** : de la cabane de Panossière (2 669 m) par le glacier de Corbassière, en tournant autour du Combin de Corbassière (3 715,5 m) et en traversant le col du même nom, sans indication sur la carte. Traverser le haut du glacier des Follats et gagner le sommet (3 672 m) par des pentes faciles. De la cabane Brunet, monter à l'alpe de Sery (2 233 m) puis à Nicliri (2 492 m) en passant par le chalet supérieur de Pindin (2 364 m). Gagner le pied du versant N à droite de l'arête centrale. Remonter cette combe glaciaire et rejoindre l'arête centrale N-NW vers 3 200 m. On peut monter à skis jusqu'aux environs de 3 400 m, puis l'on poursuit à pied. C'est le meilleur itinéraire pour juger des conditions de la face et choisir au mieux le point d'attaque.

Descente : soit par l'arête centrale N-NW et l'itinéraire de montée. Soit par la face N à l'est de l'arête centrale. Descendre quelques dizaines de mètres le long de l'arête des Follats NE et traverser dans la face elle-même dès que la pente et les conditions de neige le permettent. Avant le glacier proprement dit une grande rimaye barre toute la pente. Si l'on ne peut pas la sauter, il faut descendre le long de l'arête des Follats (NE) jusqu'à ce que le passage de la rimaye devienne possible. Le glacier se descend d'abord sur la gauche, puis en traversant au mieux vers la droite, en zigzaguant dans une zone de crevasses et de petits séracs. Certaines années, petit rappel nécessaire. Une belle pente, au-dessous du point 3365,3, permet de gagner une deuxième zone de crevasses et de séracs, beaucoup moins raide, et de rejoindre, de nouveau vers la gauche, les champs plus faciles du pied de la face. Poursuivre directement dans la ligne de pente en direction du fond du vallon (2 234 m). On peut alors soit remonter 150 m à angle droit vers l'ouest (gauche) pour rejoindre les chalets supérieurs de Pindin et la trace de montée, soit suivre à flanc de coteau au-dessus du torrent en direction N et gagner l'alpage de Sery (peu évident et quelques passages exposés). Descente par la cabane Brunet et Plena Dzeu jusqu'à Lourtier (1 088 m).

Dans le versant E du Petit Combin (page ci-contre).
Sur l'arête NE du Petit Combin (ci-dessus).

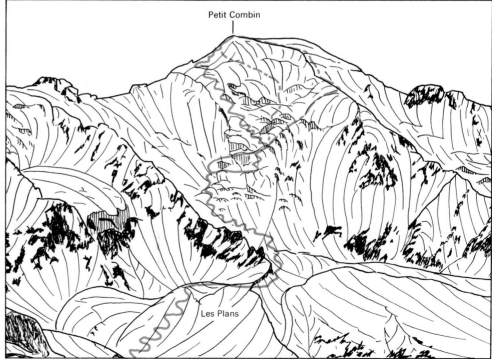

94. TOURNELON BLANC 3 707 m
face est

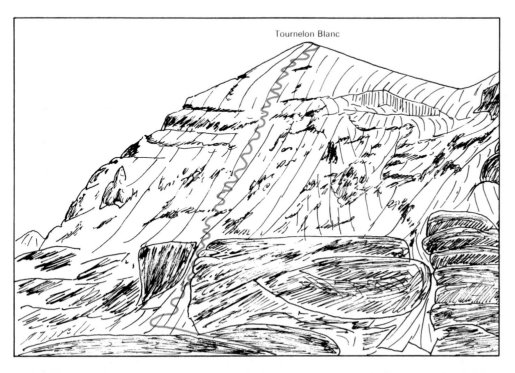

Tournelon Blanc

Vue du Mont Rouge du Giétro (3 439 m), la face E du Tournelon Blanc, par-delà le lac artificiel de Mauvoisin, semble une paroi de neige presque verticale hérissée de nombreux rochers, menaçants comme autant d'écueils. Sur la droite, la calotte sommitale, régulière et imma-

culée, s'interrompt brusquement, coupée par une formidable barrière de séracs. Sur la gauche, la paroi de rochers est infranchissable, compacte dès les abords du sommet. Entre ces deux obstacles s'ouvre un immense entonnoir, extrêmement raide sur près de 1 600 m. Il s'engouffre dans le couloir des Mortas, large d'à peine 10 m lors de son franchissement de la dernière barre de rochers. Le cône de déjection de ce couloir s'étale alors sur l'alpage de La Lia, balcon incliné au-dessus d'un autre à-pic de 400 m qui tombe jusqu'aux eaux vertes du lac de Mauvoisin. Le tout forme un ensemble rébarbatif, très sauvage mais très beau.

Remonter les 1 300 m de dénivelée du couloir des Mortas, crampons aux pieds, skis sur le sac, est un exercice très astreignant pour les mollets, mais indispensable, à mon avis, pour connaître les conditions de la face. Il est plus commode d'atteindre le sommet du Tournelon Blanc en partant de la cabane de Panossière (2 669 m), mais on se lance ensuite dans le versant opposé sans en connaître les embûches, ce qui me semble d'une imprudence grave en ski extrême. En outre, l'escalade du couloir permet de déterminer le meilleur parcours entre les différents îlots rocheux qui parsèment le tiers médian de la face, et enfin de s'accoutumer à l'ambiance particulière des lieux.

Le meilleur moment pour entreprendre cette course est le mois de juin car la neige est mieux stabilisée sur toute la hauteur de la face. Pourtant, il peut même arriver, après une longue période de beau temps, que les conditions soient déjà bonnes et sûres en mars. Au début du printemps cependant, la couche de neige qui recouvre la glace de la partie supérieure n'a pas toujours bien adhéré ou présente un danger plus aigu de plaque à vent. D'autre part, la route d'accès de Fionnay à Mauvoisin n'est pas dégagée avant le mois de mai, parfois même fin mai. Enfin, les années bien enneigées, cette descente peut encore se faire au début de juillet malgré la présence d'une goulotte peu praticable dans la partie étroite du couloir des Mortas.

- **Dénivellation** : montée : 1 743 m depuis le barrage de Mauvoisin ; descente : 1 350 m pour la face et le couloir + 300 m jusqu'à l'entrée du tunnel au « Marais de La Lia ».
- **Difficulté** : TD.
- **Horaire** : montée : depuis Mauvoisin 6-7 h ; descente : 1-2 h.
- **Période favorable** : mai-juin.
- **Point de départ** : barrage de Mauvoisin (1 964 m).
- **Cartographie** : Carte nationale suisse 1/50 000, feuille n° 283 Arolla, ou C.N.S. 1/25 000, feuille n° 1346 Chanrion.
- **Matériel** : piolet, crampons.

● **Itinéraire** : lorsque la route n'est pas encore ouverte après Mauvoisin, il faut parquer sa voiture près de l'hôtel ou au début de la montée, sur la gauche. Les gardiens du barrage renseignent sur l'état de la route et de son ouverture (tél. 026/ 7 91 87). Du barrage, culée rive gauche, s'enfiler dans les galeries et déboucher sur l'alpe de La Lia au lieu dit Le Marais (2 060 m). Passer près des chalets de l'alpage (2 115 m) (place de parking lorsque la route est ouverte ; trafic réglementé, heures paires pour la montée, impaires pour la descente) et poursuivre en montant en oblique vers les Plans (2 347 m). Cette partie de l'itinéraire est exposée aux avalanches de séracs tombant de la calotte sommitale. 200 m plus loin commence le cône de déjection du couloir des Mortas. Dès le bas de celui-ci on peut généralement chausser les crampons et l'escalader directement. A la hauteur de la cote 3376, on peut prendre à droite sur le replat de la calotte glaciaire. Un détour par la droite est plus facile et peut se faire skis aux pieds, mais l'escalade directe, en appuyant à gauche, permet de mieux se rendre compte des conditions du haut de la face. Grimper tout droit jusqu'au sommet.

Descente : le départ est impressionnant car la pente est légèrement bombée et l'on ne voit pas le couloir dans lequel il faut s'enfiler. En cas de neige instable, par exemple déjà trop ramollie, descendre la calotte en direction NE puis revenir dans la face à l'altitude 3400 environ. Le couloir s'ouvre alors et, balayée par les avalanches de fin de matinée, la neige y est en général plus ferme (névé). Si l'on s'y trouve trop tardivement ou qu'il existe un danger quelconque d'avalanche, il ne faut bien entendu pas descendre le couloir, mais remonter au sommet et descendre à la cabane de Panossière par le Col du Tournelon Blanc (3 538 m). Suivant l'état de l'enneigement, on peut soit descendre le couloir près des rochers de l'éperon E, soit prendre plus au centre de la face en zigzaguant entre les différents îlots rocheux. La fin du couloir est étroite pendant 200 m et parfois peu commode à skier en raison des débris d'avalanches. Descendre le cône final en tirant sur la gauche pour rejoindre les écuries de La Lia (2 115 m) et l'entrée des galeries (2 060 m).

*La face E du Tournelon Blanc
(page ci-contre).
Dans la face E du Tournelon Blanc
(ci-contre).*

95. DENT DE TSALION 3 589,3 m

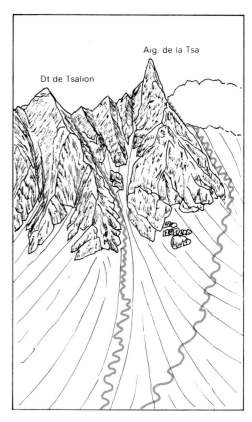

L'arête W de la fière Aiguille de la Tsa (3 668 m) est plus un bastion massif qu'une arête effilée. De chaque côté de cette forteresse plongent des couloirs très raides. Ceux-ci atteignent près de 50° dans leur partie supérieure, la plus étroite, puis ils s'humanisent et ne dépassent guère 40°. Les descentes à skis de ces deux couloirs ont déjà été effectuées de nombreuses fois et elles offrent toutes deux des parcours superbes. Le couloir N est bordé, au nord, par l'arête W de la Dent de Tsalion (3 589,3 m), crête rocheuse bien marquée et très connue des grimpeurs. Ce goulet abrupt est plus encaissé, plus sauvage aussi. Le couloir S, étroit dans les 150 premiers mètres, s'ouvre en une pente concave assez large et plus facile à négocier. Tous les deux aboutissent sur le glacier de la Tsa qui présente un replat bienvenu vers 2 850 m. Les pentes de la Roussette ou de la Tsa qui dégringolent ensuite jusqu'à la Borgne d'Arolla, 900 m plus bas, offrent une descente magnifique et raide. En fin de saison, le lit du torrent de la Roussette est souvent rempli d'un névé qui relie entre elles les dernières taches de neige et permet de glisser sur les restes d'avalanches tombées juste en face d'Arolla. La dénivelée totale de ces descentes est de 1 600 m pour une distance horizontale qui n'excède pas 3 km. Leur parcours est donc soutenu sur toute la hauteur avec un seul répit, au fond du glacier de la Tsa. Il y a deux chemins pour atteindre la Dent de

Tsalion avec les skis. En hiver et au tout début du printemps, on choisira la montée par Bertol avec une nuit à la cabane du même nom située à 3 311 m. Le lendemain un parcours de 1 h 30-2 h permet d'atteindre la Dent de Tsalion (3 589,3 m) en conservant toutes ses forces pour la descente. Plus tard dans la saison, lorsque la neige est transformée, on peut aller coucher à la cabane de la Tsa (2 607 m) et escalader en crampons le lendemain le couloir que l'on a choisi de dévaler à skis. Cette manière de faire permet d'étudier de près les embûches de la descente mais demande aussi un beaucoup plus gros effort le jour même de cette descente. Le choix entre les deux approches est une question d'entraînement et de conditions de neige.

● **Dénivellation** : montée : 1er jour, 1 310 m ; 2e jour, 278 m ; descente : 1 650 m.

● **Difficulté** : TD.

● **Horaire** : montée : 1er jour jusqu'à la cabane de Bertol (3 311 m) : 5-6 h, 2e jour : 1 h 30-2 h ; descente : 1-2 h.

● **Période favorable** : mars à juin.

● **Point de départ et d'arrivée** : Arolla (2 000 m), pont sur la Borgne d'Arolla (1 940 m).

● **Cartographie** : Carte nationale suisse 1/50 000, feuille n° 283 Arolla, ou C.N.S. 1/25 000, feuille n° 1347 Matterhorn.

● **Matériel** : couteaux, corde, piolet, crampons.

● **Itinéraire** : *1er jour :* d'Arolla (2 000 m), suivre la route qui part, au sud, vers l'usine de pompage de la Grande Dixence. Continuer dans la même direction jusqu'au Bas Glacier d'Arolla que l'on remonte en son milieu ou rive droite. Ne pas prendre le chemin d'été qui monte directement à Plans de Bertol (2 664 m), mais faire le tour, par le sud, du mamelon coté 2615,6. Gagner le fond de la combe de Bertol vers 2 700 m et l'escalader en son centre en direction d'un rognon rocheux. Longer le flanc S de ces rochers puis passer près d'un rognon plus petit, soit à gauche, soit à droite suivant l'état de la neige et rejoindre le Col de Bertol (3 279 m). Grimper à la cabane (3 311 m) par les échelles métalliques qui ont remplacé l'ancienne chaîne acrobatique.

2e jour : gagner le Col de la Tsa (3 308 m) en traversant l'arête E de la Pointe de Bertol (3 499 m) par une vire ascendante du versant SE. Il est souvent nécessaire d'enlever les skis sur une centaine de mètres. Du Col de la Tsa, remonter en oblique le glacier de l'Aiguille jusqu'au pied de l'Aiguille de la Tsa (3 668 m). Un grand replat, vers 3 540 m, donne accès à la Pointe de Tsalion (3 589,3 m) que l'on atteint facilement par quelques rochers du versant SE.

Descente : s'engager dans le couloir N soit tout près de la Pointe de Tsalion, soit un peu plus au sud, suivant l'état de la corniche qui défend l'entrée du couloir. Un petit rappel peut être parfois fort utile, plus rarement indispensable. La descente du couloir, assez étroit au début, demande une grande concentration. En fin de saison, une goulotte centrale assez profonde peut gêner le skieur. Si elle est vraiment trop importante, on choisira de descendre le couloir S, de l'autre côté de l'Aiguille de la Tsa que l'on contourne par une petite remontée de 40 m. Ce deuxième couloir est lui aussi strié parfois d'une goulotte mais sa pente plus large offre un champ de manœuvres plus grand.

Après la détente qu'offre le replat du glacier de la Tsa, près de la cote 2852, on choisira les pentes de la Roussette, orientées NW ou celles de la Tsa, tournées vers l'ouest - sud-ouest, selon l'état de la neige. Les rives du torrent de la Roussette offriront toujours l'itinéraire le plus sûr mais pas forcément la neige la plus facile. Deux ponts permettent de traverser la Borgne d'Arolla, l'un coté 1986, en dessous de la station inférieure du téléphérique du P.4 et l'autre, plus près d'Arolla. au lieu dit les Places à la cote 1940. Une courte remontée de 30 m permet de rejoindre les voitures sur le parking des téléskis d'Arolla.

La Dent de Tsalion
est à gauche de l'Aiguille de la Tsa
(page ci-contre).
Aiguille de la Tsa (ci-dessus).

96. POINTE DE VOUASSON   3489,7 m
face nord

La face N de la Pointe de Vouasson (3 489,7 m) est vraiment bien cachée et bien peu de personnes l'ont effectivement contemplée. Par exemple, tous les skieurs qui, un jour ou l'autre, ont emprunté les installations de remontées mécaniques d'Evolène-Artsinol, sont persuadés d'avoir admiré la face N de la point de Vouasson. Mais il n'en est rien. Ils ont contemplé la face NE de ce magnifique belvédère, avec le glacier de Vouasson et ses séracs bleu-vert croulant dans le fond du vallon de Vouasson (voir itinéraire n° 33). La face N se cache, en fait, derrière la crête rocheuse des Louettes Écondoué, et n'est visible que depuis le Pic d'Artsinol (2 997,5 m), après une grimpée de 1 h 30-2 h au-dessus des téléskis. Ce point de vue réputé offre trois belles descentes à skis :

— En neige de printemps, 910 m de dénivellation jusqu'à Vouasson (2 084 m), par un versant SE, puis encore 680 m jusqu'à Lana (1 407 m), par les pistes.

— Sur le versant SW, qui dégèle un peu plus tard, 910 m, dans la ligne de pente, raide, directement sur les chalets de Noveli (2 084 m), puis encore 480 m jusqu'à Pralong (1 608 m), soit

par le chemin, soit par le couloir du Sex Joliet au nord-ouest.

— En neige poudreuse, une formidable pente raide, 1 000 m de dénivelée, orientée NW, jusque sur l'alpage de Mandelon, près du point 1933. Et encore 700 m, sur route et dans les champs, jusqu'au pont de La Lichière (1 295 m), en face du joli village de Mâche (1 310 m).

En déposant les skis devant l'accueillant bistrot de ce dernier village, un coup d'œil à droite nous permet d'apercevoir la partie supérieure de la face N de la Pointe de Vouasson. Lorsqu'on est descendu de cette face jusqu'aux Mayens de Méribé (1 722 m), et qu'il n'y a plus de neige pour continuer, on peut se faire chercher par la jeep de la patronne du restaurant. Il suffit de s'organiser à l'avance et de fixer une heure de rendez-vous exacte. L'hôtesse, malgré toute sa gentillesse, ne peut pas se permettre de s'absenter trop longtemps et d'attendre ! Dans ce cas-là une radio portative est très utile.

La face N de la Pointe de Vouasson est inclinée à 45°-50° sur une hauteur de 600 m environ, puis elle devient beaucoup moins raide. Elle

n'en perd pas pour autant son caractère sauvage car le glacier de Merdéré s'enfonce dans un cirque désolé et très retiré. On a vraiment l'impression de pénétrer dans un entonnoir de rochers raboteux prêts à nous broyer. En fait, le danger vient plutôt du glacier lui-même et de ses séracs, derrière nous. Seule l'ouverture sur la vallée réconforte et la vue sur les champs de neige ensoleillés du Greppon Blanc, de l'autre côté du Val de Dix, réchauffe un peu l'atmosphère glacée du lieu. Pourtant cet ajour donne sur le vide et l'on a l'impression que tout se termine au bout de l'étranglement. Heureusement la gorge du torrent est pleine de débris d'avalanches et l'on peut se faufiler jusqu'aux champs plus larges de Méribé, sur la droite. Continuer par le chemin d'été ou par le couloir du torrent, au nord, jusqu'au pont des Mayens de Méribé (1 722 m) aux abords de la route de la Grande Dixence.

● **Dénivellation** : 1er et 2e jour : 1 645 m jusqu'au sommet (consulter l'itinéraire n° 33 pour la montée à la cabane des Aiguilles Rouges, 2 810 m) ; descente : 1 767 m jusqu'au pont des Mayens de Méribé (1 722 m).

● **Difficulté** : TD.

● **Horaire** : montée : voir course n° 33 ; descente : 1 h-1 h 30.

● **Période favorable** : mars et avril. Encore possible en mai et juin pour la partie supérieure, jusqu'aux premiers arbres.

● **Point de départ** : La Gouille (1 844 m), sur la route d'Arolla, le premier jour ; cabane des Aiguilles Rouges (2 810 m) le deuxième.

● **Point d'arrivée** : Mayens de Méribé (1 722 m) dans le val des Dix.

● **Cartographie** : Carte nationale suisse 1/50 000, feuille n° 283 Arolla, ou C.N.S. 1/25 000, feuilles n°s 1326 Rosablanche et 1327 Evolène.

● **Matériel** : piolet, crampons, corde, vis à glace.

● **Itinéraire** : depuis La Gouille (1 844 m) dans le val d'Arolla, suivre l'itinéraire décrit course n° 33 jusqu'au sommet de la Pointe de Vouasson (3 489,7 m).

Descente : avant d'entreprendre la face N, il est sage de l'avoir étudiée soigneusement. Pour ce faire on peut monter, en voiture, un peu audessus de Pralong (1 608 m), sur la route de la Grande Dixence, ou en 2 h au Pic d'Artsinol (2 997,5 m) depuis les téléskis d'Evolène-Artsinol-La Meina. Si l'on a négligé cet examen préalable, on peut descendre à skis jusqu'à 3 350 m sur l'arête NE. De là, donner un coup d'œil oblique sur la partie supérieure du glacier de Merdéré puis remonter à l'endroit choisi pour commencer la descente. En effet, suivant l'état des séracs, on attaque depuis le sommet, à gau-

Pte de Vouasson

che près de l'épaulement de l'arête NW, ou à droite, le long des rochers qui soutiennent l'arête NE. Ensuite le centre du glacier puis sa rive droite permettent de gagner le replat vers 2 850 m. Normalement, il est possible de se faufiler sans problème entre les séracs, mais il est prudent d'avoir quelques vis à glace dans l'éventualité, peu probable, où un mur de glace couperait toute la largeur. L'étranglement de la gorge se franchit directement dans le fond, le lit du torrent étant rempli de débris d'avalan-

ches. Dès l'altitude 2400, traverser à droite en direction de la Remointse de Méribé (2 247 m) et descendre l'un des trois couloirs qui tombent vers Le Tsalet (1 847 m), sans nom sur la carte au 1/50 000. De là une petite combe facile conduit au pont (1 722 m), à côté des Mayens de Méribé. On rejoint ici la route de la Grande Dixence. En début de saison, on peut en suivre les bords à skis jusqu'à Pralong (1 608 m) et même jusqu'à Mâche (1 310 m). Cependant, il est préférable, dès l'Éteygeon (1 559 m), de

rester rive droite ; suivre le « bisse » horizontalement sur 1 km environ et rejoindre la route qui descend par Bertolène jusqu'au pont de La Lichière (1 295 m) en face de Mâche. Les pentes de la rive droite, orientées W et NW, sont enneigées beaucoup plus longtemps.

Dans la face N de la Pointe de Vouasson (ci-dessous).

97. LENZSPITZE 4 294 m
face nord-est

La face NE de la Lenzspitze (4 294 m) est très caractéristique dans toutes les Alpes par sa forme concave et pure. Avec la cuvette du glacier de Hohbalm à son pied, on dirait une antenne parabolique tournée vers le ciel, tournée vers les étoiles. Et c'est bien une étoile, ou plutôt une comète, une étoile filante qui eut la première l'idée de descendre cette face NE à skis. Heini Holzer s'est malheureusement tué alors qu'il tentait une autre descente à skis, celle de la face N du Piz Roseg dans les Grisons, mais il avait déjà à son palmarès plus de 80 premières. Garçon modeste et efficace, il escaladait toujours à pied les itinéraires qu'il voulait parcourir à skis. Peu connu dans les pays latins, il l'était relativement bien par contre dans les pays de langue germanique. Il ne faisait rien pour se faire connaître des médias et ceux-ci semblaient l'ignorer malgré le fait qu'il fût l'un des plus forts skieurs extrêmes à la fin des années 60 et au début des années 70. Je me souviendrai toujours de l'étonnement admiratif qui envahit mes clients, lorsque, rentrant du Weissmies en 1972, nous découvrîmes des traces de skis dans la magnifique face qui brillait

au soleil de l'après-midi. Le lendemain seul un petit entrefilet dans les journaux locaux signalait cette belle réussite.

La descente de la Lenzspitze fait partie, lorsque la neige est bonne sur toute la hauteur, des deux ou trois plus grandes dénivelées en pentes soutenues. Il peut arriver en effet que la face NE soit déjà praticable en mai, début juin, et il est alors possible de poursuivre la descente par la cabane des Mischabel, le Fallgletscher et sur la gauche du couloir des Fallauinen de rejoindre le chemin d'été qui, par Trift, tombe jusqu'à Saas Fee (1 782 m). Soit une dénivellation de 2 500 m pour une distance horizontale de 3,500 km. Seule la descente du couloir Marinelli dans la face E du Mont Rose présente, à ma connaissance, une inclinaison légèrement plus soutenue sur une hauteur aussi grande. Avant 1972, la partie inférieure, depuis la cabane des Mischabel à Saas Fee, avait déjà été parcourue par des skieurs, entre autres par la section UTO, Zurich, du C.A.S. avec le guide Supersaxo. La partie supérieure, plus impressionnante à cause de ses lignes plus pures, n'a pas été répétée plus de deux fois à ce jour, toujours à

ma connaissance. Les 500 m du toboggan à 50° de la face NE de la Lenzspitze refroidissent encore beaucoup l'ardeur des skieurs extrêmes. Est-ce à cause de la sobriété de la configuration du lieu, où rien ne permet au regard de s'accrocher, ou du peu de jours par année offrant des conditions de neige suffisamment bonnes, ou encore la longueur de l'approche ? Je ne sais, mais la Lenzspitze est un beau sommet qui mérite vraiment de figurer au tableau de chasse des « extrémistes ».

● **1re descente** : Heini Holzer, 1972.

● **Dénivellation** : 2 500 m au total jusqu'à Saas Fee ; 965 m du sommet à la cabane des Mischabel (3 329 m).

● **Difficulté** : ED pour la face NE. D à D+ pour le reste de la descente.

● **Horaire** : 1er jour : jusqu'à la cabane Mischabel (3 329 m) : 5 h 30-6 h, 2e jour : montée : 4-5 h ; descente totale jusqu'à Saas Fee : 1-2 h.

● **Période favorable** : mai-juin ; juillet et par-

Au centre, la belle face N de la Lenzspitze (ci-dessus).
Dans la face N de la Lenzspitze (page ci-contre).

fois septembre sont aussi quelquefois des mois favorables pour la face NE proprement dite.

● **Point de départ** : Saas Fee (1 792 m).

● **Cartographie** : Carte nationale suisse 1/50 000, feuille n° 284 Mischabel, ou C.N.S. 1/25 000, feuilles n°s 1328 Randa, 1329 Saas. Assemblage touristique excellent au 1/25 000, vendu par les offices du tourisme.

● **Matériel** : crampons, piolet, corde, éventuellement vis à glace pour la montée.

● **Itinéraire** : *1er jour* : partir très tôt le matin de Saas Fee (1 792 m), pour profiter d'une neige dure et stable. Se diriger à l'ouest vers le sommet des petits téléskis d'exercice, point 1955, et prendre le chemin raide qui par Trift monte à Schönegge puis sous le flanc S du Distelhorn (2 806 m). Si le chemin n'est pas dégagé et la neige en mauvaises conditions, il vaut mieux remonter le Triftbach sur les restes d'avalanches jusque vers 2 200 m, puis le long de la moraine à gauche tout droit. Dès 2 340 m, continuer en oblique à gauche, sous les rochers du Distelhorn, et rejoindre le chemin sur la crête au-dessus du point 2448,6. En suivant plus ou moins le tracé du chemin d'été, grimper jusque vers 3 000 m, puis appuyer à gauche pour rallier le couloir qui tombe du Fallgletscher. Par bon enneigement, on peut le prendre dès la cote 2800 déjà. Escalader ce couloir puis le glacier jusque vers 3 250 m et rejoindre la cabane des Mischabel (3 329 m) par une traversée ascendante à droite. L'avantage de remonter ainsi l'itinéraire de descente permet de se rendre compte exactement des conditions d'enneigement mais il ne faut pas se trouver trop tardivement dans les pentes E du Fallgletscher car elles deviennent vite dangereuses. Encore une fois il faut partir de Saas Fee très tôt, même de nuit.

2e jour : il faut calculer son horaire largement et partir aussi de nuit, surtout si l'on désire rentrer à Saas Fee le même jour. Monter un instant sur le fil de l'éperon qui porte la cabane puis, dès que possible, rejoindre le glacier de Hohbalm. Remonter sa rive droite et prendre pied dans la grande cuvette peu inclinée qui conduit au pied de la face NE. Escalader celle-ci au mieux des conditions, généralement en oblique de droite à gauche vers le sommet (4 294 m).

Descente : suivre l'itinéraire de montée. Si l'on est trop tard lors de l'arrivée à la cabane des Mischabel, il est plus prudent de passer une nuit supplémentaire au refuge et de descendre le lendemain par bonnes conditions jusqu'à Saas Fee (1 792 m).

Ski extrême, concentration extrême (ci-contre). L'Ober Gabelhorn et le glacier de Zinal (page ci-contre).

98. **OBER GABELHORN** 4 062,9 m
face nord

Wellenkuppe · Ober Gabelhorn

Le pittoresque val d'Anniviers s'étire le long des profondes gorges de la Navisence, puis se divise en deux branches d'inégales longueurs : le joli val de Moiry, au-dessus de Grimentz (1 570 m), et le val de Zinal, par-delà la station du même nom (1 675 m). Ce dernier est plus étendu et plus encaissé encore. Tout au fond, dans un amphithéâtre à la fois sauvage et majestueux, se cache la cabane du Mountet (2 886 m). Véritable joyau entouré d'un écrin de glaciers impressionnants, elle est le point de départ de quelques-unes des plus belles courses du Valais, l'été comme l'hiver. Lorsque l'on sort de la cabane, une montagne vous saute littéralement au visage, l'Ober Gabelhorn (4 062,9 m), et son éblouissante face N. Du fait de sa proximité, elle semble être la plus haute de tout le cirque

et ses structures se dévoilent sans pudeur. L'Ober Gabelhorn n'est pourtant pas la cime la plus élevée du bassin du Mountet, la Dent Blanche (4 356,6 m) et le Rothorn de Zinal (4 221,2 m) le dépassent sérieusement. De même, sa superbe face N n'est pas non plus la plus haute ; le versant N du Grand Cornier (3 961,8 m) lui est légèrement supérieur.
Ce qui fait de l'Ober Gabelhorn le sommet le plus caractéristique de l'arène formidable du Mountet, ce sont les glaciers suspendus et tourmentés de ses flancs. Ceux-ci pendent en plis désordonnés et dantesques de chaque côté d'une arête N-NW qui s'élance droit au sommet. Mât audacieux planté dans un bastion massif et pyramidal, celui-ci semble hisser vers le ciel les autres arêtes et toutes leurs drape-

ries de séracs, blanches, vertes et bleues. La face N proprement dite, haute de 400 m, est lisse, sans défaut, comme le plan d'une voile gonflée par le vent et accrochée à la cime. Jusque vers 3 600 m, le glacier de l'Ober Gabelhorn a déjà été parcouru à skis en 1927, lors de la deuxième ascension hivernale. La partie supérieure, inclinée à 55°, n'a été descendue qu'en 1978 par Spagnolo et Brachet. Ceux-ci n'en tirèrent pas une gloire excessive et seuls quelques médias en parlèrent. C'est la découverte de leurs noms dans le livre de la cabane et le récit d'un témoin qui me firent connaître leur exploit. L'éloignement du cirque du Mountet et sa position hors des grands itinéraires à skis classiques expliquent le fait que l'Ober Gabelhorn ne soit pas gravi très souvent en hiver. A ma connaissance cette descente n'a été répétée qu'une seule fois. Et l'on peut penser que lors d'une année de fort enneigement le versant W pourrait être aussi parcouru à skis.

● **Dénivellation** : 800 m du glacier Durand à la rimaye de la face N, 400 m pour la face N, 1 200 m au total.
● **Difficulté** : ED.
● **Horaire** : montée : suivant les conditions 5-6 h ; descente : 1 h.
● **Période favorable** : mai-juin, certaines années encore en juillet.
● **Point de départ** : cabane du Mountet (2 886 m).
● **Cartographie** : Carte nationale suisse

1/50 000, feuille n° 283 Arolla, ou C.N.S. 1/25 000, feuille n° 1327 Evolène.

- **Matériel** : skieur-alpiniste complet.
- **Itinéraire** : de la cabane du Mountet (2 886 m), traverser horizontalement jusqu'à la moraine du glacier du Mountet au sud-est. Prendre pied sur celui-ci par une descente oblique et se diriger S vers le pied du versant N. Remonter le couloir raide situé à gauche de l'arête N-NW entre les rochers du bastion le plus bas et les séracs du glacier de l'Ober Gabelhorn. Ce couloir est incliné à 45° puis 50°. Prendre pied sur les séracs, à gauche, puis monter en écharpe, toujours vers la gauche, pour rejoindre la cuvette peu inclinée au pied de la face N. Lors des années de fort enneigement et s'il y a peu de danger d'avalanches de séracs, on peut monter beaucoup plus à gauche (E). On se dirige tout d'abord en direction du Triftjoch, jusque vers 3 200 m environ, puis l'on revient à droite (S) pour grimper en zigzag vers la cuvette précitée. De là, franchir la rimaye puis monter tout droit vers le sommet. Pour éviter les rochers qui le supporte, on rejoint l'arête N-NW à 100 m environ du point culminant. Cet itinéraire permet de se rendre compte des conditions de la pente pour la descente. Un autre cheminement, plus facile, consiste à rejoindre l'arête N-NW, dite « arête du Cœur », le plus bas possible, soit après sa partie rocheuse, vers 3 800 m. Suivre alors cette arête jusqu'au sommet.

Descente : partir quelques dizaines de mètres le long de l'arête N-NW puis plonger dans la face N. Attention, il y a souvent de la glace juste au-dessous de la corniche. Descendre ensuite par la voie de montée. Le dernier couloir est en général encombré d'une goulotte gênante, plus profonde en fin de saison. Du pied de l'arête du Cœur, si l'on ne retourne pas à la cabane, on peut se diriger à gauche (W), passer sous les rochers du Roc Noir, point 3011,0, puis descendre le glacier de Zinal en son centre puis rive droite. Avec un enneigement suffisant on peut continuer jusqu'à Zinal (1 675 m) et l'on profite alors d'une dénivelée totale de 2 380 m. En fin de saison, lorsqu'on ne peut plus suivre le fond de la gorge de la Navisence, on prend, rive gauche, le chemin qui passe par Le Vichiesso (1 862 m) et rejoint la « plaine » de Zinal vers le pont coté 1731.

Dans la face N de l'Ober Gabelhorn (page ci-contre).
La face N de l'Ober Gabelhorn (ci-contre).

99. LISKAMM 4 527,2 m
sommet est, face nord-est

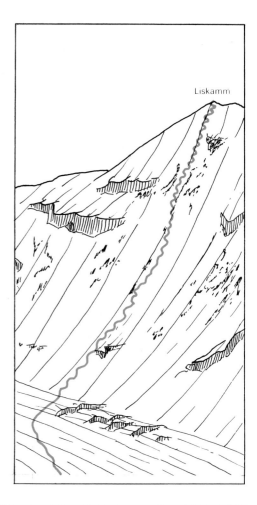

Liskamm

Majestueuse et complexe montagne, presque une petite chaîne à elle seule, la barrière du Liskamm ferme complètement la vallée de Gressoney. Tout en haut de l'immense glacier de Lis, cette crête rocheuse relativement peu marquée cache un revers au caractère bien différent. Sa face N, tout aussi vaste, relève en effet ses amples robes de glace, mouchetées de rochers, vers ses larges épaules blanches, 1 000 m plus haut. Dans le soleil matinal elle déploie, sur plus de 4 km, ses formes plantureuses, décorées d'une guirlande de balconnets gonflés et roses. Ceux-ci, engageants vus du sommet, cachent pourtant sous leurs rondeurs trompeuses des décolletés verts et froids où s'effondrent de temps à autre leurs séracs menaçants.

La face NE du Liskamm, l'une des plus grandes et belles parois glaciaires des Alpes, est exposée aux avalanches sur pratiquement toute sa largeur. Partagée en deux par un immense banc rocheux oblique, elle porte également deux sommets. La muraille occidentale, haute de 1 200 m, culmine au sommet W (4 479 m). Elle a été descendue à skis en 1974. Son parcours, bien qu'extrême et très exposé, est moins direct et en général un peu moins raide que celui de la paroi orientale. Seules quelques brèves sections présentent une inclinaison comparable à la face NE du sommet E (4 527,2 m). Cette dernière, haute de 700 m, avec une pente moyenne de 55°, offre une structure moins tourmentée où seuls quelques rochers émergent de la glace. A cause de son extraordinaire raideur, la neige s'y accroche moins et les conditions, pour une descente à skis, sont rarement bonnes. En outre, la partie inférieure de la paroi étant plus abrupte que la partie supérieure, le départ est extrêmement impressionnant. La première pente de neige a l'air de se terminer sur le vide, et le couloir Welzenbach qui s'ouvre au-dessous n'est pas visible. Pourtant c'est la ligne de descente logique, la plus directe. Une autre ligne, à gauche (NW) des rochers qui supportent le sommet, permettrait de descendre le pre-

mier tiers de la face par un itinéraire un peu moins raide. Peu avant le gros sérac, situé vers 4 200 m, il faudrait prendre, à droite près de la ligne de rochers, l'immense pente, souvent en glace, qui plonge jusqu'à la rimaye. Impossible de savoir si c'est par là que Toni Valeruz entend dévaler pour la deuxième fois ce versant NE du Liskamm, en moins de 4 mn!

- **Dénivellation** : 1 732 m depuis la cabane Bétemps (2 795 m), 700 m pour la face NE.
- **Difficulté** : ED.
- **Horaire** : de la cabane Bétemps au point culminant (4 527 m) : 7-9 h; pour la face elle-même : 5-6 h; descente : 1 h.
- **Période favorable** : juin-juillet.
- **Point de départ** : cabane Bétemps (ou Mont Rose) (2 795 m), cabane Margherita (4 554 m).

- **Cartographie** : Carte nationale suisse 1/50 000, feuille n° 284 Mischabel, ou C.N.S. 1/25 000, feuille n° 1348 Zermatt.
- **Matériel** : piolet, crampons, corde; vis à glace pour la montée.
- **Itinéraire** : de la cabane Bétemps (2 795 m) monter par l'itinéraire habituel de la Signalkuppe (4 454 m) jusque sur le grand plateau du Grenz-gletscher (3 700 m environ). Tourner alors à droite et grimper (SW) jusqu'au pied de la face NE (3 840 m). On descendra de la cabane Margherita (4 554 m) par la rive gauche du Grenz-gletscher, pour rejoindre ce parcours un peu au-dessous de la rimaye (3 840 m). Une côte rocheuse supporte le sommet et, à cause des séracs, il est plus prudent d'attaquer un peu à droite (NW) de son alignement. Au pied des

premiers rochers on traverse à gauche (SE) pour atteindre le couloir Welzenbach. Escalader ce couloir, entre séracs et rochers, puis la pente terminale un peu moins raide, tout droit vers le point culminant (4 527,2 m).

Descente : elle débute à droite, dans la pente NE jusqu'au premier sérac, puis directement dans le couloir en suivant les traces de montée.

Entre les deux sommets du Liskamm;
à gauche la Parrotspitze et la Punta Gnifetti (page ci-contre).
En montant au sommet W du Liskamm (ci-dessus).

100. MONT ROSE 4 563 m
Zumsteinspitze, face est

Le Mont Rose présente deux glaciers homonymes, portant le nom du massif, l'un, débonnaire, sur le versant NW de la Pointe Dufour (4 634 m) et l'autre, très escarpé, sur le flanc E-NE des quatre principaux sommets. Ce deuxième glacier recouvre de sa carapace tourmentée la paroi la plus haute et la plus vaste des Alpes. Avec peine, il accroche à quelques éperons et îlots rocheux ses murs de séracs instables qui ne demandent qu'à s'écrouler. Pourtant, cette gigantesque muraille, haute de 2 400 m et ravagée par d'incessantes avalanches, a été gravie en 1872 déjà par une caravane conduite par Ferdinand Imseng. Celui-ci avait repéré tout de suite le point faible de cette forteresse, l'immense couloir qui escalade d'un seul élan les deux tiers inférieurs de la muraille. Au-dessus, le glacier, un peu moins tourmenté mais toujours très raide, monte à l'arête faîtière, au Silbersattel (4 515 m), au Grenzsattel (4 453 m) et jusque sur l'une des cimes, la Zumsteinspitze (4 563 m). Ferdinand Imseng devait trouver la mort neuf ans plus tard, sur ce même itinéraire, en compagnie de Damiano Marinelli, pionnier de l'alpinisme italien. Les deux infortunés devaient donner par la suite leurs noms aux deux principaux éperons de cette face colossale. Le formidable entonnoir qui les sépare fut également baptisé « couloir Marinelli ». En 1893, un autre célèbre alpiniste italien, Guido Rey, surnommé « le poète du Cervin », gravit le couloir avec un ami et ses guides, puis sortit, à gauche, sur le Col Gnifetti (4 452 m). En fait, il sortit sur l'arête E-SE de la Zumsteinspitze, un peu au-dessus du col, où le passage est le plus facile. A l'heure actuelle, on remonte le « Crestone Marinelli » jusqu'au refuge homonyme (3 036 m), puis, par le couloir et le haut glacier du Mont Rose, on émerge sur l'un des cols ou des sommets frontières.

Un versant glaciaire aussi impressionnant devait forcément intéresser les skieurs au moment où le ski extrême devint à la mode, à la fin des années 60. N'oublions pas que le ski extrême a été pratiqué occasionnellement dès les années 30 déjà. Deux Allemands, MM. Lapuch et Oberegger, firent une tentative au début de 1969 mais ils furent découragés par la glace. En juin de la même année, Sylvain Saudan leur soufflait la première descente par le couloir Marinelli; persévérants, ils effectuèrent tout de même le deuxième parcours un mois plus tard. Aujourd'hui, d'autres itinéraires ont été descendus à skis parmi lesquels il faut signaler celui, particulièrement impressionnant, de la « voie des Français » par Stefano di Benedetti en 1979. Si j'ai placé la descente du couloir Marinelli à la fin des « 100 plus belles », bien qu'elle ne soit pas la plus difficile réussie dans les Alpes Pennines, c'est parce que je la considère comme la plus fantastique, par son ampleur, son exposition et son cadre.

- **Dénivellation** : 2 500 m jusqu'au refuge Zamboni, 2 300 m pour la paroi proprement dite.
- **Difficulté** : ED −.
- **Horaire** : montée : du refuge Zamboni

(2 065 m) à la cabane Margherita (4 554 m) : 10-12 h, on peut partager en deux cette escalade en dormant au refuge Marinelli (3 036 m) : 4 h + 7 h; descente : 1-2 h.

● **Période favorable** : juin-juillet.
● **Point de départ** : refuge Zamboni et Zappa (2 065 m) pour la montée. Cabane Margherita (4 554 m) pour la descente.
● **Cartographie** : Carte nationale suisse 1/50 000, feuille nº 284 Mischabel, ou C.N.S. 1/25 000, feuille nº 1348 Zermatt.
● **Matériel** : piolet, crampons, corde, vis à glace.
● **Itinéraire** : *1er jour :* on peut naturellement monter à la cabane Margherita (4 554 m) par le Grenzgletscher, depuis la cabane Bétemps (2 795 m). Cependant, pour l'élégance du parcours et pour en étudier au mieux les conditions je pense qu'il est plus logique de partir de Macugnaga, du refuge Zamboni et Zappa (2 065 m) plus exactement. On parvient à ce refuge en 45 mn depuis la station supérieure du télésiège Pecetto-Belvédère (1 904 m). A cause du très

important danger d'avalanches, il faut quitter le refuge avant minuit, de manière à se trouver aux environs de 4 000 m lors du lever du soleil. On peut, bien entendu, monter le soir précédent jusqu'au refuge Marinelli (3 036 m) par le « Crestone Marinelli », ce qui raccourcit de 3 h 30-4 h le trajet du lendemain. Remonter tout le « couloir Marinelli », sur sa rive droite, le long de l'Imsengrücken ou « Crestone Imseng » puis le long des séracs qui lui font suite, jusque vers 3 800 m. Suivant l'état des séracs et de l'enneigement, on peut parfois prendre pied sur le glacier à gauche (S) dès 3 500 m environ. Entre 3 800 et 3 900 m, traverser à gauche (S) sur une sorte de vire un peu moins inclinée puis grimper tout droit jusqu'un peu au-dessous de la grande rimaye à la verticale du Grenzgipfel. Suivre quelque temps cette rimaye vers la gauche, la franchir, et s'élever en oblique, par des pentes raides entrecoupées de petits séracs. Rejoindre la crête E-SE de la Zumsteinspitze (4 563 m) un peu au-dessus du Col Gnifetti (4 452 m) et gagner la cabane Margherita (4 554 m) au S-SE.

2e jour : on grimpe à la Zumsteinspitze en 30 mn en laissant les skis vers 4 500 m environ. *Descente :* le long de l'itinéraire de montée où l'on aura repéré les plaques de glace éventuelles. La partie la plus inclinée se situe à l'entrée du couloir Marinelli où l'on peut pourtant reprendre son souffle en s'abritant sous l'un des séracs bordant la rive droite. Il ne faut cependant pas perdre trop de temps car le couloir canalise avalanches et chutes de pierres. En cas de réchauffement subit et imprévu, il est possible de traverser à gauche (N) à 3 520 m environ. On gagne ainsi le glacier du Nordend et le « Crestone Marinelli » moins exposé. Le refuge lui-même, caché sous des rochers, n'est pas facile à trouver, ni commode à rejoindre s'il y a beaucoup de neige. On y attendra toutefois le gel nocturne bien à l'abri.

Départ du sommet et plongée dans les brumes (page ci-contre).
La Dufourspitze et, à gauche, la Zumsteinspitze vues de la Nordend (ci-dessus).

BIBLIOGRAPHIE

Aruga, R. et Poma, C., *Dal Monviso al Sempione,* Edition Centro Documentazione Alpina, Torino.
Gross, J., *L'Hospice du Grand Saint Bernard.*
Guex, J., *La Montagne et ses noms,* Éditions Pillet, Martini.
Kurz, M. et Brandt, M., *Guides des Alpes valaisannes,* Édition du Club Alpin Suisse.
Merlo, G., *Scialpinismo in Val d'Ayas,* Edition Centro Documentazione Alpina, Torino.
Pont, A., *Ski alpin, Alpes valaisannes,* Édition du Club Alpin Suisse.
Roberts, E., *High Level Route,* West Col Prod. edit.
Zapelli, C., *Guida ai rifugi e bivacchi in Valle d'Aosta,* Edit. Musumeci, Aosta.
Zschokke, H., *Les Vues classiques de la Suisse.*

CRÉDITS PHOTOGRAPHIQUES

CARTOGRAPHIE

Versant suisse :
Le Service topographique fédéral a publié des cartes en couleurs dont les feuilles suivantes couvrent les Alpes valaisannes, y compris le versant italien :
• Au 1/50 000

Saint Maurice	feuille 272
Martigny	feuille 282
Courmayeur	feuille 292
Montana	feuille 273
Arolla	feuille 283
Valpelline	feuille 293
Visp	feuille 274
Mischabel	feuille 284
Gressoney	feuille 294
Nufenenpass	feuille 265

La Fédération suisse de ski publie ces cartes nationales avec les itinéraires de ski. Au verso de la carte, on trouve les itinéraires des cabanes, des cols et des sommets les plus habituels.
• Au 1/25 000

Versant italien :
• I.G.M. – Carta d'Italia 1/100 000 fogli 28, 29, 30.
Il y a aussi des cartes au 1/25 000 qui datent de 1930.

La lettre qui suit le numéro de la page correspond à la position de la photo dans la page selon le code suivant : H : haut, B : bas, D : droite.

Toutes les photographies reproduites sont de Denis Bertholet, sauf les documents suivants :
Archives de l'hospice du Grand Saint Bernard : 12 H, 13. Ulf Blomberg : 14 HD, 15 H. M. Bruchez : 225. Collection Simond : 10-11. C. Genolet : 229. Klopfenstein, Adelboden : 9. J. Lacour : 143. H. Mösching : 120. M. Müller : 111. Office du tourisme, Zermatt : 8. Pillet, Martigny : 12 B. J. Pralong : 227. J.-M. Seigne : 24, 81, 132, 145, 150.

Croquis des courses : Alex Lucchési
Cartographie : Gilles Alkan
Mise en pages : Marc Lescop

N° d'édition : 2444
Dépôt légal : mars 1987
Imprimé en France par Pollina à Luçon n° 8909